CURSO DE ESPAÑOL DE NIVEL SUPERIOR

VITAMINA C_1

Berta Sarralde   **Eva Casarejos**   **Mónica López**   **Daniel Martínez**

SGEL

¿POR QUÉ VITAMINA C₁?

Los autores echábamos en falta un manual motivador en C₁ basado en un enfoque orientado a la acción, un libro que fuera visualmente atractivo, que trabajara con textos y audios reales, con contenidos lingüísticos asimilables, que fuera interesante y fácil de usar tanto para profesores como para alumnos y que contribuyera significativamente al aprendizaje del español de estudiantes de nivel superior.

POR ESO VITAMINA C₁ OFRECE

- UN INPUT generado a partir de TEXTOS AUTÉNTICOS que contemplan variedad de temas e integración de los acentos y cultura de Hispanoamérica.

- TEMAS UNIVERSALES que muestran un renovado punto de vista, fomentan la interacción y el intercambio comunicativo entre los alumnos a la vez que favorecen el conocimiento pluricultural.

- UNA EXTENSA TIPOLOGÍA DE GÉNEROS TEXTUALES que busca enriquecer las producciones escritas de los aprendices.

- AUDIOS REALES, la mayoría accesibles en formato audiovisual a través de YouTube.

- FOCO EN EL LÉXICO y en el trabajo de colocaciones y combinaciones que permitirán producir un discurso fluido que refleje el nuevo nivel alcanzado.

- CUADROS GRAMATICALES breves y sencillos con explicaciones pragmáticas de los usos de la lengua que se amplían en la parte final del libro.

- TAREAS Y ACTIVIDADES SIGNIFICATIVAS que promueven la reflexión y el desarrollo de la autonomía del estudiante y animan a trabajar en cooperación.

- GRAN FLEXIBILIDAD DE ITINERARIOS: las unidades presentan temas variados con epígrafes independientes que permiten saltar de unos a otros para diseñar una planificación a medida.

ASÍ ES VITAMINA C₁

1 PORTADA: una imagen artística que sugiere e invita a despertar interés por la unidad y presenta los temas y los contenidos.

2 CUATRO SECCIONES en cada unidad que permiten abordar el tema desde diferentes puntos de vista y que pueden trabajarse aisladamente.

CUADROS DE GRAMÁTICA Y COMUNICACIÓN sencillos que remiten a un apéndice final con explicaciones más extensas.

Vitamina C₁ consta de 12 unidades, además de un apéndice que incluye un anexo con gramática y actividades, las transcripciones de las audiciones y las soluciones de los ejercicios.

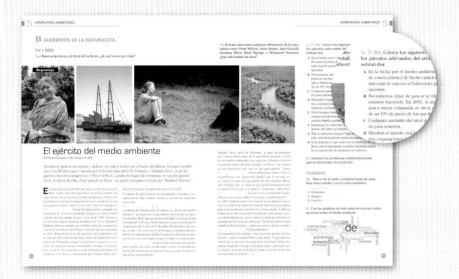

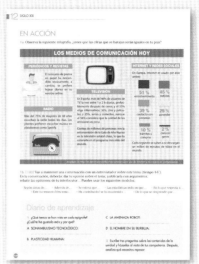

3 ACTIVIDADES de preparación al DELE: insertadas en cada tema se encuentra una variada tipología de actividades similares a las del examen DELE C₁.

4 EN ACCIÓN: página final con tareas de interés enfocadas al fomento de textos generados de tipología variada.

DIARIO DE APRENDIZAJE: sección final para repasar los contenidos de la unidad y tomar conciencia de lo aprendido.

APÉNDICE

- UN ANEXO DE GRAMÁTICA que revisa contenidos lingüísticos de otros niveles y amplía los presentados en cada unidad.

- MÁS ACTIVIDADES con soluciones para reforzar conocimientos y desarrollar un trabajo autónomo.

- TRANSCRIPCIONES de audios.

- SOLUCIONES A LAS ACTIVIDADES de las unidades.

VITAMINA C₁
manual de nivel superior orientado a la acción

CONTENIDOS

TEMA 5 ALTERNATIVAS AMBIENTALES

Contenidos funcionales	Sistema lingüístico	Textos	Tareas
• Describir animales. • Hablar de problemas medioambientales. • Expresar causa. • Expresar sentimientos. • Organizar un texto de recogida de firmas por internet.	• Léxico de fauna y ecología. • Oraciones causales. • Expresiones para mostrar alegría, tristeza, enfado o miedo.	• Artículo periodístico: *El ejército del medio ambiente*. • Programa de televisión: *Las ecoaldeas*. • Charla de TED: *Cosechando el futuro*. • Reclamación de *Change.org*.	• Escribir un mensaje en un foro. • Iniciar una campaña en Facebook para salvar especies en peligro de extinción. • Redactar una petición en internet.

TEMA 6 EDUCACIÓN

Contenidos funcionales	Sistema lingüístico	Textos	Tareas
• Hablar de estilos de educación. • Preguntar por recuerdos. • Expresar preferencias. • Hablar de talentos extraordinarios. • Explicar cómo funciona nuestro cerebro.	• Exponentes para hablar de recuerdos. • Oraciones consecutivas. • Marcadores condicionales. • Los signos de puntuación.	• Artículo: *La educación en aforismos*. • Artículo sobre enseñanzas alternativas. • Entrevista al ganador de los Global Teacher Prize. • Audio de programa científico sobre neurociencia. • Texto periodístico: *Superhéroes de carne y hueso*. • Fragmento literario.	• Escribir aforismos sobre educación. • Presentar otros modelos educativos. • Negociar cuál es el mejor talento. • Proponer soluciones para potenciar la memoria y el aprendizaje. • Puntuar un texto y continuar su historia.

TEMA 7 PAISAJES URBANOS

Contenidos funcionales	Sistema lingüístico	Textos	Tareas
• Hablar de iniciativas para mejorar el paisaje urbano. • Buscar soluciones a los problemas de la vivienda. • Expresar alivio, esperanza, resignación.	• Oraciones temporales. • Léxico de averías en una casa. • Léxico de materiales y de decoración. • La posición del adjetivo.	• Artículo: *La ciudad sin límites*. • Artículo periodístico: *Muros que alegran la vista*. • Entrevista radiofónica al colectivo Boa Mistura. • Carta de requerimiento. • Entrevista a la diseñadora Anatxu Zabalbascoa. • Texto: *La vida secreta de los edificios*.	• Interpretar una obra de arte urbano. • Escribir una carta de requerimiento. • Redecorar la vivienda. • Analizar el tema principal de un texto. • Hacer una exposición oral formal a partir de un texto.

TEMA 8 GEOGRAFÍAS Y VIAJES

Contenidos funcionales	Sistema lingüístico	Textos	Tareas
• Hablar de lugares del mundo. • Corregir una información. • Dar y pedir confirmación. • Expresar preferencias. • Hacer recomendaciones.	• Léxico de geografía y clima. • Vocabulario de descripción de lugares. • Léxico de turismo. • Perífrasis verbales.	• Cuestionario sobre geografía. • Textos descriptivos de viajes. • Noticia periodística sobre el turismo de masas. • Programa de TV sobre literatura de viajes. • Sinopsis de cómics.	• Preparar un concurso de geografía. • Escribir una entrada para una revista de viajes. • Participar en un concurso de relatos cortos.

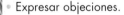

1 INDIVIDUO

TEMAS

A IDENTIDAD

Lee y habla

1 Elige rápidamente el paisaje con el que más te identifiques y averigua lo que tu elección dice sobre tu personalidad.

TEST DE PERSONALIDAD

ERES ...

1 Humilde, íntegro y honesto: Buscas ser el mejor y gozas de un gran amor propio. Trabajas duro porque eres altruista y quieres que el mundo sea mejor. Te llena de satisfacción ayudar a los demás. Eres una persona verdaderamente responsable. Crees en el trabajo honesto y te resulta fácil asumir las obligaciones: manifiestamente, no has nacido para ser un caradura. Mereces toda la confianza de la gente aunque, en ocasiones, mantienes las distancias para preservar tu parcela de intimidad. Negativo: eres un poco blando y te hundes fácilmente ante la envidia de los demás.

2 Afable y sensible: Construyes fácilmente óptimas relaciones y aborreces a la gente intransigente. Posees un aura cálida, luminosa y brillante, que hace que los que te rodean se sientan muy bien en tu presencia. Todos los días piensas en cómo llegar a ser aún mejor. Pasas por ser una persona perspicaz, interesante, profunda y única. Debilidad: tendencia a sumirte con facilidad en pequeñas depresiones.

3 Seguro de ti mismo y dominante: Eres manifiestamente independiente y admirable. Tu principio rector en la vida es: "Voy a hacerlo a mi manera". Muestras una confianza ciega en ti mismo y te mantienes fuerte en situaciones adversas. Posees un gran afán de superación. No tienes miedo de perseguir tus sueños, sabes lo que quieres y vas a su encuentro: cuentas con un gran coraje. Lo único que exiges de la gente es honestidad. Eres lo suficientemente fuerte como para aceptar la verdad. Punto débil: te llevas como el perro y el gato con la gente cobarde y, a veces, puedes resultar ligeramente prepotente. Habrá quien crea que tienes el corazón de piedra.

4 Feliz e imperturbable: Eres una persona sumamente sensible y comprensiva. Escuchas con atención y sin prejuicios. Crees que todo el mundo tiene su propio camino en la vida y tienes mucha mano izquierda para intermediar en situaciones conflictivas. Estás abierto a personas y a acontecimientos nuevos. Eres muy resistente a la tensión, rara vez te preocupas y tiendes a ser una persona muy relajada. Inspiras confianza y mantienes estrechos lazos de amistad. A mejorar: eres un poco hipocondriaco.

5 Inteligente y reflexivo: Tus pensamientos e ideas son lo más importante. Amas pensar en tus teorías y puntos de vista solo. Tiendes a ser irremediablemente introvertido. Te llevas bien con alguien a quien le guste pensar y aprender. No eres nada frívolo. Pasas mucho tiempo pensando en la moral, tratas de hacer lo correcto, incluso si la mayoría no está de acuerdo contigo. Eres una persona intuitiva y un poco peculiar, estrafalaria incluso. A menudo eres mal entendido y te duele: no debes desanimarte por ello ni sentirte desplazado. Necesitas espacio personal. Principal debilidad: eres tremendamente emotivo y levemente vulnerable.

6 Encantador y brillante: Eres una persona alegre y divertida que sabe hacer reír a la gente. Estás en armonía con el universo. Eres espontáneo y entusiasta. Con frecuencia sorprendes e incluso impactas a la gente. Crees que este mundo es un regalo y estás inmensamente orgulloso de tus logros en él. Tienes una actitud muy saludable ante la vida. Ves siempre "la botella medio llena". Utilizas todas las oportunidades para perdonar, aprender y crecer. Sabes que la vida es demasiado corta como para hacer otra cosa. Consejo: lo ves todo de color de rosa y debes protegerte de la gente que carece de escrúpulos.

Solución: si has elegido la foto **a)** lee el texto 6; con la foto **b)** lee el texto 3; con la **c)** el texto 4; con la **d)** el texto 5; con la **e)** el texto 2 y con la foto **f)** lee el texto 1.

2 En grupos de tres, ¿estás de acuerdo con los resultados del test? Comenta con qué otros rasgos de personalidad señalados te identificas más.

Vocabulario

3a Lee el resto de los textos, subraya los adjetivos de carácter y clasifícalos en el siguiente cuadro.

ADJETIVOS CON CONNOTACIONES POSITIVAS	ADJETIVOS CON CONNOTACIONES NEGATIVAS
Humilde, íntegro …	*Hipocondriaco, prepotente…*

3b ¿Cómo crees que deberían ser cada una de las siguientes personas? Coméntalo con tus compañeros.

- ▸ Un jefe.
- ▸ Tu mejor amigo.
- ▸ Tu pareja.
- ▸ Un vecino.
- ▸ Tu profesor de español.
- ▸ Un hermano.
- ▸ Un colega de trabajo.

Para mí un buen jefe debe ser trabajador y organizado… También ha de saber delegar y mostrar confianza en la gente de su equipo. De este modo creo que…

4a Busca en el test de personalidad ejemplos de adjetivos precedidos de adverbios y comenta con tu compañero su significado.

Ligeramente prepotente (un poco prepotente).

Intensificación del adjetivo

1 Los adjetivos pueden estar modificados por un adverbio en *–mente* que va delante de ellos. Algunos como **realmente, francamente, verdaderamente, sumamente,** enfatizan la cualidad expresada por el adjetivo o un adverbio:

*Este hombre es **francamente** admirable.*

2 El grado superlativo del adjetivo, es decir, el significado en su mayor intensidad, se puede expresar añadiendo prefijos: **super-, requete-:** superbueno, requetebueno; y sufijos: **-ísimo/a:** buenísimo.

Ver más gramática en pág. 136

4b ¿Qué adverbio utilizarías con los siguientes adjetivos para intensificar el significado que aparece entre paréntesis? Relaciona los elementos (puede haber más de una opción en algún caso).

1 Francamente
_____

2 Cruelmente _____
3 Sumamente _____
4 Escandalosamente

5 Enormemente
_____

6 Felizmente _____
7 Locamente _____
8 Patológicamente

_____

a Interesante (es de muchísimo interés)
b Casado (le va muy bien en el matrimonio)
c Útil (es de una gran utilidad)
d Celoso (es una verdadera enfermedad)
e Sanguinario (es de una gran maldad)
f Enamorado (Cupido le ha tocado con fuerza)
g Caro (cuesta una barbaridad)
h Feo (lo digo con total sinceridad)

5a Y tú, ¿cómo te relacionas? Completa las siguientes frases y coméntalas luego con tus compañeros.

Mantengo estrechos lazos de amistad con alguna gente del instituto, precisamente con Facebook los hemos reforzado porque…

a Mantengo estrechos lazos de amistad con gente que _____.
b Me cae superbién la gente que _____.
c Mantengo las distancias con personas que _____.
d Me parece que la gente capaz de _____ posee un gran afán de superación.
e Creo que carecen de escrúpulos las personas que _____
f En mi opinión, los individuos que _____ tienen un gran coraje.
g No me inspiran confianza los seres que _____.
h Me resulta admirable la gente que _____.
i Me llevo como el perro y el gato con la gente que _____.

5b Completa estas expresiones con la palabra adecuada del recuadro. Puedes buscarlas en el test de personalidad para confirmar tus respuestas. Elige una y un contexto en el que se pueda usar para que tus compañeros la averigüen.

mano	amor	desplazado	vida	superación
depresión	inspirar	piedra	corazón	ciega

1 Sentirse _____.
2 Sumirse en una _____.
3 Tener mucho _____ propio.
4 Encogerse el _____.
5 Tener el corazón de _____.
6 Tener afán de _____.
7 Mostrar una confianza _____ en alguien.
8 _____ confianza.
9 Tener _____ izquierda.
10 Ver la _____ de color de rosa.

-¿Sabéis que el otro día tuve una sensación rara? En la cafetería estaba un grupo de clase y, cuando me senté con ellos, no me hicieron ni caso, ¡uf!, fue raro y, a la vez, muy incómodo.
-¡Te sentiste desplazado!
-Exacto.

B HERENCIA O ENTORNO

Lee

1 ¿Te pareces a alguien de tu familia? ¿En qué cosas os parecéis? ¿En qué os diferenciáis? Coméntalo.

2 El texto de la página siguiente habla sobre la influencia que tienen la genética y la educación en las personas. Léelo y señala en qué fragmento aparece esta información.

FRAGMENTO

A La inteligencia de una persona está condicionada por su carga genética.

B Los gemelos tienen prácticamente la misma base genética, pero los mellizos solo comparten la mitad de su código.

C El estudio obtuvo un gran avance al descubrir gemelos que no se habían criado juntos.

D Los resultados desmentían muchas de las teorías psicológicas previas.

E Gracias al estudio con gemelos podemos conocer qué enfermedades pueden ser hereditarias.

F Las similitudes que existían entre gemelos que se habían educado en diferentes familias llamó la atención de los científicos.

Escucha, escribe y habla

6a 🔊1 Escucha parte del discurso que el actor puertorriqueño Benicio del Toro dio al recoger el Premio Donostia y contesta a las preguntas.

1 ¿A qué atribuye el éxito en su carrera?
2 ¿Qué anécdota cuenta relacionada con ello?
3 ¿A quién dedica el premio?

6b Y tú, ¿a quién se lo dedicarías? Coméntalo con tus compañeros.

7 Piensa en un personaje de tu país al que admires; busca información sobre él y preséntaselo a la clase.

Habla

3 En tu opinión, ¿qué determina más nuestra personalidad, la educación o el entorno? ¿Conoces algún ejemplo?

Gramática

4 Fíjate en los verbos del texto que aparecen en negrita, subraya la preposición que los acompaña y añádelos a la tabla.

Verbos con preposición

Algunos verbos llevan complementos que obligatoriamente se construyen con una preposición.

a	en	de	con
Obligar	Pensar	Acordarse	Contar
Negarse	Confiar	Quejarse	Conformarse
_____	Fijarse	Despedirse	Soñar
_____	Insistir	_____	_____
_____	Consistir	_____	_____
_____	_____	_____	_____

Más información en pág. 137

UNA COSA O DOS SOBRE
GEMELOS

Los gemelos ofrecen una oportunidad de oro para identificar qué rasgos están determinados por nuestros genes y cuáles por el ambiente, es decir, para distinguir entre la influencia de la herencia y la del entorno. Como los gemelos idénticos (o monocigóticos) **proceden** de un único óvulo fecundado que **se ha dividido** en dos, comparten prácticamente el mismo código genético. Cualquier diferencia entre ellos (por ejemplo, una piel de aspecto más joven) tiene que estar causada por factores ambientales (por ejemplo, menos tiempo de exposición al sol).

Por otro lado, **comparando** las experiencias de los gemelos idénticos con las de los gemelos fraternos (o dicigóticos), también llamados mellizos, que proceden de óvulos diferentes y comparten por término medio la mitad del ADN, los investigadores pueden cuantificar la influencia de los genes sobre nuestras vidas. Si los gemelos idénticos presentan más similitudes entre sí respecto a una enfermedad que los fraternos, entonces la propensión a esa enfermedad puede tener al menos un componente hereditario.

1

Provistos de esa montaña de datos, Bouchard, Segal y sus colegas se propusieron desentrañar algunos de los misterios más complejos de la naturaleza humana: ¿Por qué algunas personas son alegres y otras tristes? ¿Por qué algunas son sociables y otras tímidas? ¿De dónde **procede** la inteligencia general? La clave de su enfoque era un concepto estadístico llamado heredabilidad. En líneas generales, la heredabilidad de un rasgo mide hasta qué punto las diferencias entre los miembros de una población pueden explicarse por diferencias en sus genes. (…) Al estudiar los datos sobre la inteligencia de los gemelos, el equipo de Bouchard **llegó** a una controvertida conclusión: para personas criadas en la misma cultura y con las mismas oportunidades, las diferencias en el cociente intelectual reflejan sobre todo diferencias genéticas, más que de formación o educación. Los investigadores calcularon que la heredabilidad de la inteligencia es de 0,75, lo que indica la marcada influencia de la herencia. Esto contradecía la creencia predominante de los psicólogos conductistas, según los cuales, nuestro cerebro es inicialmente una página en blanco a la espera de ser escrita por la experiencia.

3

2

La idea de estudiar a los gemelos para medir la influencia de la herencia data de 1875, y fue sugerida por el científico inglés Francis Galton, el primero en hablar de «herencia y entorno». Pero los estudios de gemelos dieron un giro inesperado en la década de 1980, tras el descubrimiento de numerosos gemelos idénticos que habían sido separados después de nacer.

La historia empezó con el publicitado caso de dos hermanos, **ambos** llamados Jim. Nacidos en Piqua, Ohio, en 1939, Jim Springer y Jim Lewis fueron dados en adopción nada más nacer y criados por dos matrimonios diferentes, que casualmente les pusieron el mismo nombre de pila. Cuando Jim Springer se **reencontró** con su hermano a los 39 años, en 1979, ambos descubrieron un montón de similitudes y coincidencias, además del nombre. Ambos medían 1,80 metros y pesaban 82 kilos. De pequeños, los dos habían tenido un perro llamado *Toy* y habían pasado las vacaciones familiares en Saint Pete Beach, en Florida. De mayores, los dos **se casaron** con una mujer llamada Linda, de la que después **se divorciaron**, para casarse ambos con **sendas** mujeres llamadas Betty. Uno puso de nombre a su primer hijo James Alan, el otro, James Allan. Ambos habían sido *sheriffs* a tiempo parcial en sus respectivos pueblos, eran **aficionados** a la carpintería, padecían de jaquecas, fumaban la misma marca de cigarrillos y bebían la misma cerveza. Aunque se peinaban diferente, tenían la misma sonrisa asimétrica, sus voces eran idénticas y los dos tenían la costumbre de dejar notas cariñosas a sus mujeres por toda la casa.

Cuando Thomas Bouchard, Jr., psicólogo de la Universidad de Minnesota, oyó **hablar** de los dos Jims, los **invitó** a su laboratorio en Minneapolis. Bouchard y su equipo los **sometieron** a una batería de tests que confirmaron sus similitudes.

¡Fíjate!

Sendos es un determinante distributivo que significa "uno para cada uno" o "uno cada uno". Se puede usar para cualquier número que sea más de uno: *El jugador metió tres goles en* sendos *partidos* (el jugador metió tres goles en cada partido).

Ambos es un determinante indefinido que significa "los dos, uno y otro". Solo puede referirse a dos personas o cosas: *Quedaron dos a cero, el delantero metió* ambos *goles* (el delantero metió los dos goles del partido).

11

Extraído de www.nationalgeographic.com

5a En parejas, elige un cuestionario (A o B), complétalo con una preposición y añade tres preguntas más usando otros verbos con preposición. Hazle las preguntas a tu compañero.

A

1 ¿Eres una persona a la que le gusta arriesgarse ___ hacer cosas distintas?
2 ¿Alguna vez has soñado ___ tener una vida diferente?
3 ¿Sueles hablar ___ tus problemas con tus amigos o prefieres no contarlos?
4 ¿Te cuesta mucho confiar ___ las personas?
5 ¿Alguna vez te han comparado ___ una persona famosa?
6 ¿___ qué actividad nunca te aficionarías?
7 _____
8 _____
9 _____

B

1 ¿___ qué persona de tu pasado te gustaría reencontrarte?
2 ¿Te fijas mucho ___ los detalles o no eres muy observador?
3 ¿A quién te gustaría invitar ___ tomar algo?
4 Normalmente, ¿te empeñas ___ llevar la razón?
5 ¿Te casarías ___ alguien muy diferente a ti?
6 ¿Alguna vez has pensado ___ dar un giro radical a tu vida?
7 _____
8 _____
9 _____

5b A partir de la información que habéis obtenido comentad en qué os parecéis.

Los dos somos muy precavidos porque no nos gusta arriesgarnos a hacer cosas nuevas, sin embargo…

C LA GENTE QUE ME GUSTA

Lee

1 Lee el poema. Si tuvieras que quedarte con las tres estrofas del poema más significativas para ti, ¿con cuáles te quedarías? Coméntalo con tu compañero.

LA GENTE QUE ME GUSTA

Me gusta la gente que vibra,
que no hay que empujarla,
que no hay que decirle que haga las cosas,
sino que sabe lo que hay que hacer y lo hace.

Me gusta la gente con capacidad
para medir las consecuencias de sus acciones,
la gente que no deja las soluciones al azar.

Me gusta la gente justa con su gente y consigo misma,
pero que no pierde de vista que somos humanos
y nos podemos equivocar.

Me gusta la gente que piensa
que el trabajo en equipo, entre amigos,
produce más que los caóticos esfuerzos individuales.

Me gusta la gente que sabe la importancia de la alegría.

Me gusta la gente sincera y franca,
capaz de oponerse con argumentos serenos
y razonables a las decisiones de un jefe.

Me gusta la gente de criterio,
la que no se avergüenza de reconocer
que no sabe algo o que se equivocó.

Me gusta la gente que, al aceptar sus errores,
se esfuerza genuinamente por no volver a
cometerlos.

Me gusta la gente capaz de criticarme
constructivamente y de frente,
a estos los llamo mis amigos.

Me gusta la gente fiel y persistente, que no desfallece
cuando de alcanzar objetivos e ideas se trata.

Me gusta la gente que trabaja con resultados.
Con gente como esa, me comprometo a lo que sea,
ya que con haber tenido a esa gente a mi lado
me doy por bien retribuido.

(Anómino)

2 Lee de nuevo el poema y sustituye cada estrofa por un adjetivo o expresión que resuma la idea del poeta. En el test del comienzo de la unidad, tienes mucho vocabulario que te puede ayudar.

Me gusta la gente que vibra, que no hay que empujarla…

Me gusta la gente entusiasta.

Escribe

3 En parejas, escribe un pequeño poema sobre la gente que te gusta. Desarrolla una misma idea en cada párrafo. Incluye un par de errores de léxico para que el resto del grupo los encuentre.

Escucha y habla

4a *El arte de no amargarse la vida* es el título de un *best seller*. ¿A qué crees que hace referencia: a gastronomía, a psicología o a cultura?

4b Comenta con tu compañero si estás de acuerdo o no con estos aspectos que se mencionan en el libro.

- Todas las personas buscan la felicidad.
- Hay personas malas por naturaleza.
- Frente a la ofensa hay que poner la otra mejilla.
- Ojo por ojo y diente por diente.
- Los que hacen daño a los demás sufren un trastorno psíquico.

5 🔊 2 📄 **DELE** Escucha un extracto de un programa de televisión en el que el psicólogo Rafael Santandreu, habla de "la aceptación incondicional a los demás". Lee las frases y selecciona la opción correcta.

1 La aceptación incondicional a los demás es…
   a un factor imprescindible para gozar de buena salud psíquica.
   b un concepto clave para evitar que te hagan daño.
   c imprescindible para tener muchos amigos.

2 La aceptación incondicional a los demás implica…
   a demostrar nuestro amor a los miembros de nuestra familia.
   b saber perdonar cualquier acto de agresión que nos hagan.
   c mostrar sentimientos positivos hacia cualquier persona independientemente de cómo sea o de lo que haga.

3 Es un concepto…
   a originario de la religión cristiana.
   b que también emplea notoriamente la religión cristiana.
   c universal en cualquier religión.

4 Si alguien se comporta mal con los demás es porque…
   a ha perdido la ilusión por la vida.
   b es una persona mala por naturaleza.
   c está sumida en un error o padece algún trastorno psíquico.

5 En el fondo, las personas buscamos…
   a la felicidad propia y ajena.
   b nuestra propia dicha.
   c que nos acepten tal y como somos.

6 Para vivir sosegadamente es necesario…
   a apartar de tu vida a las personas que infunden odio.
   b evitar sentir odio por los demás.
   c ser una buena persona.

6 Habla con tu compañero: ¿estás de acuerdo con este concepto de la aceptación incondicional a los demás?, ¿es fácil llevarlo a la práctica?, ¿por qué?

D 7 MIL MILLONES DE OTROS

Lee y habla

1a ¿Conoces el proyecto "7 mil millones de Otros"? ¿De qué crees que trata? Lee el siguiente fragmento para comprobar si has acertado con tus hipótesis.

7 mil millones de Otros

EL PROYECTO	VÍDEOS	EXPOSICIONES	DIFUSIONES	BASTIDORES

En el año 2003 el fotógrafo francés **Yann Arthus-Bertrand** inició, junto a otros dos compañeros, el ambicioso proyecto "7 mil millones de Otros" que ofrece más de 6000 entrevistas filmadas a personas de muy diversas culturas a lo largo de 84 países. Desde el pescador brasileño al boticario chino, del artista alemán al agricultor afgano, todos respondieron a las mismas preguntas sobre sus experiencias, sus miedos, sus sueños, sus esperanzas.

El autor cuenta que todo comenzó con una avería de helicóptero en Malí. Esperando al piloto, conversó con un aldeano durante todo un día en el que le habló de su vida cotidiana, de sus esperanzas, de sus miedos: su única ambición era alimentar a sus hijos. Fue cautivado por su mirada, por su palabra y de ahí nació el proyecto.

Cuarenta preguntas permiten descubrir tanto lo que nos separa como lo que nos une a los ciudadanos del planeta. No dejes de verlo en http://www.7billionothers.org.

© 7 mil millones de Otros - GoodPlanet Foundation

1b Estas fueron algunas de las preguntas que hizo el fotógrafo, ¿cuáles harías tú? Escribe, al menos, tres más.

¿Qué aprendió de sus padres?
¿Qué querría transmitir a sus hijos?
¿Qué pruebas tuvo que atravesar?

1c Visita la web del proyecto para verificar las preguntas realizadas y comenta con tus compañeros tu opinión sobre esta iniciativa.

Expresiones de habilidades y gustos

Es importante tener en cuenta las preposiciones que siguen a muchas de estas expresiones o el modo verbal que las acompaña. Algunas, como *disfruto a lo grande, soy muy patoso* y *no hay quien me gane,* cuando no llevan preposición, van seguidas de un verbo en gerundio.

*Soy muy patoso **esquiando**. / Disfruto a lo grande **del** esquí.*

Ver más gramática en pág. 138

Vocabulario y gramática

2 Las siguientes frases plantean nuevos interrogantes sobre cómo somos, léelas y escribe tus respuestas.

CUESTIONES muy personales

1. Te espanta...
2. Te repugna...
3. Si te dieran a elegir cambiar algo de tu entorno, cambiarías...
4. Si tienes que escoger un rasgo de tu personalidad, te quedas con...
5. No cambiarías por nada del mundo...
6. Nunca te cansas de...
7. Te sientes atraído/a por...
8. Te pone de un humor de perros...
9. Te saca de quicio...
10. Te pones a dar saltos de alegría cuando...
11. No aguantas...
12. Disfrutas a lo grande de...
13. Tienes buena mano para...
14. Eres patoso/a para...
15. Eres un hacha...
16. No hay quien te gane a...

3 Relaciona las siguientes expresiones con su función comunicativa:

a Expresar aversión ☐
b Expresar preferencias ☐
c Expresar habilidades (o falta de estas) ☐
d Expresar gustos ☐

1 Disfruto a lo grande, me pongo a dar saltos de alegría, no me canso de, me siento atraído por…

2 No hay quien me gane, soy muy patoso/a, soy un hacha/as / fenómeno, tengo buena mano para…

3 Me espanta, me repugna, me da náuseas, aborrezco, me saca de quicio, me pone de un humor de perros …

4 Si me dan / dieran a elegir, no cambiaría… por nada del mundo, me quedo con…

4 Entre toda la clase, seleccionad seis cuestiones de las actividades 2 y 3 y grabad vuestra propia entrevista para hacer una versión de "7 mil millones de Otros".

- Preparad el cuestionario entre todos y pensad en respuestas personales.
- Visitad de nuevo la web del proyecto para que os sirva de modelo.
- Buscad un móvil con buena cámara y diseñad un bonito fondo en un rincón de la clase para grabarlo.
- Podéis colgar el resultado final en el Facebook de la escuela, en YouTube, etc.

Lee y habla

5a ¿Sabes quién es Gandhi? ¿Qué puedes decir de él?

5b Lee algunas de las mejores frases que Gandhi pronunció en su vida. En los *10 pensamientos iluminados* aparece solo la primera parte de cada una. En parejas, completadlas como os parezca más apropiado.

5c Compara tus finales con los del resto de la clase.

10 PENSAMIENTOS iluminados

1 Si quieres cambiar el mundo, …

2 No hay caminos para la paz; …

3 Ojo por ojo y el mundo…

4 Nuestra recompensa se encuentra en el esfuerzo y no en el resultado. Un esfuerzo total es…

5 Cuida tus pensamientos porque se convertirán en tus palabras. Cuida tus palabras porque se convertirán en tus actos. Cuida tus actos porque se convertirán en tus hábitos. Cuida tus hábitos porque se convertirán en…

6 El amor es la fuerza más humilde, pero la más poderosa de que…

7 Perdonar es el valor de los valientes. Solamente aquel que es bastante fuerte para perdonar una ofensa, …

8 Lo que se obtiene con violencia, solamente se puede mantener…

9 Un error no se convierte en verdad por el hecho de que…

10 Vive como si fueras a morir mañana; aprende como si el mundo fuera a…

Gandhi

5d Estos son los finales originales de las frases de Gandhi, ¿con cuál asocias cada uno?

cámbiate a ti mismo
dispone el mundo
con violencia
durar para siempre
todo el mundo crea en él
acabará ciego
tu destino
una victoria completa
la paz es el camino
sabe amar

5e ¿Han coincidido con los tuyos? ¿Qué valores defiende cada frase?

EN ACCIÓN

1 Busca en internet más citas de personajes célebres que hablen de valores importantes para ti y justifica tu elección. Preséntalas al resto de la clase.

Yo he elegido una cita del filósofo griego Platón que dice: "Buscando el bien de nuestros semejantes, encontraremos el nuestro". Esta cita alude al altruismo, un valor que lamentablemente no abunda en la sociedad actual, en la que cada uno busca su propio beneficio…

2 Entre todos seleccionad las mejores diez frases de la clase y redactad un decálogo que recoja las elegidas.

Diario de aprendizaje

1 ¿Qué temas se han visto en cada epígrafe? ¿Cuál te ha gustado más y por qué?

A IDENTIDAD: _____

B HERENCIA O ENTORNO: _____

C LA GENTE QUE ME GUSTA: _____

D 7 MIL MILLONES DE OTROS: _____

2 ¿Qué aspectos gramaticales han sido nuevos para ti?, ¿qué necesitas repasar?

_____

3 ¿Qué palabras y expresiones quieres recordar? Escríbelas en el cuadro.

Verbos con preposición
Acordarse de…

Expresar gustos
o aversión
Me saca de quicio…

Adjetivos de carácter
Íntegro/a

RELACIONES PERSONALES

Tu frase de Gandhi
favorita

Hablar de relaciones
Mantener las distancias
con alguien…

Expresar habilidades
Soy un as…

2 TIEMPO LIBRE

TEMAS

A EL PLACER DE NO HACER NADA

Habla y lee

1 ¿Cómo ocupas tu tiempo libre? ¿Eres de los que necesitan estar siempre haciendo algo o disfrutas de no hacer nada? Comenta tus respuestas con tu compañero.

2a Antes de leer el texto clasifica estas palabras según estén relacionadas con el aburrimiento o la diversión.

> tedio   desahogo   juerga   hastío   distracción
> esparcimiento   sopor   apatía

2b Lee el texto y responde a las preguntas.

1 ¿Qué beneficios tiene no hacer nada?
2 ¿Cómo se valora en la cultura occidental esta falta de actividad?
3 ¿Qué peligros puede tener?
4 ¿Cómo podemos combatir el aburrimiento?

Vencer al aburrimiento sin moverse del sofá

ABIGAIL CAMPOS DÍEZ

El aburrimiento es algo tan cotidiano que pocas veces nos paramos a pensar sobre el mero hecho de aburrirse en sí mismo (porque, de entrada, ¿quizá nos suena aburrido?). Podemos experimentar el tedio en nuestro trabajo, en una sala de espera, en el metro de vuelta a casa, estudiando para un examen o acompañando a una amiga de compras. ¿Por qué sucede? ¿Es bueno o es malo?

Los científicos trabajan desde hace años para entender los efectos del aburrimiento en el cerebro. A la pregunta de si es positivo o negativo, el doctor José Antonio López Rodríguez, vicepresidente de la Asociación Española de Psiquiatría Privada (ASEPP), se remite a los griegos para recordar la importancia del "nada en exceso", y distingue la diferencia entre perder el tiempo y aburrirse. "De vez en cuando perder el tiempo es aconsejable, porque supone parar en la vorágine y en el tipo de vida que llevamos, en el que el tiempo es oro. Yo se lo aconsejo a mis pacientes", cuenta.

¿Y para qué vale abandonarse un poco al *no hacer nada*? "Permite ser creativo, es una válvula de escape que nos facilita entrar en nuestro interior y dejar la mente libre. Nos anima a soñar despiertos para que fluya esa imaginación. Pero en Occidente lo que se hace es estar ocupados para no pensar y no conocernos a nosotros mismos. No estamos acostumbrados a profundizar en nuestro interior. Nuestra sociedad no ha tenido ese culto a saber estar tranquilos, relajados, reposados, para después volver a la actividad", dice José Elías, psicólogo del centro Joselias, y miembro del Colegio Oficial de Psicólogos de España (COP). "En el trabajo es bueno despistarse un poco cada hora y media aproximadamente, para después volver a la normalidad", añade. (…)

Toca distinguir, pues, entre *no hacer nada* y estar aburrido. Aclarado que pasarse dos horas mirando al techo puede ser altamente satisfactorio, combatamos el sopor que procede del hastío y de la falta de estímulo e ilusión. Se produce entonces un cuadro de apatía, cansancio, anhedonia (incapacidad para experimentar placer) o trastorno del sueño, que se puede confundir con la depresión o, paradójicamente, con el estrés.

Cuando el aburrimiento es crónico, están implicados dos circuitos cerebrales concretos. Los activadores, que son los que nos hacen movernos y conseguir objetivos: los que nos motivan. Y los inhibidores, que nos paran cuando hay un problema o peligro. "Para que el cerebro funcione bien tiene que darse un equilibrio entre ambos. Si vivimos muy activados, ese exceso lleva al estrés. Pero la superabundancia de inhibición, el no tener una motivación, produce un cuadro parecido. Necesitamos causas que nos apasionen", explica el psiquiatra. Si es circunstancial, también las necesitamos. Y esto es lo que aconsejan los expertos a los aburridos empedernidos: "No se puede vivir sin motivación, es fundamental para el estímulo del cerebro, hay que buscar una". (…)

Así que, ya sabe, invierta las largas tardes de domingo en leer, soñar despierto o recuperar una afición perdida. Todo antes que aburrirse.

Extraído de El País

Vocabulario

2c Relaciona estas definiciones con una palabra o expresión similar aparecida en el texto.

1 Simple (párrafo 1) _____

2 Para empezar (párrafo 1) _____

3 Desorden, confusión de gentes ò cosas en movimiento (párrafo 2) _____

4 Forma de salir de un trabajo agotador o de una situación monótona (párrafo 3) _____

5 Distraerse, no poner atención en algo (párrafo 3) _____

6 Adormecimiento, somnolencia (párrafo 4) _____

7 Incorregible, con un vicio o costumbre muy arraigado (párrafo 5) _____

Gramática

3a En el artículo, podemos encontrar varias oraciones que expresan finalidad. Sustituye el conector por otro, cambiando lo que sea necesario. Comenta con tu profesor si hay un nuevo matiz.

1 … se remite a los griegos *para* recordar la importancia del "nada en exceso".

   *Se remite a los griegos **con el fin de** recordar la importancia del "nada en exceso".*

2 Nos anima a soñar despiertos *para que* fluya esa imaginación.

3 Pero en Occidente lo que se hace es estar ocupados *para no* pensar y no conocernos a nosotros mismos.

4 Nuestra sociedad no ha tenido ese culto a saber estar tranquilos, relajados, reposados, *para* después volver a la actividad.

5 *Para que* el cerebro funcione bien tiene que darse un equilibrio entre ambos.

6 ¿Y *para qué* vale abandonarse un poco al "no hacer nada"?

3b Fíjate en las frases anteriores, ¿por qué unas van con infinitivo o subjuntivo y la última con indicativo?

Expresar finalidad

El conector de finalidad más común es **para (que)** y va seguido de infinitivo o subjuntivo, pero existen otros conectores que podemos utilizar:

- Las locuciones finales **con miras a, con el fin / el objeto / la intención / la esperanza / el propósito / la idea de (que)** añaden un matiz de intencionalidad sobre la acción realizada:

  *Me quedé todo el fin de semana en casa **con la idea de** terminar todo el trabajo.*

- Los verbos de movimiento permiten el uso de **a (que)** en lugar de *para*:

  *Fui a su casa **a que** me explicara lo sucedido.*

- En el lenguaje coloquial, es común que aparezca solamente **que** cuando la oración principal es un mandato:

  *Ven aquí, **que** te vea.*

- Para expresar un fin no deseado, usamos **no sea que** o **no vaya a ser que**:

  *Llévate el paraguas, **no sea que** te mojes.*

Ver más gramática en pág. 139

4 Estas son algunas de las cosas que según los psicólogos debemos hacer cuando llegamos a casa después de un largo día de trabajo. ¿Haces tú alguna de ellas? ¿Qué finalidad crees que tiene cada una?

- **Desconecta tu móvil y no enciendas el ordenador.**

  Totalmente de acuerdo, y aunque a mí me cuesta muchísimo hacerlo, hay días que me obligo a desconectar el móvil por la tarde con la idea de que nadie me ande llamando y así poder concentrarme en mi trabajo.

- **Descálzate y ponte ropa cómoda.**
- **Utiliza lámparas con luz indirecta.**
- **Selecciona un tipo de música que conecte con tu estado de ánimo.**
- **Cierra los ojos y deja tu mente en blanco durante al menos cinco minutos.**

Escucha

5a ◄)) 3 Escucha estos diálogos, en ellos aparece el conector *para* con otros usos. Presta atención a su entonación y señala qué se quiere decir en cada situación.

Diálogo 1
a No sabe por qué le ha pedido ayuda su padre.
b Le molesta que su padre no le permita ayudarlo.

Diálogo 2
a Su amiga piensa que son novios y quiere desmentirlo.
b Su amiga no sabe qué relación tiene con Marco y por eso se lo cuenta.

Diálogo 3
a Lo hace muy bien porque es muy pequeña.
b Lo hace muy bien, aunque es muy pequeña.

Diálogo 4
a En contra de lo que pensabas, es generoso.
b Nos invitó a su casa para que luego lo contáramos.

B ATRÁPALO

Escucha

1 ◄)) 5 Escucha el siguiente anuncio de Atrápalo, una empresa *on-line*, y contesta a estas preguntas.

1 ¿A qué se dedica?
2 ¿Cuál es el motivo de su nombre?
3 ¿Cómo se originó?
4 ¿Tuvieron éxito?

Habla

2 Comenta con tu compañero.

- ¿Cómo te enteras de las ofertas de ocio de la ciudad en la que vives?
- ¿Eres de los que van buscando chollos?
- ¿Cuáles son tus actividades de ocio preferidas?
- ¿Hay alguna actividad de ocio que te gustaría hacer pero no te has atrevido o no has tenido todavía la oportunidad?
- ¿Qué tipo de actividad no se te ocurriría hacer en la vida?
- ¿Has probado alguna vez algún deporte de riesgo?

5b ◄)) 4 Escucha ahora las frases aisladas y analiza en cada caso.

- ¿Qué intención se quiere transmitir con la entonación de la frase?
- ¿Dirías que es una entonación plana?
- ¿El final es descendente o ascendente?
- ¿El tono es grave o agudo?
- ¿El acento es poco marcado o muy marcado?
- ¿Qué gesto crees que se emplea?

5c Ahora, en parejas, reproducidlas y analizad los mismos aspectos. Podéis grabaros para apreciar mejor cada detalle.

Escribe

6 Crea una pequeña lista con cinco consejos para evitar el aburrimiento y justifícalo.

1 Busca en internet la oferta cultural que te ofrece esta semana tu ciudad con la idea de hacer algo distinto que te saque de la rutina.

3a Observa estas imágenes, ¿a qué tipo de ocio hacen referencia?

3b Relaciona las siguientes palabras o expresiones con las imágenes anteriores.

a ☐ Un balneario
b ☐ Hacer parapente
c ☐ Dar en la diana
d ☐ Pegarse al asiento
e ☐ Vuelo libre
f ☐ Instrumentos de percusión
g ☐ Surcar las aguas
h ☐ Deslizarse en tirolina
i ☐ Quemar el asfalto

Lee

3c Estas son algunas de las ofertas de ocio que Atrápalo ha anunciado para el próximo fin de semana. Léelas y piensa en un título original para cada una.

Habla

3d Aquí tienes una serie de valoraciones que algunas personas han hecho sobre las actividades anteriores, ¿con cuáles las relacionarías tú?

1 "Es una experiencia fuera de lo común".
2 "Me parece muy arriesgado".
3 "Yo con esas cosas me muero del aburrimiento".
4 "Es apasionante".
5 "Es crucial vivir una experiencia de este tipo".
6 "A mí no me llama la atención".
7 "Yo no me atrevería a algo así ni loco/a".
8 "Está bien de precio".

- Hacer parapente sería una experiencia fuera de lo común.
- Pues yo no lo haría ni loco.

ATRÁPALO ⫪

Buscar 🔍   Mis reservas   👤 Mi Atrápalo

¡DATE PRISA! ESTAS SON LAS MEJORES OFERTAS PARA HOY

[1] _____

¿Te imaginas volar como un águila? Con el vuelo libre en parapente, volar nunca ha sido tan divertido ni tan auténtico. Un día de sol, viento suave, un mirador privilegiado en la sierra, amigos y una aeronave que te lleva al cielo. Así es como siempre has soñado volar. Nada entre la tierra y tú, nada, salvo el aire. [...]

En una sesión de entrenamiento manejarás el parapente en tierra como una cometa y harás tus primeros saltos cortos en la colina de prácticas, sin riesgo y con mucha, mucha diversión. [...]

(24% dto.) Precio 59€ 45€   Muy bueno

[2] _____

Los balnearios urbanos [...] te traen los minutos de relax más placenteros y beneficiosos que existen. Recorre durante aproximadamente una hora y media un circuito termal completo que te ayudará a limpiar, relajar y tonificar tu organismo. Además, después de las termas, los hidromasajes y las duchas, finaliza tu merecido momento de desconexión con un masaje a elegir de 20 minutos. ¡Saldrás renovado!

(50% dto.) Precio 30€ 15€   Excelente

[3] _____

Realizarás una ruta por una carretera virada en perfecto estado y por un tramo de autovía. Vivirás toda la experiencia sin apenas tráfico, en plena naturaleza, descubriendo diferentes estilos de conducción. Verás el funcionamiento y la potencia que desarrollan las mejores máquinas del motor a más de 7 000 rpm y alucinarás, por ejemplo, con el cambio de levas F-1 de Ferrari o el E-Gear de Lamborghini, que te dejará pegado al asiento. [...]

¡Quema el asfalto mientras sientes cómo te recorren litros de adrenalina por el cuerpo!

(75% dto.) Precio 159€ 39€   Bueno

[4] _____

Vive una experiencia única con un paseo por las alturas. Unos emblemáticos árboles centenarios serán tus mejores aliados en esta aventura. Desde sus copas podrás relajarte y perder la mirada en la inmensidad de sus vistas. Diviértete con increíbles tirolinas, puentes tibetanos ¡y muchas sorpresas más!

Muestra tu destreza y puntería para dar en la diana. Supera el reto medieval: lanzamiento de flechas a frutas, globos, dianas 2D de guerreros... ¡Te lo pasarás genial!

Disfruta de un relajante paseo en canoa por un tranquilo lago rodeado de naturaleza. Emociónate con esta aventura surcando las aguas del río Tajo.

(28% dto.) Precio 40€ 29€   Muy bueno

[5] _____

Pedro Pablo Rodríguez Mireles en persona pondrá todo su saber sobre la percusión a tu servicio en este curso intensivo de tres horas. Aprenderás a usar las palmas de tu mano para crear ritmo latino de la nada. Al finalizar el curso, con la música recorriendo tus venas y los pies deseando que llegue su turno, disfrutarás de un espectáculo de música afrocubana que os ofrecerá el artista y donde veréis en vivo todo lo aprendido.

(38% dto.) Precio 60€ 37€   Excelente

4a Dos amigos están hablando sobre las ofertas de ocio de Atrápalo. Ordena el diálogo.

☐ **a** Bueno, hombre, pues entonces **si te parece podemos** hacer lo de la tirolina, seguro que es divertido y, además, está muy bien de precio.

☐ **b** **¡Qué dices! Ni pensarlo**, yo no me atrevería ni loco.

☐ **c** Sí, claro, todavía no tengo nada pensado, ¿qué tienes en mente?

☐ **d** Eso ya es otra cosa, **mientras no haya que meterse en el agua**…

☐ **e** Pero hombre, si no pasa nada, está todo muy controlado, una experiencia de este tipo hay que hacerla al menos una vez en la vida. **No puedes decir que no.**

☐ **f** Pues he visto las ofertas de Atrápalo y me llama la atención lo del vuelo en parapente. **¿Te apuntas?**

☐ **g** **¡Que no!, ¡que no! Ni hablar. ¿No sería mejor** hacer otra cosa menos arriesgada?

*Oye Pablo, **No sé qué planes tendrás para el puente de Mayo**, pero me gustaría hacer algo fuera de lo común. ¿Te apetece?*

Gramática

Proponer un plan, aceptarlo o rechazarlo

• Para proponer un plan usamos frases como: *No sé qué planes tendrás, pero… / Supongo que tendrás planes, pero…* + una sugerencia. Esto nos permite tantear si la persona a quien hacemos la propuesta estará disponible:

No sé qué planes tendrás para el puente de Mayo, pero me gustaría hacer algo fuera de lo común.

¿Te animas? / ¿Te apuntas…? He visto las ofertas de Atrápalo y me llama la atención lo del vuelo en parapente. *¿Te apuntas?*

• Cuando aceptamos una invitación con reservas podemos usar **frases condicionales:**

Mientras no haya que meterse en el agua.

• Para rechazar rotundamente:

¡Qué dices! Ni pensarlo / ¡Que no!, ¡que no! Ni hablar:

–¿Vamos de vacaciones en agosto a la playa?

–Ni pensarlo, en agosto todo está lleno.

Ver más gramática en pág. 140

4b Lee las frases en negrita del diálogo anterior y comenta con tu compañero cuáles se usan para proponer un plan, sugerir alternativas, aceptar y rechazar.

5 Consulta alguna guía del ocio de la ciudad donde estás viviendo y selecciona una actividad que te interese hacer el próximo fin de semana. Toma notas sobre el tipo de actividad, características, duración, horarios, precios… Después, sugiere a tus compañeros tu propuesta, ¿se anima alguien a ir contigo?

- No sé qué planes tenéis para el próximo sábado, pero hay una excursión a la sierra en bicicleta. ¿Os apuntáis?

- ¡Qué buena idea! No te voy a decir que no, pero ¿dónde es exactamente?…

C ¡LO NECESITO!

Habla

1a En parejas, mira estas imágenes: ¿Qué te sugieren? ¿En qué barrio de tu ciudad podrían vivir estas personas?

¡SOY UNA MARCA ANDANTE!

Gafas Dulce Sábana
Aifono 8XL
Reloj Mikel Cors
Collar Osito Todus
Camiseta Doña Kara Madrid
Cinturón Hermet
Pantalones pitillo Gochi (¡mis favoritos!)

Bolso Coral Hache

¡Y no salgo de casa sin mis Manolos!

Siempre con sus inconfundibles...

sombrero
gafas
muñequera
chaleco
camiseta
bici
vaqueros
perro
deportivos

SOY UN ALTERNATIVO

1b Describe los gustos estéticos de una persona de la clase: los demás tienen que adivinar de quién se trata.

- A esta persona le encanta la ropa de marca y no sale de su casa sin una bonita corbata.

- Es Phil, jajaja.

- Para que lo sepas, odio las corbatas, pero en mi trabajo me exigen llevarlas.

Vocabulario

2a Lee las siguientes frases con expresiones relativas al vestir y comenta con tu compañero si te sientes reflejado en ellas. Subraya el vocabulario que no entiendas y pregúntaselo a tu profesor.

Yo también soy de los que...

1 Siempre que estreno unos zapatos, me rozan.
2 Las corbatas me sientan como un tiro.
3 Cuando me compro un pantalón, a menudo tienen que meterme el dobladillo.
4 Me incomodan los mercadillos donde hay que regatear.
5 Me encanta todo lo que está de liquidación.
6 No sigo para nada las tendencias de moda.
7 Prefiero la ropa holgada a la ceñida.
8 No suelo llevar camisetas de tirantes.
9 Para mí, la ropa cara es garantía de calidad.

2b Busca la palabra intrusa en cada grupo.

1 Rozar / hacer daño / encoger / quedar perfectos (unos zapatos).
2 Quedar como un guante / quedar como la seda / sentar de maravilla / sentar como un tiro (un traje).
3 Pisar el largo / coger el bajo / arreglar la manga / meter la cintura.
4 Un vestido de lentejuelas / de encaje / plisado / de punto.
5 Un bolso con flecos / una cartera de mano / una bolsa de tela / un peto vaquero.
6 Un broche / una sortija / un brazalete / un poncho.
7 Un mostrador / una jaula / un estante / una vitrina.
8 Negro chillón / verde botella / blanco roto / azul turquesa.

¡Fíjate!

Cuando un nombre de color se halla a su vez modificado por otro *(azul turquesa)*, o por un adjetivo como *claro, oscuro* o *similares*, se recomienda mantener ambos elementos invariables en singular:
*unos pendientes gris perla / *unos pendientes grises perlas // unas zapatillas marrón oscuro / *unas zapatillas marrones oscuras.*

2c En parejas, prepara una actividad similar a la anterior con vocabulario relativo a la ropa para que el resto de clase averigüe las palabras intrusas.

2d Escribe tres expresiones que hayas aprendido. Defínelas para que tu compañero las adivine.

-Es un arreglo que tienen que hacerte cuando un pantalón te queda demasiado largo.

-¡Meterte el bajo!

Escucha

3a ¿Qué opinas del fenómeno de la ropa barata? Marca si crees que las siguientes afirmaciones son verdaderas (V) o falsas (F) sobre este tema en la columna de antes de escuchar.

Antes de escuchar V-F			Después de escuchar V-F	
☐ ☐		1 La gente relacionada con el mundo de la moda no consume ropa barata.	☐ ☐	
☐ ☐		2 Las marcas de ropa barata son las que generan los patrones de moda.	☐ ☐	
☐ ☐		3 La alta costura convive sin problema con el fenómeno del *low cost*.	☐ ☐	
☐ ☐		4 Algunas prendas baratas se pueden considerar verdaderas obras de arte.	☐ ☐	
☐ ☐		5 Las copias de diseños de marcas de prestigio provocan el cierre de algunas empresas.	☐ ☐	
☐ ☐		6 El consumidor de estos productos está exento de responsabilidad ética.	☐ ☐	

3b ◄)) 6 Escucha un fragmento del programa de televisión *Equipo de investigación* sobre el fenómeno de la ropa barata y completa la columna anterior de la derecha. ¿Cuáles son, en tu opinión, las claves del éxito de la ropa *low cost*?

4b Presenta tu noticia al resto de la clase y coméntala con ellos. ¿Qué tema te ha interesado más de todos los planteados?

Investiga y habla

4a En parejas, comenta los siguientes titulares y busca una noticia relacionada con ellos u otra de tu interés sobre el mundo de la moda.

Prohibida la entrada a ciertos diseñadores en los desfiles de alta costura.

"Síndrome de la moda"
La obsesión por gastar compulsivamente de los mayores se empieza a contagiar a los más pequeños.

"Seremos mucho más felices si dejamos de caer en el consumismo"

Clónicos anónimos
¿Una única moda? ¿Adónde nos lleva la globalización?

"El nuevo Diógenes"
Aumenta el número de personas con este desorden.
La razón: adquirir productos a golpe de ratón.

D ¿EN ESCENARIO, PAPEL O PANTALLA?

Habla

1a Elige una columna y añade una pregunta más. Después, en tríos, haz el cuestionario a tus compañeros.

A En pantalla	**B** En papel	**C** En escenario
¿Eres de los/as que:	¿Eres de los/as que:	¿Eres de los/as que:
• veían la adaptación al cine en lugar de leer la lectura obligatoria en la escuela?	• roban horas al sueño por no dejar un capítulo a la mitad?	• sienten una emoción especial cuando se abre el telón?
• no puedes evitar destripar el final cuando resumes el argumento?	• se sienten decepcionados cuando ven distorsionado en la pantalla lo que habían imaginado?	• creen que la experiencia de tener a un elenco de lujo a cuatro metros de distancia es incomparable?
• se aburren soberanamente con las obras y prefieren ponerse cómodos en el sofá y desconectar viendo su serie favorita?	• cada vez que relees ese libro que lleva tantos años contigo encuentras un detalle en la trama del que no te habías percatado?	• están dispuestos a pagar precios astronómicos para disfrutar de una obra desde un palco o de un musical en vivo?

1b Cambia la palabra en negrita de las siguientes expresiones del cuestionario anterior por una del recuadro para que mantenga el mismo significado.

> altura   anticipar   subirse   desorbitados
> como una ostra   quitarse _____ de

1 **Destripar** el final
2 Aburrirse **soberanamente**
3 Precios **astronómicos**
4 Elenco de **lujo**
5 **Abrirse** el telón
6 **Robar** horas **al** sueño

1c Relaciona las columnas para formar expresiones.

1	Percatarse de	a	insuperable
2	Un relato	b	en escena
3	Una película	c	muy bien construidos
4	Tomas	d	ingeniosos
5	Un reparto	e	teatral
6	Puesta	f	de culto
7	Diálogos	g	autobiográfico
8	Personajes	h	un detalle
9	Una pieza	i	falsas

1d Habla con tus compañeros y encuentra a alguien que te dé una respuesta afirmativa a estas cuestiones. Si te dan una respuesta negativa, tienes que cambiar de pareja.

Busca a alguien que...

✓ acostumbre a leer en lugares atípicos.

✓ pueda nombrar una película de culto.

✓ te diga el título de un libro con diálogos ingeniosos.

✓ haya visto una película más de tres veces.

✓ guarde una entrada de un espectáculo por una razón especial.

✓ pueda tararear una banda sonora que puedas reconocer.

✓ sea capaz de verse cuatro capítulos de su serie favorita seguidos.

✓ haya estado en algún festival de cine o de teatro.

Escucha y escribe

2a 🔊 7 Escucha la siguiente entrevista a la actriz española Aitana Sánchez Gijón en el programa televisivo *Atención obras* y toma nota de sus respuestas.

1 La obra de teatro *Los cuentos de la peste*, de Mario Vargas Llosa, sirve de excusa para hablar, ¿de qué?

2 Según Aitana, ¿las historias nos protegen de lo que nos asusta y de lo que nos hace sufrir?

3 ¿Qué opinión tiene la actriz sobre el mundo virtual a través de las pantallas?

2b Escribe un texto argumentativo sobre qué nos aportan la literatura, el teatro o todo lo que nos llega a través de una pantalla. Ayúdate de la información del cuadro.

TEXTOS ARGUMENTATIVOS

La finalidad de un texto argumentativo es modificar, convencer o, en ocasiones, reforzar la opinión del receptor. Consta de tres partes:

Introducción

Planteamiento de la tesis que se pretende defender o rebatir.

Exposición de ideas

Son los argumentos que apoyan la tesis. Debemos graduarlos por orden de importancia y poner ejemplos. Es importante incluir contraargumentos.

Conclusión

La parte final en la que resumimos nuestros argumentos y podemos incluir posibles sugerencias.

2c Revisa tu escrito antes de presentarlo. Ten en cuenta los siguientes criterios de evaluación de un texto formal.

ADECUACIÓN	
Finalidad	**Registro**
• El texto cumple la función comunicativa básica del género. Por ejemplo, un texto argumentativo debe reflejar las diferentes posturas y ofrecer su propia opinión.	• Mantiene un registro formal, escrito para ser leído sin rastros de oralidad. La formalidad se mantiene a lo largo del texto. • Léxico y sintaxis formales y apropiados.

COHERENCIA	
Estructura y contenido	**Cohesión**
• Tiene una estructura clara y ordenada e incluye toda la información necesaria, sin repeticiones. • Incluye párrafos de introducción, cuerpo y cierre.	• Las oraciones están interrelacionadas con puntuación, pronombres, conectores que ayudan a guiar la lectura.

CORRECCIÓN	• Es correcto en ortografía, morfosintaxis y léxico.
VARIACIÓN	• Se valora la fluidez y los recursos expresivos de todo el texto. Precisión de vocabulario y madurez sintáctica.

Adaptado de *Expresión escrita en L2/ELE* de Daniel Cassany

Lee

3a En parejas, busca y relaciona los escritores con sus obras.

3b Lee el texto y averigua cuáles eran las manías de muchos de los autores anteriores.

El bloqueo del escritor

La idea perfecta no existe. Como tampoco los argumentos originales, las tramas jamás escritas o los personajes construidos sin influencia alguna. Muchos creemos que en la literatura casi todo lo importante está dicho y escrito. 1_____. Porque, ¿cómo sabes que tienes una buena idea y no una copia de otra? ¿En qué momento te das cuenta de que vale la pena escribir ese libro?

Cada escritor tiene sus trucos, manías y supersticiones.

2_____. Cuentan que Víctor Hugo mandaba a sus criados que le escondieran la ropa para así obligarle a quedarse en casa y ponerse a escribir. El superventas Dan Brown asegura usar unas botas antigravedad que le permiten colgarse del techo cual murciélago para conseguir el estado de relajación ideal. Manda narices. En cambio, Haruki Murakami se relaja corriendo todos los días un par de horas, y apuesta por la rutina levan-tándose siempre a las cuatro de la madrugada para ponerse a escribir.

Otros echan mano de la superstición. Isabel Allende empieza sus novelas el 8 de enero y tras encender una vela. Hemingway solía trabajar con una pata de conejo en el bolsillo para alejar los malos augurios, 3_____.

También la obsesión tiene mucho que ver con la escritura, con el miedo al fracaso y 4_____ _____. En algunos casos, esa inseguridad y obsesión pueden alcanzar límites dramáticos. El suicidio de David Foster Wallace, por ejemplo, no se puede desvincular de la propia creación literaria. ¿Vale la pena tanto sufrimiento? Puedo dar fe de que uno de los principales enemigos de la escritura es la tecnología. Distracciones cotidianas como chequear el correo, buscar información sobre cualquier cosa, ver vídeos o actualizar tu estado en las redes sociales pueden arruinarte una jornada de

trabajo. 5_____. Y no es ninguna broma. Hay algunas que restringen el uso del navegador limitando la entrada a ciertas webs; otras te marcan el ritmo, obligándote a escribir un número concreto de páginas a riesgo de iniciar una molesta batalla de mensajes y sonidos. Incluso las hay que te proponen fondos sonoros para una escritura más relajada. ¿El mundo exterior se ha convertido en una amenaza para la creatividad?

Asier Ávila, "*Página 2: El impostor*"

3c 📄 **DELE** Completa los huecos de 3b con los siguientes fragmentos. Hay uno que sobra.

a Por eso, ya han surgido aplicaciones pensadas para los escritores y sus ordenadores.
b en cambio, Khaled Hosseini afirma sentirse más realizado como escritor que como médico.
c Todo vale si con eso se soluciona el supuesto terror a la página en blanco.
d mientras que Truman Capote nunca empezaba ni terminaba ningún texto los viernes.
e Así que no me extraña que más de uno sufra de crisis creativa o tenga serias dudas a la hora de arrancar una nueva novela.
f con el hecho de no saber si ya se está preparado para empezar una nueva historia.

Habla

4 Comenta en parejas historias de cine, literatura o teatro que te hayan parecido:

✓conmovedoras ✓espeluznantes ✓manidas
✓desternillantes ✓soporíferas ✓provocadoras

Hace años vi una obra titulada La mujer de negro *y todavía guardo un recuerdo muy vivo del terror que pasé. Lo más alucinante es que, en realidad, el decorado consistía simplemente en unas cajas tapadas con sábanas y eran las actuaciones magistrales de los dos actores las que te hacían temblar. Terrorífica, pero repetiría sin dudarlo.*

EN ACCIÓN

1 📄 **DELE** En parejas, vas a simular una conversación con tu compañero con la finalidad de llegar a un acuerdo con él. Para esta negociación debes tener en cuenta la información de la ficha y del material gráfico.

Instrucciones

En el trabajo obligan a Marina a gastar una semana de vacaciones en mayo. Está buscando información en internet para ver qué hacer y ha seleccionado tres opciones.

→ **Escoge** la que te parezca más apropiada para ella teniendo en cuenta que:

• Marina es una chica muy urbana, a la que le apasiona la moda. Disfruta enormemente buscando prendas únicas en los mercadillos.

• Últimamente vive muy estresada y el médico le ha aconsejado hacer deporte. Ella está convencida de sus beneficios y cree conveniente empezar a hacerlo cuanto antes.

• Le encanta todo lo relacionado con el mundo de la cultura y su mayor afición es la lectura, pero apenas tiene tiempo para dedicarse a ella.

• Considera que debe cambiar su afán de aprovechar al máximo el tiempo e intentar sacar beneficio de todo.

• Cuando viaja, no piensa en el dinero.

→ **Mira las opciones** que ha seleccionado: ¿cuál es, en tu opinión, la mejor para ella? Discute tu elección con tu compañero hasta que los dos lleguéis a un acuerdo.

→ **Recuerda** que puedes interrumpir a tu interlocutor, discrepar, argumentar tus opiniones, pedir y dar aclaraciones, porque el objetivo es llegar a un acuerdo.

Duración de la conversación: 4-6 minutos.

1 Berlín: Mauerpark   2 Buceo en el Mar Rojo   3 Los Alpes: casa rural

Diario de aprendizaje

1 ¿Qué temas se han visto en cada epígrafe? ¿Cuál te ha gustado más y por qué?

A EL PLACER DE NO HACER NADA:

B ATRÁPALO:

C ¡LO NECESITO!:

D ¿EN ESCENARIO, PAPEL O PANTALLA?

2 ¿Qué aspectos gramaticales han sido nuevos para ti?, ¿qué necesitas repasar?

3 ¿Qué palabras y expresiones quieres recordar? Escríbelas en tu cuaderno.

3 MUNDO LABORAL

TEMAS

A PROFESIONES RARAS

Lee

1a Observa las imágenes del artículo. Todas ellas representan profesiones, ¿sabrías decir cuáles?

1b El artículo habla de las ocho profesiones más raras del mundo. ¿Cuáles puedes asociar con las fotos?

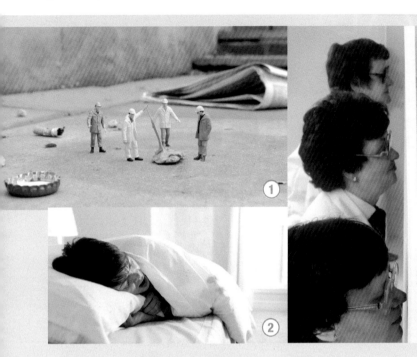

Las 8 *profesiones* más raras del mundo

A CUENTACUENTOS

En Londres puedes encontrar una cadena de hoteles que ofrece los servicios de cuentacuentos. El rol que cumplen quienes trabajan en esta profesión es leer cuentos a los niños. De esta manera, los padres con hijos pequeños pueden salir a disfrutar de la noche mientras cuentan con la tranquilidad de que sus hijos están seguros. Un empleado del hotel llega hasta tu cuarto, toma un libro y comienza a leerlo hasta que los niños se quedan dormidos.

B HADA MADRINA

En Georgia, Estados Unidos, en una de las más importantes cadenas de hoteles existe esta profesión llamada Hada Madrina. Consiste en una mujer vestida de Hada Madrina con varita mágica, que llega a tu habitación y hace todo lo posible por concederte tus deseos. Es una forma de entretener a los chicos cuando sus padres quieren relajarse y disfrutar de las vacaciones.

C CATADOR DE ALIMENTO PARA PERROS

Para describir las diferencias entre las distintas marcas de alimento para perros, hay personas que se dedican a probarlas. Deben medir sus características en cuanto a consistencia, sabor, dureza, entre otras cosas. Este tipo de pruebas se realiza con alimentos de otros animales también.

D INVESTIGADOR DE NIEVE

Para conocer las características de la nieve, existen profesionales dedicados a estudiarla con el fin de pasar información a los medios de comunicación acerca de cómo se está desarrollando la temporada de esquí.

E CALIENTA CAMAS HUMANO

En noches extremadamente frías, muchos hoteles cuentan con un servicio de "calientacamas": una persona se encarga de acostarse en tu cama y dejarla caliente para que puedas dormir a gusto.

Habla

1c En pequeños grupos comenta: ¿cuál de estas profesiones te parece la más rara? ¿Te gustaría trabajar en alguna de ellas? ¿Cuál no te atreverías nunca a desempeñar?

Yo nunca me subiría a un árbol. Tengo un vértigo tremendo, así que...

(5)

INSPECTOR DE COCOS

Aunque no lo creas, existen profesionales encargados de inspeccionar las palmeras de la zona costera para revisar la maduración de sus cocos y prevenir así futuras caídas y daños a personas o automóviles que circulen cerca.

EXAMINADOR DE HALITOSIS

Las empresas que fabrican goma de mascar deben realizar varias pruebas para lanzar nuevos productos al mercado. Es cada vez más común que se creen gomas de mascar que eliminen el mal aliento. Para ello, estos examinadores de halitosis deben oler la boca de las personas después de haber comido alimentos que puedan dejar sensaciones desagradables, y después de comer la goma de mascar comprobar la efectividad del producto.

LIMPIADOR DE CHICLES

Se dedican a la burda tarea de quitar los pegajosos chicles diseminados por calles, inmuebles y otras áreas de la ciudad.

Extraído de http://noticias.universia.net.co

Escucha

2a Hay profesiones que no aparecen en los medios de comunicación, como la profesión de espía. ¿Qué requisitos crees que son necesarios para dedicarse a ella? ¿Dónde puedes solicitar un puesto de espía?

2b El CNI es el Centro Nacional de Inteligencia español. Lee este texto y busca con tu compañero qué cuatro informaciones crees que son falsas.

¿Quiere ser ESPÍA?

Si ha visto todas las películas de James Bond y desde pequeño ha soñado con ser un famoso agente secreto con licencia para matar, esta es su oportunidad.

Basta con tener nacionalidad española para optar a un puesto de trabajo en el CNI.

Solicitarlo inicialmente es más fácil de lo que parece, solo es preciso rellenar un formulario *on-line*.

La primera entrevista, en la que los candidatos han de presentar documentación personal, se realiza de forma grupal.

Pasada esta primera criba, los candidatos son contactados para una entrevista personal en la que se les somete a pruebas de aptitud.

Todo candidato al inicio del proceso de selección debe firmar un documento de confidencialidad sobre él mismo.

Quienes no estén dispuestos a contestar a cualquier tipo de pregunta personal, deberían abandonar la idea de solicitar un puesto en el CNI. Los procesos de selección son largos y arduos puesto que se indaga minuciosamente en la vida de cada candidato.

2c ◄)) 8 Escucha una noticia sobre el CNI del programa *Espejo Público* (Antena 3) y comprueba tus hipótesis.

Gramática

3a Lee la siguiente información sobre las partículas relativas y subraya las que encuentres en el texto anterior.

Partículas relativas

Actúan como nexo y pueden desempeñar diferentes funciones: sujeto, complemento directo, indirecto, circunstancial... Se refieren a un elemento anterior en el discurso (antecedente), que puede ser **explícito** (*Cualquier persona que solicite el trabajo deberá presentar su DNI*), o **implícito,** por ser conocido o de carácter genérico (*Los que superen las pruebas serán seleccionados*).

Algunas partículas relativas son: *(el / la / lo / las / los) que, quien, el / la / lo cual, las / los cuales.*

Ver más gramática en pág. 142

3b Elige la partícula relativa correcta en cada caso.

1 No mencionaron *lo que / el que / que* yo quería saber.

2 Las condiciones que me han ofrecido son mejores *de que / de las cuales / de lo que* me esperaba.

3 Vamos a contratar al candidato *quien / que / el que* tiene experiencia en este ámbito.

4 Me presentaron a la persona *con quien / con cual / con que* iba a trabajar.

5 La empresa estaba a las afueras, *lo cual / la cual / el cual* era un problema.

6 *El cual / El quien / El que* trabaje el 5 de enero tendrá dos días extra de vacaciones.

7 El salario *el cual / el que / que* me han ofrecido excede mis expectativas.

8 El nuevo jefe me cae mejor de *que / lo que / el que* me esperaba.

9 Nuestras oficinas se trasladan a las afueras, *el que / que / lo cual* va a ser un trastorno para muchos.

10 En mi sector hay menos competencia de *lo cual / que / lo que* parece.

Escribe

4 Elige una profesión poco común y con tu compañero elabora un texto para ofertarlo radiofónicamente. Incluye información del puesto, requisitos y proceso de selección. ¿Cuál os ha resultado más interesante?

B LAS CLAVES DEL ÉXITO

Lee y habla

1a Lee las siguientes opiniones sobre el mundo laboral y di si se expresa acuerdo o desacuerdo.

Es fundamental elegir la profesión por tus habilidades.

Bueno, yo no digo que estas no sean importantes, ahora bien, no me parece lo más prioritario.

Lo más importante son las ganas que le pongas al trabajo.

¡Venga ya! Entonces, ¿quieres decir que los parados que hay son todos unos vagos sin iniciativa?

El salario es para mí uno de los factores esenciales a la hora de aceptar un trabajo.

No cabe duda, especialmente cuando tienes una familia que mantener.

1b Completa la tabla con las siguientes expresiones:

a No (te) niego que…, pero / sin embargo / ahora bien
b Discrepo   **c** Y que lo digas   **d** Coincido contigo
e No cabe duda

Expresar acuerdo

Estoy contigo/

1 _____

en (lo de) + infinitivo   en (lo de) que + oración
con / en (lo de) + infinitivo   con / en (lo de) que + oración

Estoy de acuerdo. // Comparto tu idea / tu postura.

Rotundo
Evidentemente

2 _____

Es indiscutible / innegable // (Eso) por descontado

3 _____ *(coloquial)*

Parcial
Estoy de acuerdo (en todo), salvo en…

Expresar desacuerdo

Yo tampoco diría que // No defiendo esa postura
No me convence / No me acaba de convencer

4 _____

De eso nada (coloquial) // ¡Anda / Venga ya! (coloquial)
¡Qué va! (coloquial)

Presentar un contraargumento
Yo no digo que…, sin embargo, ahora bien…

5 _____

2a Lee el artículo con opiniones de diferentes directivos. Elige las dos más relevantes para ti; en grupo, argumenta tu postura usando el vocabulario de la tabla anterior.

-No cabe duda de que hay que tener en cuenta las profesiones que tienen mayor demanda a la hora de elegir una carrera.

-Pues, yo no me atrevería a afirmarlo tan rotundamente, a veces, la pasión que le pongas hace que triunfes en una profesión con menor demanda.

Las claves del éxito laboral

1 El 75% del éxito lo determina la pasión que pongas. Eso, y la visibilidad. Quien no se anuncia, no vende.

2 Cree en ti, con determinación y constancia llegarás donde te propongas. Pelea por lo que deseas y di no a lo que no te convenga.

3 Cada vez más se valora el espíritu emprendedor y la actitud. Ya no es suficiente con los conocimientos.

4 Aunque hay que trabajar en lo que te guste, es sensato tener en cuenta las profesiones con futuro, con mayor salida.

5 Aprende de los mejores, haz equipo y busca lo que te diferencia. Todos tenemos más talento de lo que creemos, dedícate tiempo para descubrirlo.

6 Cuando te inicias en el mundo profesional, es fundamental servirte del consejo y experiencia de mentores con más años de trayectoria. Encuentra el equilibrio entre sus consejos y tu instinto.

Revista *Cosmopolitan*, septiembre 2014

Vocabulario

2b Busca una palabra en las frases del texto anterior para las siguientes definiciones.

a Personas que actúan como consejeras o guías:
_____

b Persona que lleva a cabo con resolución acciones difíciles: _____

c Perseverancia: _____

d Facultad que nos permite valorar sin necesidad de razonar: _____

e Habilidad en la que se destaca: _____

3 Fíjate en las diferentes cualidades que debe poseer un trabajador para tener éxito dentro de una empresa. ¿Con qué profesión relacionarías cada una? Coméntalo con tu compañero.

Liderazgo   **Adaptabilidad**

Iniciativa

Autoconfianza   **Motivación**

Empatía   **Modestia**

Seguridad   **Dinamismo**

Espíritu proactivo

Habilidad para destacar

Capacidad de aprendizaje

Para mí, la empatía es muy importante en un psicólogo, sin ella no podría entender qué les pasa a sus pacientes.

Lee y habla

4a Para conseguir tu trabajo ideal, necesitas un buen currículum. ¿Qué consejos darías para elaborarlo? ¿Incluirías estos aspectos para solicitar un trabajo en España? ¿Y en tu país?

- estado civil
- creencias religiosas
- intereses personales
- fecha de nacimiento

4b El siguiente artículo habla de cómo hacer un currículum vítae en España.
Léelo y comprueba si coinciden con tus opiniones.

¿CÓMO HACER UN BUEN CV?

1 **SIMPLE.** Tiene que leerse fácilmente y mostrar una progresión lógica de trabajo a trabajo. Algo que se vea a simple vista. Intuitivo. Recuerda: no es un concurso de creatividad.

2 **CORTO.** No debe ser muy largo, con una hoja es suficiente (excepto los científicos), pero hay que trabajárselo para comunicar lo esencial. El seleccionador se aburre, lee muchos.

3 **¿POR DÓNDE EMPEZAR?** Si tienes poca experiencia laboral (o no es muy relevante para el trabajo para el que postulas), empieza primero enumerando tu formación académica. Si tienes mucha experiencia, deja la formación para la segunda parte.

4 **FOTO.** Si pones una, que dé buenas vibraciones, no una con cara de lunes o de baja calidad.

5 **NO LE COMPLIQUES LA VIDA AL SELECCIONADOR.** A veces nos topamos con títulos que no sabemos qué significan o que son demasiado retorcidos. Consejo, ¡opta por lo simple! En Recursos Humanos leen muchísimos currículum al día: procura ponérselo fácil o pasarán al siguiente.

6 **LINKEDIN.** Es tu otro CV y el más efectivo. Actualízalo y tenlo siempre preparado como si fuera el único. Es tu mejor escaparate al mercado laboral hoy en día.

Revista *Cosmopolitan.*

Escribe

5 En parejas, escribe un artículo similar con consejos para tener éxito en una entrevista de trabajo.

C CÓMO LLEVARSE BIEN CON EL JEFE

Lee

1 ¿Qué haces tú para llevarte bien con tus jefes/as o con tus superiores? Añade algunas ideas más y coméntalo con tus compañeros.

a Ser empático y ponerme en su lugar.
b Alabar todas sus iniciativas.
c Tratar de "caerle bien".
d Centrarme en el trabajo.

_____

_____

_____

Una buena relación con el jefe mejora la productividad de la empresa y favorece el bienestar del trabajador.

2a DELE Lee el texto obviando los huecos y busca otras ideas para llevarse bien con un jefe.
Luego, completa los huecos con la opción correcta.

Llevarse bien con el JEFE

Un alto porcentaje de personas cambia de trabajo por mala relación con su superior inmediato.
Estas son pautas para dar la vuelta a un ambiente laboral tóxico.

Para _____1_____ en un empleo, y abrirse camino en la escala corporativa, hace falta más que cualificaciones, suerte, méritos o confianza…, hace falta llevarse bien con el jefe. La mala relación con el jefe inmediato superior afecta al trabajo, pero también tiene consecuencias en otras esferas de la vida, incluida la familiar y el estado de salud del trabajador: síntomas como estrés, insomnio, inseguridad, fatiga, baja _____2_____ o una mezcla de todo ello, tanto a nivel psicológico como físico.

La mayoría de trabajadores que _____3_____ este problema _____4_____ con la esperanza de que en el nuevo trabajo disfruten de una mejor atmósfera. Y así, una mala relación se traduce en la búsqueda de un nuevo empleo. El 70% de las personas que cambia de trabajo lo hace por su mala relación con su jefe inmediato.

Estudios de la empresa Gallup destacan que los empleados renuncian para dejar a los jefes y no a las empresas. La misma agencia concluyó, en el mercado estadounidense, que una mala relación con el superior inmediato es la primera causa para _____5_____ a un empleo. Y, por tanto, supera a otras razones que podrían parecer más importantes como: el nivel salarial, la falta de promoción, el exceso de horas extra no retribuidas o el trabajo en sí mismo. […]

Tal vez, deberíamos huir de los _____6_____: o todo o nada, amigo o enemigo. Cuando el ego toma el control de una relación, desea poner la relación a su servicio y manipular al otro: si el otro se comporta como su ego desea, todo irá bien y será amigo; si no se comporta como se espera, la relación se deteriorará y le declarará enemigo. Hay un camino medio de transformación que _____7_____ a ambos: jefe y subalterno; y el poder está en las manos de ambos porque la relación es de los dos.

La _____8_____ es "el camino medio" en el cual una persona manifiesta su opinión, pero lo hace de un modo respetuoso y no agresivo. Manifiesta lo que piensa y siente, lo cual es indiscutible, ya que es su propiedad emocional y mental. Y no discute lo que hace o dice el otro, porque no le corresponde juzgar. En ese ámbito aséptico y no personal, el diálogo puede desarrollarse libre del ego de ambos, lo cual beneficiará a todos. Una vez más, dialogar con el jefe es la solución, no desde la rebelión o la sumisión, sino desde esta cualidad.

Un cambio en la relación _____9_____ en un entorno laboral más efectivo. El jefe respetará más a su subordinado y este habrá mejorado sus habilidades comunicativas que le servirán para una promoción en ese puesto o en otro. Y una vez hecho ese cambio, y cuando la relación se normalice, entonces uno puede plantearse quedarse o marcharse (ya no es una huida) con la certeza de que la próxima relación con un nuevo responsable será un _____10_____ para el que se cuenta con las habilidades que le permitirán afrontarlo con éxito.

Raimón Samsó *El País Semanal*

	a	**b**	**c**		**a**	**b**	**c**
1	promocionarse	promoverse	elevarse	**6**	estandartes	maquinaciones	patrones
2	idea de sí mismo	confianza	autoestima	**7**	atañe	controla	conlleva
3	enfrentan	afrontan	refrenan	**8**	sinceridad	crudeza	asertividad
4	dimiten	eluden	evitan	**9**	redundará	convertirá	se tornará
5	renunciar	despedirse	abandonar	**10**	evento	concurso	desafío

2b Comenta con la clase si compartes el punto de vista del texto.

Vocabulario

3a Relaciona las dos columnas para obtener palabras del texto que funcionan en combinación.

1 Promocionarse	**a** un cargo
2 Abrirse	**b** consigo mismo
3 Afrontar	**c** laboral
4 Renunciar a	**d** los patrones
5 Encontrarse	**e** camino
6 Huir de	**f** un desafío / reto / problema
7 Manifestar	**g** una opinión / lo que piensas
8 Un entorno	**h** en un empleo

3b Escribe cuatro preguntas usando el léxico aprendido en este apartado y házselas a tus compañeros para conocer sus experiencias laborales.

1 _____
2 _____
3 _____
4 _____

D LA FELICIDAD EN EL TRABAJO

Habla y lee

1 ¿Cuáles de estas condiciones laborales crees que son más importantes? Numéralas del uno al diez y compara tus respuestas con las de tu compañero.

- ☐ Alta retribución.
- ☐ Largos periodos vacacionales.
- ☐ Buen equipo de trabajo.
- ☐ Afinidad con el jefe y reconocimiento.
- ☐ Posibilidad de promoción.

- ☐ Compatibilidad con la vida familiar.
- ☐ Asistencia a cursos y congresos.
- ☐ Estabilidad y seguridad.
- ☐ Cercanía del trabajo respecto al domicilio.
- ☐ Desarrollo de una actividad interesante.

2 Lee el siguiente estudio. ¿Cuáles de los anteriores aspectos se mencionan?, ¿cuáles no?

¿Qué es lo que más se valora al elegir una empresa para trabajar?

La remuneración salarial es el aspecto que más valoran los trabajadores a la hora de elegir una empresa para trabajar, por delante de la seguridad laboral a largo plazo y de las perspectivas de futuro (…), **según** el informe Employer Branding, presentado esta semana por Randstad.

De esta forma, los salarios escalan dos posiciones respecto a la edición anterior de este informe y vuelven a ser lo que más valoran los trabajadores cuando buscan una empresa donde desarrollar su actividad profesional. Los hombres se sienten más atraídos por la formación y la posibilidad de hacer carrera internacional.

El informe, para el que se han realizado más de 200 000 encuestas en 23 países (8000 en España), desvela que los trabajadores mayores de 40 años son los que dan mayor importancia a las condiciones económicas a la hora de elegir una empresa, al tiempo que son quienes en mayor medida apuestan por la seguridad laboral. **Por su parte,** los trabajadores menores de 40 años, aunque también conceden importancia a estos dos aspectos, **también** resaltan otros, como la oportunidad de desarrollar su carrera en el exterior, utilizar tecnologías punteras o el compromiso de su empleador con la sociedad y el medio ambiente.

Para las mujeres, la atmósfera laboral y la conciliación entre vida laboral y familiar son dos de los asuntos más importantes cuando tienen que elegir empresa para trabajar. **En cambio,** los hombres se sienten más atraídos por la formación, la calidad de los productos y la posibilidad de emprender una carrera internacional.

El informe de Randstad constata **asimismo** que los trabajadores con niveles académicos más altos dan mayor importancia al contenido de su trabajo, **en tanto que** los menos formados se fijan **en primer lugar** en la seguridad laboral que ofrece la empresa a largo plazo.

Extraído de www.20minutos.es

3a Fíjate en los conectores del texto que están en color y señala qué función tienen.

a Marca el orden o la importancia.
b Expresa un punto de vista.
c Introduce un contraste o una contraargumentación.
d Añade información.
e Ejemplifica el contenido.
f Introduce un nuevo tema.

3b ¿Qué otros conectores conoces para expresar estas mismas funciones?

Conectores del texto		
1 Conectores que estructuran el texto: sirven para organizar el discurso		
Ordenadores	Marcan el orden o la importancia de un tema.	*Primero, en primer lugar, por último…*
Introductores	Señalan un nuevo tema.	*Por otro lado, por su parte, en otro orden de cosas…*
2 Conectores que estructuran las ideas: explican la estructura del texto		
De adición	Añaden nueva información.	*Además, encima, igualmente, asimismo…*
De contraste	Contrastan o contraargumentan.	*Pero, en cambio, sin embargo, no obstante, a pesar de…*
3 Conectores de la información: señalan objetividad o subjetividad de lo dicho		
De opinión	Expresan un punto de vista.	*En mi opinión, a mi juicio, según, a mi entender…*
De ejemplificación	Ilustran el contenido del texto.	*Por ejemplo, en concreto, de esta forma, así…*
Ver más gramática en pág. 144		

Habla

4a ¿Cómo era el mundo cuando eras pequeño? ¿De qué manera crees que ha influido en tu forma de ser?

Yo crecí en los 80. Los chicos pasábamos mucho tiempo en la calle jugando con nuestros amigos porque en las casas no había tantos juguetes ni videojuegos. Quizás por eso, tenemos un carácter más sociable e independiente.

4b El momento en el que hemos nacido nos hace pertenecer a una generación. Lee esta clasificación y comenta con tu compañero si te identificas con ella.

La generación X

Pertenecen a esta generación las personas nacidas entre 1963 y 1976. Han vivido en un mundo en constante cambio, desde la caída del muro de Berlín a la llegada de internet. Fue la primera generación que se crio con la ruptura verdadera del hogar tradicional y, tal vez por ello, poseen un carácter más independiente.

La generación Y

Se usa este término para referirse a las personas nacidas desde 1976 hasta finales de los noventa. Durante su infancia hubo importantes avances en tecnología, economía o salud, lo que les permitió vivir en un entorno más cómodo. Están muy preparados académicamente, adoran las nuevas tecnologías y están acostumbrados a viajar fuera de sus países.

La generación Z

Se le llama generación Z a los nacidos a finales del siglo XX y principios del XXI. Se les denomina también nativos digitales porque han crecido rodeados de un mundo tecnológico. Estos avances han influido en su forma de pensar, su estilo de vida y su manera de relacionarse socialmente.

Escucha

4c ◄)) 9 📄 **DELE** ¿Has oído hablar de los *happyshifter*? Escucha este programa que habla sobre estas personas y señala la opción correcta.

1 El término fue creado en…
   a España.
   b Estados Unidos.
   c Inglaterra.

2 Los *happyshifters* pertenecen a…
   a la generación X.
   b la generación Y.
   c la generación Z.

3 En el trabajo, dan importancia…
   a al dinero y a la estabilidad.
   b a sentirse bien con lo que hacen.
   c al reconocimiento.

4 Estos trabajadores…
   a trabajan en una compañía por cuenta ajena.
   b tienen su propio negocio.
   c pueden ser autónomos o trabajar para alguien.

5 En la actualidad…
   a muchas oficinas se están adaptando a esta nueva forma de trabajar.
   b dan cursos y conferencias a sus empleados sobre motivación laboral.
   c se duda de que este tipo de trabajadores sean eficientes.

6 Cuando el trabajo deja de ser motivador, un *happyshifter*…
   a permanece en la empresa, esperando que mejore.
   b busca solucionarlo o cambia de trabajo.
   c puede ser muy problemático.

4d ¿Crees que tú también podrías ser un *happyshifter*? ¿Qué características crees que tienes en común con este tipo de trabajadores? Coméntalo con tu compañero.

EN ACCIÓN

1 Observa los siguientes datos sobre la felicidad en el trabajo publicados por Adecco, una empresa de Recursos Humanos, y comenta aquellos aspectos que más te llamen la atención.

1 ¿Qué profesionales son más felices?

2 ¿Qué es lo que más te sorprende?

¿Eres feliz en tu profesión?		Sí	No
Total		**79,20%**	**20,80%**
Sexo	Hombre	80,20%	19,33%
	Mujer	77,22%	22,78%
Grupo de edad	De 18 a 24 años	78,49%	21,51%
	De 25 a 34 años	78,27%	21,73%
	De 35 a 44 años	78,47%	21,53%
	De 45 a 55 años	81,37%	18,63%
Nivel de estudios	Básicos	69,32%	30,68%
	Medios	77,64%	22,36%
	Superiores	81,33%	18,67%

PROFESIONES MÁS FELICES

Educadores	94,93%
Cuerpos y fuerzas del orden	92,59%
Humanidades	87,18%
Sanitario	86,89%
Ingeniería	85,71%
Funcionariado	78,57%

2 Lee ahora un fragmento del informe, ¿cuáles de los anteriores datos no aparecen?

3 Teniendo en cuenta el informe, selecciona las características que deben tener este tipo de textos.

a Se centra en un tema determinado.

b Aparece la estructura descriptiva: se describen hechos.

c Utiliza un lenguaje subjetivo.

d Tiene como propósito dar información sobre resultados de alguna investigación.

e Es común la aparición de verbos en primera persona y el uso del modo subjuntivo.

El concepto de felicidad en el trabajo adquiere, hoy más que nunca, sentido en el terreno empresarial. La situación de nuestro mercado laboral pone de manifiesto aquello de "quien tiene un trabajo, tiene un tesoro" y la estabilidad en el empleo se convierte en motivo de satisfacción para quien lo posee (...) En esta primera oleada de entrevistas, Adecco ha querido averiguar quiénes son esos profesionales afortunados que se declaran abiertamente los más felices del mercado laboral y qué es lo que les hace falta a los españoles para alcanzar esta dicha en sus puestos de trabajo. Para ello, ha entrevistado a más de 2000 personas en activo de toda España (trabajadores y personas en búsqueda de empleo) y ha establecido dos *ranking*: el de los profesionales que se declaran más felices y el de los profesionales que los españoles pensamos que son los más felices.

En 2013, los profesionales que se declararon más felices en su trabajo fueron los pertenecientes al ámbito de la educación, los representantes de los cuerpos y fuerzas de seguridad del Estado, los profesionales de la rama de humanidades y ciencias sociales y los profesionales del sector sanitario. Concretamente, maestros, bomberos, periodistas, farmacéuticos e ingenieros son los profesionales que declaran ser más felices en su trabajo, mientras que los españoles consideran que los más felices en su puesto de trabajo son los artistas, futbolistas y deportistas en general, arqueólogos o tenistas. Por segundo año consecutivo quedan relegados los funcionarios, quienes pasan de la octava a la décima posición en el *ranking* abandonando los primeros puestos que ocupaban en la primera edición de la encuesta.

Los resultados de la encuesta desvelan un año más que independientemente de la profesión que desempeñemos, casi 8 de cada 10 españoles son felices en su profesión, concretamente un 79,7% de los encuestados así lo declara, 1,8 puntos porcentuales más que en 2012, donde un 77,9% afirmaba ser feliz con su empleo, y un punto y medio por debajo del 81,2% que se declaraba feliz un año antes, en 2011.

Extraído de www.**adecco**.es

4 Escribe una breve conclusión para este informe.

A la vista de estos resultados, podemos concluir que ...

5 Busca información sobre unos de estos aspectos y crea un informe sobre la realidad laboral de tu país.

1 La situación laboral de los jóvenes

2 Mujer y trabajo

3 El desempleo

4 Condiciones laborales

5 Profesiones con futuro

Diario de aprendizaje

1 ¿Qué temas se han visto en cada epígrafe? ¿Cuál te ha gustado más y por qué?

A PROFESIONES RARAS:

B LAS CLAVES DEL ÉXITO:

C CÓMO LLEVARSE BIEN CON EL JEFE:

D LA FELICIDAD EN EL TRABAJO:

2 ¿Qué aspectos gramaticales han sido nuevos para ti? ¿Qué necesitas repasar?

3 ¿Qué palabras y expresiones quieres recordar?

4 EXPERIENCIA GASTRONÓMICA

A TRADICIÓN O INNOVACIÓN

Lee

1 ¿Te gusta salir a comer fuera? ¿A qué tipo de lugares sueles ir? ¿Qué es lo que más valoras en un restaurante?

2a En los últimos años se ha creado una polémica entre aquellos que prefieren la cocina tradicional y los que defienden la nueva cocina de diseño. Lee estas opiniones y comenta con tu compañero si estás de acuerdo con ellas.

a La nueva cocina es pretenciosa.
b En la alta cocina también hay espacio para la tradición.
c Los nuevos experimentos culinarios son un gran engaño.
d La cocina de diseño puede ser asequible para mucha gente.
e Los nuevos platos buscan una experiencia sensorial que va más allá de la degustación.

2b En el siguiente artículo, varios expertos en cocina opinan sobre esta polémica. ¿Quién de ellos ha dado cada una de las anteriores opiniones? ¿Cómo lo expresan?

3a En la lengua es común que ciertos adjetivos aparezcan acompañados de un determinado nombre. Fíjate en el texto y relaciona estas parejas de palabras.

1	Prestigio	a	activos
2	Grandes	b	sublime
3	Formidable	c	internacional
4	Ilustre	d	artística
5	Concepción	e	estratosféricos
6	Placer	f	miembro
7	Crítica	g	despegue
8	Precios	h	inmisericorde

Brillo de cuchillos
EN LA COCINA

René Magritte pintó un día una pipa y a continuación escribió debajo: "Esto no es una pipa". Los grandes cocineros españoles han alcanzado prestigio internacional aplicando la misma receta.

Colocando un plato frente al estupefacto comensal para decirle: esto no es una tortilla. Podía ser una tortilla desestructurada, con el huevo, la patata y la cebolla cocinados por separado, convertidos en espuma, gelatina o
5 caramelo; podía ser un concepto, un juego o una genialidad... Pero no era solo una tortilla.

(...) Santi Santamaría, chef catalán con seis estrellas Michelin repartidas entre tres restaurantes, reclamó que la tortilla era en realidad parte de un menú "que ni ellos mismos comerían".

10 Santamaría puso en entredicho uno de los grandes activos culturales de España. Consiguió que los medios de comunicación pasaran una semana hablando de una cocina que, por su elevado precio, es ajena a gran parte de la población. De paso, colocó un debate sobre la mesa: ¿de qué hay más en
15 la alta cocina, de arte o de globo comercial?

(...) Los superchefs españoles se quejan de que el debate que plantea Santamaría no tiene fundamento. "Amamos la cocina tradicional y la practicamos", explica Ferran Adrià. (...)

La cocina de vanguardia española ha experimentado un for-
20 midable despegue. En unos años ha asistido a una lluvia de estrellas Michelin y a la entronización internacional de Adrià, portada en *The New York Times*, propietario del mejor restaurante del mundo según la revista Restaurant, y uno de los cien hombres más influyentes del mundo en 2004, en opinión de
25 la revista *Time*. Junto a él, existe una legión de chefs de prestigio: Juan Mari Arzak, Pedro Subijana, Martín Berasategui, Carme Ruscalleda...

Andoni Luis Aduriz, un ilustre miembro de esta vanguardia, considera que la clave de su éxito está en aplicar el teorema
30 de Magritte: la alta cocina no es simple cocina. "Nosotros no

3b Escribe tres preguntas usando estas combinaciones de palabras y házselas a tu compañero.

-*¿Alguna vez has comido en un restaurante con prestigio internacional?*

-*Sí, una vez estuve en un restaurante al que le habían dado varios premios. Fui con mi novia para celebrar su cumpleaños.*

Escucha

4 ◄◻) **10** Escucha este programa de radio que habla sobre estos dos tipos de cocina y responde a las siguientes preguntas.

a ¿Qué objetivo común comparten ambos tipos de cocina?
b ¿Qué busca la cocina moderna? ¿Y la cocina tradicional?
c ¿Qué motivos nos hacen elegir entre un tipo u otro de restaurante?

El Celler de Can Roca

Fotos de izquierda a derecha José Mari Arzak, Joan Roca, Carme Ruscalleda, Ferran Adrià y Andoni Luis Aduriz.

intentamos nutrir, para eso está la nevera. El 90% de las veces como para alimentarme, pero en mi restaurante estamos para crear un momento", explica. En la misma línea, Adrià ha repetido hasta la saciedad que en sus platos quiere que
5 concurran los cinco sentidos, y uno más: la provocación y el chiste. Una búsqueda conceptual que enfrenta cada día a Aduriz a la necesidad personal de transformar el hecho biológico en placer sublime o, como él dice, a "conmover, robar el corazón de las personas".

0 No todo el mundo comulga con esta concepción artística del mundo de los fogones. En opinión de Carmen Casas, está algo exagerada: "¡Parece que ahora estamos obligados a emocionarnos con cada bocado! Está bien una cocina que apele a la inteligencia, pero no hay que pasarse". (…)

45 La frontera entre ser un *gourmet* y un *snob* no está muy clara. Los grandes restaurantes de vanguardia tienen precios estratosféricos y listas de espera de meses. Los chefs repiten que sin esos precios no cubrirían gastos. Aduriz no considera que el fenómeno sea tan exclusivo. "En nuestra sociedad cada vez
50 más gente tiene la oportunidad de disfrutar de una experiencia distinta con la comida. Al menos, una vez en su vida, se lo puede permitir". (…)

Queda por ver si las acusaciones de Santamaría afectarán a la proyección de la generación de cocineros españoles más
55 brillante.

Jerónimo Andreu
Extraído de www.elpais.com

5a Lee las opiniones de los oyentes del programa en las que se comparan ambos tipos de cocina y selecciona la opción correcta.

1 La cocina tradicional es más sana **que/de** la que se prepara en los nuevos restaurantes de diseño. Creo que todos esos experimentos no pueden ser naturales.

2 No veo normal pagar más **que/de** 100 euros por una comida, y más teniendo en cuenta lo escasas que son las raciones. La verdad, me parece un engaño pagar todo ese dinero.

3 Los sabores de la cocina tradicional pueden ser tan intensos y originales **como/que** los de la cocina de vanguardia. Hay miles de recetas que seguramente aún no hayamos probado.

4 Saber cocinar las recetas tradicionales no es fácil, este tipo de cocina suele ser bastante más compleja **que/de** lo que parece.

5 Los precios de los restaurantes más innovadores son más bajos **que/de** lo que deberían ser. Los grandes chefs pasan gran parte de su vida experimentando hasta que consiguen crear esos platos tan originales.

6 Los nuevos cocineros preparan sus platos igual **que/como** un artista prepara su obra de arte, buscan ir más allá de lo convencional, lo ya visto o probado.

5b ¿Estás de acuerdo con estas opiniones? Coméntalo con tu compañero.

B A LA CARTA

Habla

1 Habla con tu compañero sobre tus preferencias.

Gramática

Hacer comparaciones

1 En las estructuras comparativas de superioridad o inferioridad, usamos **de** en el segundo término cuando:

- Tiene una referencia numeral o una expresión cuantitativa:
*Cuesta más **de** 10 euros*.

- Le sigue una oración de relativo sin antecedente (**de + lo que**):
*Come más **de lo que** pensaba.*

- Comparamos cuantitativamente un nombre (en el segundo término no se suele repetir el nombre): *Tuvo más suerte **de la** (suerte) **que** se merecía.*

- Antes de un adjetivo sustantivado:
*Hacen más ruido **de lo** permitido.*

2 En las estructuras comparativas de igualdad usamos **tan / tanto como** para referirnos a la cantidad o al grado: *Come **tanto como** tú; es **tan** alto **como** tú;* y utilizamos **igual que** para comparar un modo: *Come **igual que** su padre.*

Ver más gramática en pág. 146

Habla

6 Has quedado con tu compañero para ir a cenar algo. Cada uno debe elegir una de las opciones que se plantean e intentar convencer al otro.

ALUMNO A
Quieres ir a un restaurante de comida rápida. Explica a tu compañero qué ventajas tiene este tipo de lugares en comparación con el sitio al que te quiere llevar.

ALUMNO B
Prefieres ir a un restaurante vegetariano. Explica a tu compañero qué ventajas tiene este tipo de restaurantes en comparación con el sitio al que te quiere llevar.

1 ¿Chiringuito o restaurante? *2 ¿Vino o zumos naturales?* *3 ¿Legumbres o verduras?* *4 ¿Carne o pescado?*

Vocabulario

2a ¿Cuál de estos tres menús escogerías para una comida de trabajo? Elige uno y busca las palabras que no entiendas. En grupos de tres, amplía tu vocabulario con la información de los compañeros que hayan elegido otro menú.

OFERTA **de menús para empresas**

MENÚ A

PLATOS PRINCIPALES

· Ensalada de bacalao marinado y salmorejo.
· Tacos de pato confitado.
· Huevos de codorniz caramelizados.

POSTRE

· Dulce de leche.

MENÚ B

PLATOS PRINCIPALES

· Quinoa con flor de calabaza.
· Mollejas de ternera al oporto.
· Chipirones rellenos de espárragos y setas con arroz.

POSTRE

· Isla flotante de coco con fruta de la pasión.

MENÚ C

PLATOS PRINCIPALES

· Crujiente de berenjenas y algas.
· Mejillones en salsa vinagreta.
· Albóndigas al curry.

POSTRE

· Panqueque de manzana flambeada al ron.

2b Algunos colegas de trabajo que van a asistir a la comida tienen restricciones en su alimentación. Comenta con tus compañeros qué platos no podrían comer estas personas.

Joan

Edurne

Nacho

Nacho, celiaco: ¡nada de gluten!
Joan, colesterol alto: debe reducir el consumo de grasas saturadas.
Edurne, vegana: consume alimentos vegetales únicamente.

1 Las personas que tienen el **colesterol alto** deben evitar las grasas saturadas que se encuentran en los siguientes alimentos: carnes procesadas o derivadas del cerdo, patés, pescado enlatado, mariscos, aguacate, coco, aceitunas, cacahuetes, pistachos, nueces, almendras, pasteles con manteca o mantequilla, azúcar, arroz frito, yogur, queso, helados, chocolate, refrescos y alcohol…

2 Los **celiacos** no deben comer trigo, avena, cebada o centeno (a no ser que en la etiqueta se lea "sin gluten"). Deben evitar los siguientes alimentos y bebidas: cerveza, frijoles, galletas, hamburguesas, helados, pan, patatas fritas, pastas, pasteles, perritos calientes, pizza, pollo frito, sopas enlatadas…

3 Los **veganos** no comen ningún alimento de origen animal (tampoco huevos ni derivados de la leche).

5 ¿Comida casera o sofisticada?

6 ¿Fruta del tiempo o helado?

7 ¿Postre o café?

3   Añade dos preguntas y haz el cuestionario al resto de la clase.

1   ¿Te comerías alguno de los platos ahora?
2   ¿Te harías vegano? ¿Cuál es tu plato favorito?
3   ¿Qué ingredientes no podrías dejar de consumir?
4   ¿Dirías que comes en exceso?
5   _____
6   _____

-Yo, me comería un postre, soy supergoloso.
-Pues yo, me comería cualquier cosa, ¡me muero de hambre!

¡Fíjate!

El dativo de interés o dativo ético es un complemento indirecto innecesario que funciona como refuerzo enfático, expresivo, coloquial y afectivo:

*Yo **me** comería un postre. / **Se** bebió toda la botella de agua él solo.*

Lee y escribe

4a   Lee las siguientes opiniones de esta web sobre los mejores restaurantes de España, subraya el léxico de valoración y completa el cuadro.

VALORARACIÓN DE UN RESTAURANTE

Para valorar positivamente un restaurante usamos expresiones del tipo:

- Una experiencia insuperable / _____ (1)
- Una fama _____ (2)
- Un servicio _____ (3)
- Una atención _____ (4)
- Un restaurante extraordinario, maravilloso, _____ (5)
- A la altura de _____ (6)

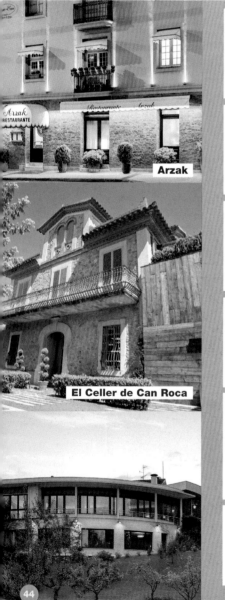

Arzak, San Sebastián-Donostia
Valoración: ⊙ ⊙ ⊙ ⊙ ⊙

"Impresionante: excelente decoración, atención esmerada, alta cocina".
Cocina: nueva cocina vasca.

DiverXo, Madrid
Valoración: ⊙ ⊙ ⊙ ⊙ ⊙

"Rock and Roll tres estrellas, una experiencia de marca no solo gastronómica".
Cocina: europea, japonesa, mediterránea, fusión, asiática.

El Celler de Can Roca, Girona
Valoración: ⊙ ⊙ ⊙ ⊙ ⊙

"Extraordinario, maravilloso, sublime. ¿Qué más se puede decir?".
Cocina: española.

El Club Allard, Madrid, España
Valoración: ⊙ ⊙ ⊙ ⊙ ⊙

"Una experiencia culinaria insuperable. Fama muy merecida, a la altura de los mejores".
Cocina: contemporánea, ecléctica, fusión.

Martín Berasategui, San Sebastián-Donostia
Valoración: ⊙ ⊙ ⊙ ⊙ ⊙

"Otro tres estrellas que vale la pena visitar. Servicio impecable. Increíble menú degustación, perfectamente maridado".
Cocina: española.

ABaC Restaurant, Barcelona
Valoración: ⊙ ⊙ ⊙ ⊙ ⊙

"Excelencia confirmada. Experiencia inolvidable".
Cocina: mediterránea, española, fusión.

Arzak

El Celler de Can Roca

Martín Berasategui

DiverXo

El Club Allard

ABaC

4b Piensa en tu restaurante preferido de la ciudad donde estudias español y responde a las preguntas. Luego, cuéntaselo a tus compañeros.

- ¿Dónde está?
- ¿Qué tipo de comida tiene?
- ¿Qué tal la relación calidad-precio?
- ¿Con qué frecuencia vas?
- ¿A quién se lo recomendarías?
- ¿Cómo lo valorarías?
- ¿Alguna sugerencia?

4c Escribe una entrada en la web anterior dando tu opinión sobre tu restaurante favorito.

> **Las ciudades** se rebelan y quieren ser más eco, más verdes y más bio. Huertos urbanos, apicultores de ciudad, jardines verticales o restaurantes que cultivan su propia verdura en la azotea son ejemplos de una tendencia que ya es imparable.

C URBANO Y SANO

Habla y lee

1 Comenta con tu compañero qué fotografía ilustra mejor el siguiente artículo.

BENEFICIOS DE CULTIVAR UN HUERTO URBANO

1 El placer de conseguir con tus propias manos alimentos que luego utilizas en la cocina.

2 Poder disfrutar de unas hortalizas sanas y saludables que no tienen productos químicos ni pesticidas y, además, de km 0.

3 Te vuelves más social al necesitar los conocimientos de otros y compartir los tuyos. Es una actividad muy familiar, ideal para los niños porque descubren muchas cosas sorprendentes y se conciencian de la importancia de mantener el ecosistema.

4 Reduce el estrés. La paciencia que debes desarrollar para cultivar plantas es la mejor cura. Dedicarle aunque sea unos minutos al día al huerto es muy gratificante y relajante, te ayuda a desconectar.

5 Las diferentes labores agrícolas y el tener que priorizar en función de las necesidades que surjan te ayuda a estructurar y organizar tu cerebro.

6 Es una afición relativamente económica que nos permite cuidar la naturaleza y devolverle un poco de todo lo bueno que nos aporta.

Extraído de revista Cosmopolitan

Vocabulario

2a En parejas, elige una columna, ordena y lee las siguientes definiciones. Después busca la palabra en el texto anterior. Si no la encuentras, tu compañero te dará la solución.

Alumno A	Alumno B
a que combatir utilizan **P**roductos se plagas para:	**a** nutrirnos de una tomamos cosas que **C**ada para las:
b la que en **V**erduras crecen huerta:	**b** de preferencia en **P**oner orden:
c sin algo alterarse **C**apacidad soportar de:	**c** por inclinación **A**ctividad que siente la se:
d acción de **P**rovecho que una se obtiene:	**d** **T**ensión agobiantes por situaciones provocada:

Solución de A:
a pesticidas; b hortalizas; c paciencia; d beneficio.

Solución de B:
a alimentos; b priorizar; c afición; d estrés.

Habla

3 Comenta con tu compañero qué inconvenientes puede tener un huerto urbano. Piensa en otras actividades que nos permiten ralentizar el ritmo frenético de la ciudad.

- A mí me encantaría tener un huerto, el hecho de saber que las verduras que como no llevan ningún pesticida, me parece un lujo al alcance de pocos y, además, me ayudaría a desconectar.

-¿En serio? Yo, sin embargo…

4a En parejas, a la hora de comer entre semana, ¿con cuál de estas opciones te identificas? ¿Qué es más común para ti?

1   Eres de las personas que se toman su tiempo para comer, una hora mínimo.
2   Engulles cualquier tentempié y te bebes de un trago un café cargado para no desplomarte.
3   Dispones de media hora, siempre tomas la comida que llevas hecha de casa, te gusta saber qué comes y disfrutas de la buena comida aunque sea en pequeñas dosis.
4   Ninguna de las anteriores.

Lee

4b Lee el siguiente artículo y decide cuál de las dos recetas presentadas prefieres.

Vocabulario

5a Busca las palabras que se usan en el texto para hablar de cantidades y clasifícalas en función de si se usan con alimentos sólidos, líquidos o ambos.

Sólidos	Líquidos	Ambos
	un trago de	

5b Añade estas expresiones a la clasificación anterior:

un puñado de   una cucharadita de
una pizca de   un sorbo de   una cucharada de

Escribe

6 En parejas, con todo el vocabulario visto en la lección, escribe tu propia receta para cargar pilas y continuar con la jornada. Lee las del resto de la clase y vota cuál es la más:

- saciante
- apetitosa
- saludable
- nutritiva
- elaborada
- rápida

TUPPERS CARGAPILAS

En España, la hora de comer está en peligro de extinción. Una reciente encuesta a trabajadores asegura que el descanso de mediodía dura 30 minutos o menos, e incluso se esfuma: es el caso de un 29% de personas que confiesan que comen mientras trabajan. Si eres de las que come mientras teclea, no tienes por qué dejar de comer sano. Hazte un tupper con una de estas recetas creativas, saludables y saciantes que te proponemos y cargarás las pilas para el resto del día.

ROLLITOS DE BERZA

Con un cuchillo para pelar raspa el tallo leñoso de dos hojas de berza, con cuidado de no agujerearlas. Colócalas a modo de cuenco y úntales humus. Sobre cada una, dispón un huevo duro troceado, extiende 15 g de zanahoria rallada, un rábano en láminas y unas rodajas de pimientos del piquillo. Espolvorea con un pellizco de perejil y 10 g de queso feta en polvo. Por último, dóblalas como si fueran burritos.

De esta forma, convertirás las berzas en unos burritos libres de carbohidratos.

BOL DE FIDEOS DE ARROZ

Cuece 100 g de fideos de arroz y, una vez escurridos, añádeles 90 g de pollo asado, 30 g de col china, frita previamente a fuego medio con un toque de aceite de oliva, y riégalos con un chorrito de salsa de soja baja en sal. Échale un pellizco de cayena y otro de sésamo tostado, unas gotitas de lima y 15 g de cebolleta cortada muy fina.

Solo tendrás que abrir y comer, porque esta receta mejora en frío. Aderézala la noche anterior y, cuando vayas a comer, su sabor se habrá potenciado al máximo.

Extraído de la revista *Women's Health*

D COCINA CON ÉXITO

Lee

1a ¿A qué crees que hacen referencia estos títulos?

La cocina de Arguiñano
Con las manos en la masa
Vamos a la mesa

MasterChef
Pesadilla en la cocina
Esta cocina es un infierno

1b Lee el siguiente artículo y ordena por antigüedad los programas anteriores.

Tele a fuego lento

El primer plato que se cocinó en la televisión española fue un huevo frito. Lo preparó ante las cámaras Elena Santonja en 1984, dentro de la primera emisión de *Con las manos en la masa*. Fue una declaración de intenciones, y probablemente la presentadora lo echó a la sartén sin ser consciente de estar llevando a cabo un trascendente acto fundacional. […]

Antes de que los historiadores se nos echen encima, debemos aclarar que *Con las manos en la masa* no fue el primer programa culinario que se emitió en Televisión Española. Ese honor se lo lleva *Vamos a la mesa*, que empezó en 1967 y apenas duró un año. "Hablaban de hábitos saludables y de trucos de cocina, tenían a una nutricionista bastante sosa, y la gran Maruja Callaved intentaba hacer de aquello algo mínimamente televisivo", asegura el periodista televisivo Alejandro Macías. […]

El siguiente hito culinario-televisivo tiene nombre vasco. Karlos Arguiñano es el máximo exponente de un fenómeno que comenzó en las teles autonómicas y que explotó con su llegada a Televisión Española en 1991: el de los chefs mediáticos. Arguiñano arrasó gracias a su cercanía y su dicharachera puesta en escena, pero también a su cocina, tan adecuada para las amas de casa como para cualquiera que se inicie en las cazuelas. […]

El eco de los concursos culinarios que triunfaban fuera de España se dejó oír por primera vez en una especie de catástrofe llamada *Esta cocina es un infierno*. Emitido en 2006, juntaba el mundo de la cocina con el famoseo de tercera división. […] Este experimento fallido frenó la aparición de los grandes espectáculos culinarios en horario de máxima audiencia, a pesar de que ya estaban arrollando en países a priori menos gastronómicos que España. […] *Pesadilla en la cocina*, con sus caóticos microcosmos humanos en forma de restaurante, rompió el maleficio al alcanzar en 2012 audiencias más que notables en LaSexta. Después llegó *MasterChef*, […] el *show* empezó mal, pero remontó y acabó convertido en acontecimiento.

1c Selecciona dos de las expresiones subrayadas que no entiendas y con el diccionario intenta comprender su significado. Ponlo en común con la clase.

1d ¿Tienen éxito los programas culinarios en tu país? ¿Qué opinas tú de ellos? Coméntalo con tu compañero.

Foto: Marco Pastori

Escucha

2a 🔊 11 📄 **DELE** Mira la foto de Jordi Cruz, un famoso chef catalán. Escucha la entrevista y marca la afirmación correcta en cada caso.

1   **a** Ha participado como concursante en *MasterChef.*
    b Ha sido miembro del jurado de *MasterChef.*
    c Ha ganado el concurso *MasterChef.*

2   **a** Jordi Cruz soñaba con lograr una estrella Michelin.
    b Cree que recibir una estrella no es para tanto.
    c Se muestra muy sensato tras conseguir la primera.

3   **a** Se inició a edad temprana en el mundo de la cocina gracias a su descaro e ímpetu.
    b Tuvo mucha suerte de estar en el lugar indicado en el momento oportuno.
    c Desde pequeño demostró tener una aptitud especial.

4   **a** Opina que en la cocina lo más importante es ser imaginativo.
    b Normalmente, a la hora de cocinar, el razonamiento prevalece ante el instinto.
    c La intuición y la lógica en partes iguales son los dos ingredientes necesarios para un cocinero.

5   **a** Su carta se modifica constantemente en función de los alimentos de temporada.
    b Está en constante evolución para saciar las exigencias de su clientela.
    c Cambia la carta muy a menudo porque, según él, sus platos aún no han alcanzado la perfección.

Investiga y habla

2b Si tuvieras que decir quién es el chef más popular y/o prestigioso de tu país actualmente, ¿a quién elegirías? Prepara una presentación para tus compañeros. Entre todos votaremos al mejor chef.

Jordi Cruz es uno de los chefs más famosos de mi país, además ha conseguido gran prestigio tanto nacional como internacional gracias a…

EN ACCIÓN

1a Vamos a organizar un debate en clase para decidir cuál es la mejor cocina del mundo. En parejas, debéis documentaros sobre la comida de un país diferente. Tomad nota de los argumentos que vais a usar para defenderla.

▲ tailandesa ▲ mexicana

▲ india ▲ francesa

▲ libanesa ▲ japonesa

▲ china ▲ italiana

1b Comienza el debate: aquí tienes las estructuras que necesitas para realizar tus intervenciones.

Recursos para debates

Anunciar un tema
El tema / La cuestión que vamos a tratar es…

Presentar nuestra opinión
Desde mi punto de vista…
A mi modo de ver…
En mi (modesta) opinión…
Personalmente…

Interrumpir
Déjame decir algo…
Perdona que te corte / interrumpa, pero…
Permíteme decir una cosa…

Pedir una aclaración
¿A qué te refieres cuando dices…?
No sé si te sigo…

Señalar el tema del que vamos a hablar
Respecto a…
Por lo que respecta a…
En cuanto a…

Pedir acuerdo
¿Estarás de acuerdo conmigo en que…?
¿No crees que…?

Aclarar algo
Lo que quiero decir es que…
En otras palabras…
Dicho de otro modo…

Comprobar que nos entienden
No sé si sabes a lo que me refiero…
¿Me sigues…?

Llegar a conclusiones
En conclusión… Para resumir… Por todo ello, podemos decir…

1c Tras finalizar el debate, ¿con qué gastronomía os quedáis?

Diario de aprendizaje

1 ¿Qué temas se han visto en cada epígrafe? ¿Cuál te ha gustado más y por qué?

A TRADICIÓN O INNOVACIÓN:

B A LA CARTA:

C URBANO Y SANO:

D COCINA CON ÉXITO:

2 ¿Qué aspectos gramaticales han sido nuevos para ti? ¿Qué necesitas repasar?

3 ¿Qué palabras y expresiones quieres recordar? Escríbelas en el cuadro.

5 ALTERNATIVAS AMBIENTALES

TEMAS

- ● **Curiosidades de la naturaleza:** léxico relacionado con el mundo animal
- ● **Guerreros del medio ambiente:** expresar causa
- ● **Vidas alternativas:** expresar sentimientos
- ● **Cambiar el mundo:** iniciar una campaña en la red

A CURIOSIDADES DE LA NATURALEZA

Vocabulario

1 Mira las fotos de estos animales en peligro de extinción: ¿sabes su nombre en español?

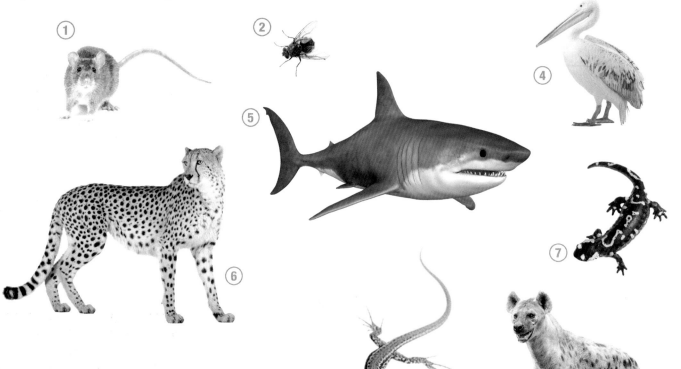

Lee y habla

2 En grupos, resolved el siguiente cuestionario.

ANIMALES: ¿cuánto sabes?

Responde a este cuestionario para descubrir algunos datos que seguro que te parecerán interesantes.

1 ¿Cuál es considerado el animal más veloz de la tierra?
a La hiena.
b El guepardo.

2 ¿Cuál es el ave voladora más pesada del mundo?
a El pelícano.
b El cóndor.

3 ¿Es la aleta de tiburón afrodisíaca y buena para la salud?
a No, y además es perjudicial pues contiene neurotoxina, una sustancia que se encuentra también en cerebros con la enfermedad de Alzheimer.
b Sí, y por eso está tan de moda en Asia tomar sopa de tiburón.

4 ¿Por qué tienen rayas las cebras?
a Para poder camuflarse cuando van en manada entre la hierba alta y evitar ser cazadas por los leones que no distinguen los colores.
b Para ahuyentar las moscas chupadoras de sangre y que en muchas ocasiones son portadoras de diferentes enfermedades.

5 ¿De qué color es la lengua de las jirafas?
a Negra, sus tejidos tienen un alto contenido en melanina, que actúa como protector solar para preservarla del sol al utilizarla constantemente fuera de la boca.
b Rosácea, ya que su blandura le permite seleccionar y extraer las hojas más tiernas de las plantas sin problemas con su hocico.

6 ¿Qué animal tiene la habilidad de regenerar la cola y otros miembros?
a Algunos vertebrados como la lagartija.
b Algunos anfibios como la salamandra.

7 ¿Por qué las aves zancudas duermen sobre una sola pata?
a Para no perder calor corporal.
b Para fortalecer su musculatura.

8 ¿Por qué se abrazan los koalas a los árboles?
a En busca de comida y refugio.
b Para refrescarse.

9 ¿Cuál es el ser vivo con el olfato más poderoso?
a El elefante gracias a su larga trompa.
b La rata.

Vocabulario

3a Fíjate en el vocabulario del test anterior y completa el esquema con él.

SONIDOS Y ACCIONES

TIPO DE AGRUPAMIENTO

NOMBRE DE ANIMALES
lagartija

PARTES DEL CUERPO
cola

Fauna

LUGAR DONDE HABITAN

UTENSILIOS

3b Elige una de las dos listas (A o B). Busca el significado de las palabras y explícaselas a tu compañero. Después, añádelas al esquema de la actividad 3a.

A	B
rugir	correa
cigüeña	pezuña
antena	galopar
gaviota	reptar
gallinero	banco (de peces)
águila	rabo
lechuza	cuerno
buitre	cresta
oca	rebaño (de ovejas)
trepar	cuadra
ganso	embestir
bozal	corral
establo	bandada (de aves)
collar	lince

Lee y escribe

4 ¿Sabías que atributos como la inteligencia, la empatía, el cariño o la autoconciencia se han constatado también en animales? Lee el siguiente texto y piensa a qué animal se refiere.

Humanos muy animales o ANIMALES MUY HUMANOS

1 Planificación: Las _____ son capaces de montar almacenes falsos para engañar a aquellos que quieren robarles su comida y los científicos aseguran que crean un mapa tridimensional de su territorio para poder localizar sus reservas.

2 Comunicación: Los _____ tienen un sistema de comunicación muy sofisticado, comparable en muchos aspectos al lenguaje humano primitivo. Y según los etólogos, el _____ gris no habla por imitación sino que comprende lo que dice.

3 Altruismo y ayuda mutua: los _____ vampiro de Sudamérica pasan sangre a los compañeros de cueva que no han logrado comer esa noche.

4 Cariño: hay constancia de que los _____ han intentado reanimar a su cría muerta y han pasado días cargando con el cadáver para no desprenderse de ella.

5 Autoconciencia: Los _____, como los delfines, las urracas y otros animales, se reconocen ante el espejo.

La Vanguardia, 4 octubre 2014

5 En grupos, describid algún animal de vuestro país que esté en peligro de extinción e iniciad una campaña en Facebook por su defensa siguiendo el modelo que te presentamos.

María de las Heras

31 min · Editado

¡Salvemos el lince ibérico! Este precioso felino de patas largas, corta cola y orejas puntiagudas está desapareciendo de la península ibérica: ya se ha extinguido prácticamente en Portugal, y en España quedan muy pocos ejemplares, ¡hagamos algo por su conservación!

Me gusta · Comentar · Compartir

B GUERREROS DEL MEDIO AMBIENTE

Lee y habla

1a Observa las fotos y el título del artículo, ¿de qué crees que trata?

Reportaje

Vandana Shiva

Rainbow Warrior, Greenpeace

Jane Goodall

El ejército del medio ambiente

Por Álvaro Corcuera. *El País Semanal* (N.º 1968)

Decidieron aparcar sus rutinas y dedicar sus vidas a luchar por el futuro del planeta. De Jane Goodall, que a sus 80 años sigue viajando por el mundo para salvar los bosques, a Vandana Shiva, en pie de guerra contra los transgénicos. O Peter Willcox, capitán de buque de Greenpeace en sus dos grandes crisis, la última de ellas el año pasado en Rusia, con quien navegamos a bordo del Rainbow Warrior.

En mitad del canal de la Mancha, más cerca de Francia que de Reino Unido, una radio reproduce con relativa nitidez una vieja *chanson*. En el puente de mando del Rainbow Warrior III, la melodía se entremezcla mágicamente con el sonido de las olas que golpean mansas contra el casco del velero de Greenpeace. (1)_____ Porque la organización ecologista vive momentos de relativa tranquilidad, después de haber sufrido a finales del año pasado la peor crisis desde 1985. Entonces, los servicios secretos franceses hundieron en Nueva Zelanda el Rainbow Warrior original, que luchaba contra los ensayos nucleares en los atolones del Pacífico; mientras que en septiembre de 2013, Rusia detuvo a los 30 tripulantes del rompehielos Artic Sunrise. Este continúa aún hoy confiscado ilegalmente en el puerto de Murmansk, aunque los activistas ya regresaron a sus casas tras pasar tres meses encarcelados, acusados de piratería tras su intento de encaramarse a una plataforma petrolífera de Gazprom en el Ártico y amnistiados por Vladímir Putin poco antes de los Juegos Olímpicos de Invierno en Sochi.

El capitán de ambos barcos era curiosamente el mismo, el estadounidense Peter Willcox, marino y activista de larguísima trayectoria. (2)_____ [...] La misión del Warrior, dice el capitán, es "alertar del cambio climático", un asunto por el que también otros luchan en tierra. Por ejemplo, René Ngongo, ganador del Right Livelihood Award (considerado el Premio Nobel Alternativo) por su lucha por la conservación de la selva de la República Democrática del Congo, su país. "La conservación del bosque es fundamental para detener el calentamiento global. Es gracias a ellos que se mantienen los ciclos hidrológicos y que los suelos son preservados. (3)_____", alerta. Su labor nunca ha sido sencilla, pues aquellos que tratan de deforestar la selva (la segunda más grande del mundo tras la Amazonia) para su propio beneficio le amenazan constantemente.

1b El texto menciona a algunos defensores de la naturaleza como: Peter Willcox, Anne Jensen, Jane Goodall, Vandana Shiva, René Ngongo o Mohamed Nasheed, ¿has oído hablar de ellos?

Selva del Congo

Vandana Shiva, azote de Monsanto, la gran multinacional que controla buena parte de la agricultura mundial a través de sus semillas patentadas y sus químicos, denuncia intereses económicos detrás del daño causado a la Tierra. "No vivimos en una democracia real, sino en una gran mentira", opina. (4)_____ Pocos gobernantes hacen frente a los problemas, cree. Quizá solo aquellos que lo ven más cerca, como es el caso del expresidente de islas Maldivas, Mohamed Nasheed, que ve cómo su país podría desaparecer bajo las aguas al ritmo que va el planeta: "Somos muy vulnerables. (5)_____ No creo en los combustibles fósiles. Debemos dar un giro radical. Pienso que es posible hacerlo". En 2009 Nasheed realizó una reunión de su gabinete bajo el mar. Una manera de llamar la atención sobre lo que les podría pasar si el ser humano continúa en la misma senda. A miles de kilómetros de allí, en el canal de la Mancha, Anne Jensen, la tercera oficial danesa que estuvo cautiva en Rusia por protestar en la plataforma de Gazprom, reflexiona: "Mi familia sufrió mucho cuando acabé en prisión…, pero creo que lo volvería a repetir. (6)_____ Es importantísimo". La humanidad ya ha extraído "cinco veces más petróleo del que necesita", según el capitán Willcox, que añade: "Si quemáramos todo lo que ya tenemos, la temperatura del planeta subiría dos grados centígrados. Así que es estúpido seguir explotando nuevo petróleo, más aún en el Ártico, donde si sucede un desastre será imposible de limpiar". […]

1c 📄 **DELE** Coloca los siguientes enunciados en los párrafos adecuados del artículo. Fíjate que sobran dos.

A En la lucha por el medio ambiente, este hombre de convicciones y de fuerte carácter se ha enfrentado más de una vez a gobiernos y grandes corporaciones.

B Necesitamos dejar de pescar al ritmo en que lo estamos haciendo. En 2048, si seguimos así, la pesca estará colapsada, es decir, quedará menos de un 10% de peces de los que llegó a haber.

C Cualquier aumento del nivel del mar es demasiado para nosotros.

D Mientras el mundo viva bajo las reglas de las grandes corporaciones, la democracia seguirá muerta, matando al planeta y a las personas.

E El ser humano hace tiempo que dejó de tomar las mejores decisiones para el futuro. Salvar los chimpancés significa salvar los bosques.

F Llamamos la atención de la gente, trajimos el asunto del Ártico al debate.

G Tras la tormenta siempre llega la calma, y en este caso metafóricamente hablando también.

H Si se destruye, lo que antes era un pulmón de oxígeno para el planeta se convierte automáticamente en una fuente de emisiones de carbono.

2a Subraya los problemas medioambientales que se mencionan en el artículo.

Vocabulario

2b Busca en el texto combinaciones de palabras relacionadas con el medio ambiente.

Nivel del mar
1 Emisiones _____
2 Ensayos _____
3 Cambio _____

2c Con las palabras de esta nube forma más combinaciones sobre el medio ambiente.

Gramática

3 Relaciona elementos de las dos columnas para formar frases. Después, señala cuáles de ellas se mencionan en el texto anterior.

1 Consiguieron llamar la atención internacional **a causa de que**,

2 **Gracias a que** se crean reservas marinas,

3 Muchas islas están desapareciendo **por culpa de que**

4 **Porque** necesitamos detener el cambio climático,

5 **Como** no dejamos de explotar petróleo

a el nivel del mar sigue subiendo.

b la temperatura del planeta sigue en aumento.

c deberíamos usar energías renovables.

d es posible recuperar los *stocks* de peces en el mar.

e durante tres meses, fueron encarcelados.

Habla

4 Comenta: ¿qué factores medio ambientales preocupan más en tu país?, ¿cuáles son las causas?

C VIDAS ALTERNATIVAS

Escucha y habla

1 ¿Has oído hablar alguna vez de las ecoaldeas? Comenta con tu compañero cómo crees que son y qué tipo de gente vive ahí.

Una ecoaldea es
"un asentamiento humano, concebido a escala humana, que incluye todos los aspectos importantes para la vida, integrándolos respetuosamente en el entorno natural, que apoya formas saludables de desarrollo y que puede persistir indefinidamente. "

Robert Gilman

2 ◄) 12 Escucha ahora este programa de televisión que habla sobre una ecoaldea. Fíjate en las anotaciones y señala si son verdaderas (V) o falsas (F).

1 ☐ En la ecoaldea donde vive Jaime conviven más de cien personas.

2 ☐ Habitan en casas cedidas por el gobierno.

3 ☐ Su objetivo es vivir con lo que ellos mismos producen.

4 ☐ Viven aislados y sus miembros tienen poca relación entre ellos.

5 ☐ Consideran que su forma de vida no es una moda pasajera.

6 ☐ Mantienen mucho contacto con el mundo exterior.

7 ☐ Los niños asisten a una escuela privada de la ecoaldea.

8 ☐ Sus habitantes quieren colaborar con el resto de la sociedad.

Lee y habla

3a Lee este foro sobre la vida en una ecoaldea y clasifica las expresiones resaltadas según expresen alegría, tristeza, enfado o miedo.

Mikel:
Desde hace algún tiempo, mi novia y yo estamos planteándonos un cambio de vida. Estamos esperando un bebé y queremos que se críe en un lugar más natural y seguro. **Me apena** ver el tipo de vida que llevan las familias a nuestro alrededor, todo el tiempo trabajando en sus oficinas y alimentándose a base de comida envasada. Definitivamente, no es el tipo de vida que queremos llevar, pero **nos aterroriza** separarnos de nuestras familias y amigos, o perder ciertas comodidades de las que disfrutamos en la ciudad.

Andrea:
Comprendo perfectamente lo que dices, Mikel, y estoy de acuerdo en algunas de tus observaciones. Sin embargo, las ciudades ofrecen ciertas ventajas que no encontrarás en el campo, como el acceso a la cultura, la educación o la sanidad. **Me inquieta** pensar que un día mi hija pueda estar enferma y que no haya un médico cerca. Por otro lado, no sé si educar a un niño en un ambiente tan cerrado y solitario es la mejor idea hoy en día.

Eduardo:
Me entristece ver que personas como Andrea piensa que somos un grupo de gente rara que vive aislada del mundo. No es así, nuestros hijos van a colegios, igual que los demás niños. El hospital está a pocos kilómetros y se llega fácilmente. Creo que las críticas a nuestro sistema de vida vienen por el desconocimiento. **¿No sentís impotencia** al pensar que dentro de muy pocos años más del 70% de la población vivirá en grandes urbes, sin espacios naturales, consumiendo todos los recursos naturales y destrozando el planeta? Creo que iniciativas como las ecoaldeas son, hoy en día, la mejor solución. Yo llevo siete años viviendo en una y **me emociona** saber que estoy ayudando a crear un mundo mejor.

Candela:
Eduardo, entendemos perfectamente tu punto de vista y creo que a todos **nos indigna** ver cómo nuestra sociedad está destruyendo el medio ambiente. Sin embargo, cada uno tiene un estilo de vida y eso es difícil de cambiar. Yo soy muy urbanita y no me veo viviendo en una granja con veinte o treinta personas más, pero eso no quiere decir que no me importe la ecología. Por eso, intento llevar un tipo de vida más sostenible, reciclando mi basura, evitando el consumo de luz o gas, o apostando por energías renovables. No soy la única que piensa así, **me llena de orgullo** decir que la gente de mi entorno está haciendo lo mismo. Estas pequeñas acciones son las que realmente pueden salvar nuestro planeta.

ALEGRÍA	ENFADO	TRISTEZA	MIEDO

Expresar sentimientos

Muchas de la expresiones anteriores pueden usarse:

1   Como verbos con **sujetos experimentadores:**
Me emociono cuando te veo feliz / si te veo feliz / viéndote feliz / al verte feliz / por tu felicidad.

2   Como verbos con **complementos experimentadores** que actúan como sujeto agente:
Me emociona verte feliz/que estés tan feliz / tu felicidad.

Ver más gramática en pág. 148

3b Comenta con tu compañero: ¿te identificas o estás de acuerdo con alguna de las intervenciones del foro?

Escribe

4 Escribe un mensaje en el foro en el que muestres tus sentimientos ante estos modos alternativos de vida. Lee el texto de tus compañeros y busca los que compartan tu punto de vista.

D CAMBIAR EL MUNDO

Escucha y habla

1a 🔊 13 📄 **DELE** Escucha la conferencia de Gabriel Salazar en la que se habla de un descubrimiento que puede ayudar a cambiar en pequeña medida el mundo y elige una de las tres opciones.

1 ☐ El activismo del conferenciante comenzó:
  a por la insistencia de su pareja.
  b debido al alto porcentaje de desnutrición infantil.
  c tras colaborar en una actividad para crear infraestructuras.

2 ☐ Le parece asombrosa la planta:
  a dado que su desarrollo es el mayor del planeta.
  b cuyas propiedades podrían ayudar a combatir la desnutrición.
  c de la que se obtiene un aceite para uso alimentario y depurador.

3 ☐ La sustancia adherente que contiene en su cubierta:
  a permite obtener agua para consumo humano.
  b al contacto con el agua, la depura inmediatamente.
  c posibilita diversos usos de aguas sucias de la zona.

4 ☐ La moringa oleífera:
  a es una planta cuyo cultivo es usado en India.
  b se nutre del agua de las raíces de otras cosechas.
  c favorece el crecimiento de las plantas con las que se siembra.

5 ☐ Para Gabriel Salazar:
  a su éxito es debido a su bajo coste.
  b lo primordial es que se mantiene por sí misma.
  c permite dar una imagen de innovación al comercio justo.

Moringa oleífera

1b En grupo, comentad si conocéis alguna iniciativa similar. ¿Se os ocurren otras ideas para mejorar la vida de las personas sin tener que invertir mucho dinero?

Lee

2 ¿Conoces la labor de Change.org o de otras organizaciones dedicadas al mismo fin?, ¿has firmado alguna de sus reclamaciones? Lee la petición y elige la opción correcta en los pares de palabras marcadas.

Dirigida a la Secretaría de Ecología del Estado de México

¡NO a la incineración de llantas!

Petición creada por
Jorge Tadeo
México

👍 22   0
Me gusta   Twittear

1 Hace cinco años ocurrió una tragedia que conmovió a los ciudadanos del Estado de México. Once personas murieron cuando limpiaban un cárcamo (un pozo de agua) de Ecoltec debido (1) *de/a* los gases tóxicos que estaba soltando y es que recientemente el Estado inició una campaña de recolección de llantas bajo el argumento de "cuidar el medio ambiente y la salud de los mexiquenses", pero estas son llevadas a Ecoltec... ¡para su incineración! ¿Incinerar llantas para cuidar el medio ambiente y nuestra salud? En el Estado de México estamos cansados de respirar aire impuro y tóxico.
[...]

2 Resulta que todo esto se debe a que el gobierno del Estado junto con 21 municipios firmaron un (2) *convenio/comité* con Ecoltec, empresa encargada de procesar el combustible alterno derivado de residuos para la cementera Holcim-Apasco. El compromiso es llevar (3) *en/a* cabo una campaña de (4) *acogida/acopio* y retiro de, por lo menos, 60 mil llantas usadas. Y claro, está comprobado que las llantas usadas que se tiran contaminan nuestro hábitat, pero hay alternativas para que esto no suceda. Por supuesto la incineración de estas para los combustibles de las plantas de cemento no es la solución.

¡No incineren llantas para el combustible de las cementeras!

change.org/quemallantas

3 Hay evidencia científica de que el uso de llantas como combustible en hornos de cemento (5) *libera/libere* algunos de los tóxicos más agresivos en la historia de la humanidad, cuyas consecuencias en la salud son: cáncer, (6) *malformaciones/malas formaciones* congénitas, alteraciones endocrinas, daño hepático y renal, afectaciones en las vías respiratorias, entre muchas otras. Los mexiquenses ya no queremos respirar eso.

4 ¿Alternativas? ¡Claro que las hay! Se llaman producción limpia y basura cero. La primera se trata de que empresas como Ecoltec mantengan una producción cíclica en la que el material se esté reutilizando y reciclando. La segunda se trata de estrategias muy puntuales en las que se usan residuos sólidos urbanos, para (7) *el que/lo cual* es de suma importancia la separación de basura en casa, producción de composta, etc. Incluso existen empresas dedicadas al reciclamiento de llantas que no tienen que ver con los combustibles alternos de las cementeras. ¡Eso sí es una actividad sustentable!

5 Por eso exigimos a nuestra Secretaría del Medio Ambiente, al Gobierno del Estado de México y a los presidentes municipales que firmaron el convenio, que (8) *prescindan/rescindan* el convenio con Ecoltec, y que (9) *asuman/asimilen* un compromiso para fomentar la producción limpia. Por favor, hagan una apuesta al verdadero desarrollo sustentable, cuidando y protegiendo así el medio ambiente y la salud de los mexiquenses.

Vocabulario

3 Completa las siguientes colocaciones léxicas que aparecen en el texto.

1 _____ un convenio.
2 Llevar a cabo una _____ .
3 Malformaciones _____ .
4 _____ respiratorias.
5 Rescindir un _____ .
6 Asumir un _____ .

Gramática

4a Analiza todos los aspectos que otorgan coherencia y cohesión al texto. Fíjate en las cinco secciones en que se ha dividido y resume su contenido resaltando alguno de los elementos anteriores.

Comienza aclarando quién es el receptor de la carta y a continuación se remarca la clave del mensaje: ¡NO a…!

En el apartado 1 se explica _____ y se usan conectores tales como: *debido a*, y *es que…* o el demostrativo *estas* para evitar repetir la palabra.

En el apartado 2 _____

En el apartado 3 _____

En el apartado 4 _____

En el apartado 5 _____

4b El dominio de marcadores discursivos te ayuda a mejorar la cohesión de los textos. Relaciona los elementos de las dos columnas con significados equivalentes.

1 ante todo
2 ahora bien
3 en consecuencia
4 es decir
5 efectivamente
6 por supuesto
7 igualmente

a desde luego
b antes que nada
c asimismo
d por consiguiente
e no obstante
f en efecto
g esto es

EN ACCIÓN

1 Lee las siguientes opiniones sobre este tipo de organizaciones que piden firmas en la red. Decide con cuál estás más de acuerdo y discútelo con tus compañeros.

• *Estas plataformas bajo aspecto de hacer trabajo humanitario, en el fondo, buscan lucrarse como una empresa más.*

• *No obstante sus beneficios, la labor de mejora del mundo que logran hacer es evidente: son muchas las causas que se han podido recurrir con la fuerza conseguida con las firmas recogidas.*

• *Esto es activismo de salón, que solo sirve para lavar la conciencia de quien firma.*

• *Ser activo firmando a través de estas plataformas no está reñido con ser una persona que participe en protestas a pie de calle.*

2 Piensa en problemas ecológicos del planeta y, en grupos, elegid el que más os interese para iniciar una campaña de recogida de firmas en Change.org o en alguna otra plataforma de vuestro interés.

Esquema para iniciar **una petición**

1 **¿Qué queréis cambiar?**
Comenzad el escrito con una frase rotunda que resuma el tema de la campaña y vuestra petición.

2 **¿Quién o quiénes son los destinatarios de vuestra petición?**
Decidid el público al que va dirigida vuestra campaña.

3 **¿Qué quieres que hagan al respecto?**
Redactad instrucciones a los interesados en participar en la campaña.

4 **¿Por qué es importante?**
Justificad la campaña.

5 **Proponed una solución.**

Diario de aprendizaje

1 ¿Qué temas se han visto en cada epígrafe? ¿Cuál te ha gustado más y por qué?

A CURIOSIDADES DE LA NATURALEZA:

B GUERREROS DEL MEDIO AMBIENTE:

C VIDAS ALTERNATIVAS:

D CAMBIAR EL MUNDO:

2 ¿Qué aspectos gramaticales han sido nuevos para ti?

3 ¿Qué palabras y expresiones quieres recordar? Organízalas en un mapa mental para que te resulte más fácil recordarlas.

4 ¿Qué necesitas repasar?

6 EDUCACIÓN

TEMAS

A EQUIPAJE DE MANO

Habla

1 Estas fotos muestran diferentes modelos educativos: ¿con cuál te identificas más? ¿Qué estilo de educación has recibido?

2a ¿Qué recuerdas de tu época de la escuela? En parejas, responded a estas preguntas. El cuadro de abajo os puede ayudar.

ALUMNO A

1 ¿Cómo era tu colegio?

2 ¿Qué recuerdos te trae el tacto de la ropa que llevabas?

3 ¿Qué objetos solías usar?, ¿cómo eran?

4 ¿Tenías un aula bonita?, ¿de qué color?

5 ¿Qué sonidos asocias con el colegio?

6 ¿Qué olores recuerdas de la época del colegio?

7 ¿Recuerdas algún lugar del colegio por un olor especial?

8 ¿Qué sabores asocias con tu colegio?

ALUMNO B

9 ¿Solías llevar algo de comer?

10 ¿Hay alguna canción que te evoque aquella época?

11 ¿Qué vistas tenías desde la ventana de tu clase?

12 ¿Cómo olía tu aula?

13 ¿Era muy ruidosa tu clase?

14 ¿A qué jugabas en el recreo?

15 ¿Te gustaba tocar algún objeto de clase en concreto?

16 ¿Cuál era el sabor de tus chicles favoritos?, ¿te dejaban comer chuches en el colegio?

2b Las cuestiones anteriores evocan nuestros cinco sentidos. Decide a cuál de ellos se refiere cada una.

~~vista~~   oído   gusto   olfato   tacto

Las preguntas 1, 4, 11 y 14 hacen referencia al sentido de la VISTA.

Las preguntas _____ se refieren al _____.
Las preguntas _____ se refieren al _____.
Las preguntas _____ se refieren al _____.
Las preguntas _____ se refieren al _____.

2c Analiza con tus compañeros las respuestas dadas para comprobar qué sentido predomina en los recuerdos de la mayoría y la huella que os ha quedado de la etapa del colegio.

¡Fíjate!

Para expresar que se recuerda algo o no, usamos:

- *Si mal no recuerdo… / que (yo) recuerde…*
- *Por poco / casi se me olvida…*
- *Me trae recuerdos de…*
- *No consigo olvidar / recordar…*
- *Imposible haber olvidado*
- *Lo tengo en la punta de la lengua*

***Imposible haber olvidado** mi clase de 5.º, cuando tenía 10 años. Puedo recordar exactamente la cara de mi profesora, ¡era genial!; también recuerdo perfectamente dónde se sentaba mi mejor amigo de entonces…*

Lee

3a ¿Qué es para ti educar? Lee y completa los aforismos sobre educación con las siguientes expresiones. Después, marca tus tres favoritos.

- ✔ **nuble la vista**
- ✔ **equipaje de mano**
- ✔ **esperar turno**
- ✔ **clase magistral**
- ✔ **gozo intelectual**
- ✔ **señalar caminos**
- ✔ **confesión forzada**

La educación en aforismos

1 Educar es favorecer la adicción al _____ (1).

2 El examen tradicional se parece a una _____ (2) en la que el alumno accede a simular que ha comprendido.

3 Conversar no es _____ (3) para continuar con lo que se estaba diciendo.

4 Enseñar a alguien es llevarlo de la mano de la conversación, hasta el borde mismo de la comprensión.

5 Enseñar no consiste en inyectar comprensiones, sino en _____ (4) para tropezarse con ellas.

6 La _____ (5) en la que más de cien alumnos asisten a una exposición –que siempre pueden leer antes o después– es un timo educativo.

7 En los primeros 10 años de escuela quizá solo merezcan la pena dos cosas: ejercitar el lenguaje (leer y escribir en varios idiomas, matemática, música, dibujo) y entrenar el hábito de la conversación y la crítica.

8 Ni siquiera comer es una excusa para aplazar el conocer, por lo menos mientras la hipoglucemia no nos _____ (6).

9 Existe una inversión en la que siempre se gana y cuyo beneficio siempre cabe en el _____ (7), no se puede perder, ni nadie puede robar: la educación.

Extraído de El País

3b En parejas, explica por qué has elegido esos aforismos, ¿habéis coincidido en alguno? Escribe dos más y preséntaselos al resto de la clase.

1 Educar es _____

2 _____

GRAMÁTICA

4a En parejas, completa con tus opiniones los siguientes enunciados sobre educación y coméntalos con el resto de la clase, ¿coincidís en algo?

1 Todo el mundo está de acuerdo en la importancia de la educación; de ahí que _____

2 La gramática es un elemento importante en una clase de idiomas; así pues, _____

3 Las asignaturas optativas buscan dar respuesta a la diversidad de aptitudes y motivaciones del alumnado, luego _____

4 El derecho a la educación es tan _____ que

5 Es tal la huella que puede dejar un buen maestro que _____

6 Dominar un idioma requiere tiempo y esfuerzo, o sea que _____

Conectores consecutivos

- Las oraciones consecutivas expresan la consecuencia o el resultado de otra acción o situación. Suelen ir unidas a la oración que indica la causa:

  Es tal *la importancia de la educación,* **que** *debemos invertir todos los recursos necesarios para que nadie se quede sin ella.* (La educación es muy importante; por eso no hay que escatimar en recursos).

- Los nexos consecutivos más frecuentes son: ***luego, así, así es que, conque, pues, por (lo) tanto, o sea que, por consiguiente, de tal manera, de tal modo, tan…que, en consecuencia***:

  Mañana tienes un examen, **así que** *vete ya a la cama.*

- El verbo de la oración consecutiva va en modo _____ (1).

- Con ***de ahí que,*** el verbo suele ir en modo _____ (2):

  La educación es un derecho indiscutible, **de ahí que** *haya que seguir luchando para que llegue a todos los rincones del planeta.*

Ver más gramática en pág. 151

4b Vuelve a leer los aforismos, elige dos y redacta una conclusión usando los conectores anteriores.

Educar es favorecer la adicción al gozo intelectual, ***por consiguiente*** *se hace imprescindible respetar los estilos de aprendizaje de cada niño, para que todos puedan disfrutar del placer de la enseñanza.*

B LA EDUCACIÓN PROHIBIDA

Escucha

1 ◁)) 14 Escucha este relato que corresponde al inicio de *La educación prohibida*, un interesante documental sobre educación. Contesta a las siguientes preguntas: ¿con qué contexto compara el relato el mundo de la escuela? ¿Por qué los compara?

Lee y habla

2a ¿Conoces algún tipo de enseñanza alternativa al sistema tradicional? Coméntalo con tu compañero.

2b Lee el artículo sobre alternativas a la enseñanza formal y completa el siguiente diagrama.

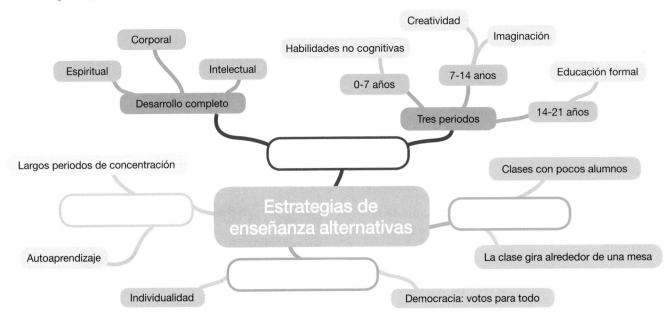

Estrategias de enseñanza alternativas
que transformarán la educación

Método Montessori

María Montessori, la primera mujer italiana en graduarse en Medicina, desarrolló este método dando clase a 50 estudiantes de las afueras de Roma en 1907. María Montessori defendía que los niños nacen con mentes absorbentes y son completamente capaces de llevar a cabo un aprendizaje autodirigido.

Creía que los niños necesitan largos periodos de concentración y, como consecuencia, el tradicional sistema educativo no es el mejor método de aprendizaje. Bajo su método, los estudiantes emplean largos bloques de tiempo de la manera que ellos elijan, mientras el profesor observa.

Otra característica del método Montessori es que las clases incluyen estudiantes de diferentes edades (rangos de tres años de diferencia) y que no existen notas, exámenes o métodos de evaluación.

Hoy en día este método está vigente en más de 5000 escuelas, principalmente en los Estados Unidos, y cuenta con ilustres exestudiantes, como los cofundadores de Google, Sergey Brin y Lawrence Page.

Método Waldorf

El filósofo y científico austriaco Rudolf Steiner desarrolló esta estrategia de enseñanza que se basa en el desarrollo completo de los niños (corporal, espiritual e intelectual).

Steiner creía que existían tres periodos de siete años en el desarrollo de los niños. Así, en los primeros siete años, Steiner defiende el desarrollo de habilidades no cognitivas, por lo que propone un método basado en el juego y la interacción, en lugar del aprendizaje formal. Los siguientes siete años, creatividad e imaginación son los rasgos que dominan la enseñanza (idiomas extranjeros, artes escénicas, etc.), para después pasar a un tercer periodo de educación más formal y centrada en la responsabilidad social. Según esta estrategia de enseñanza, ningún niño debe empezar a leer y escribir antes de los siete años.

El método Waldorf fue empleado por primera vez en Stuttgart (Alemania) en 1919 y desde entonces se ha ido extendiendo por otros muchos países.

2c ¿Cuáles de las siguientes características atribuyes a cada uno de los modelos o métodos educativos comentados en el artículo? Razona tu respuesta y háblalo con tu compañero.

> 1 Montessori   2 Waldorf   3 Harkness   4 Sudbury

- Libre elección
- Fomento de la autonomía / de la motivación / de la interacción / del respeto
- Participación activa / en asambleas
- Implicación de los padres / de la comunidad
- Aprendizaje vivencial
- Desarrollo humano / de la creatividad

- Diferencias individuales
- Toma de decisiones
- Vínculos humanos / afectivos
- Realización de proyectos
- Educación activa
- Ausencia de calificaciones
- Solución de conflictos
- Autoconocimiento

Libre elección es una característica fundamental del método Montessori porque según dice el artículo permite que los estudiantes decidan qué quieren hacer en clase.

2d ¿Qué desventajas crees que pueden tener estos métodos de enseñanza? Coméntalo con tu compañero.

Está muy bien eso de permitir que los alumnos decidan, pero yo creo que al dejar tanta autonomía se corre el riesgo de que los alumnos terminen el curso sin aprender nada.

2e Si volvieras a la escuela y pudieras elegir uno de estos métodos de enseñanza, ¿con cuál te quedarías y por qué?

Si me dieran a elegir, me quedaría con el método Sudbury porque me gusta la idea de que los alumnos tengan voz y voto a la hora de tomar decisiones en el colegio.

> **Fíjate**
>
> Para **expresar preferencias** podemos usar expresiones como:
>
> - *Si tuviera que elegir,* { *me quedaría con…*
> - *Si me dieran a elegir,* { *optaría por…*
>
> **Si me dieran a elegir, me quedaría con** *el método Montessori.*

Aunque la mayoría de estas estrategias tienen ya varias décadas, es ahora, gracias a las nuevas tecnologías, cuando se están reinventando y extendiéndose por gran cantidad de países e instituciones educativas.

Método Harkness

El método Harkness no se basa en ninguna ideología, sino en un elemento del mobiliario, la mesa.

De esta manera, cualquier clase que emplee esta estrategia de enseñanza, desarrollada por el magnate Edward Harkness, gira en torno a una mesa. Los estudiantes se sientan alrededor y conversan sobre todas y cada una de las materias, desde historia hasta matemáticas.

Esto supone una gran transformación de las clases tradicionales dispuestas en forma de auditorios. Además, el papel del profesor también difiere notablemente en el método Harkness, ya que su responsabilidad no es otra que moderar la conversación y asegurarse de que la conversación no se desvía demasiado.

El método Harkness fomenta las estrategias comunicativas de los estudiantes y el respeto, entre otras muchas habilidades. Sin embargo, requiere un número de alumnos por clase bajo, lo que ha limitado notablemente su expansión entre los sistemas educativos públicos.

Método Sudbury

La estrategia del método de enseñanza Sudbury nació en 1968 en Massachusetts, Estados Unidos, y se basa en los principios de individualidad y democracia, que son llevados hasta extremos nunca vistos en el terreno educativo.

Así, en las escuelas que aplican este método, los estudiantes tienen un control total sobre qué y cómo son evaluados (si es que son evaluados) mediante sus votos. Los votos de estudiantes, profesores y personal de la escuela tienen el mismo valor, y las votaciones deciden desde el presupuesto de la escuela hasta la contratación de profesores.

La filosofía detrás de este método es que los estudiantes son capaces de asumir ciertos niveles de responsabilidad. Según sus defensores, esto mantiene a los alumnos motivados para aprender, especialmente de manera colaborativa.

Extraído de:
www.examtime.com/es/blog/estrategias-de-ensenanza/

Escucha

3a 🔊 15 Escucha la siguiente noticia sobre César Bona, maestro de escuela primaria en España, y responde a las siguientes preguntas.

1 ¿Por qué consiguió acaparar la atención de los medios de comunicación?

2 ¿En qué consiste el galardón que se otorga al finalista?

3 ¿Qué le empujó a presentarse?

4 ¿Qué tipos de proyectos ha llevado a cabo con sus alumnos?

5 ¿Qué aspectos cree que son fundamentales desarrollar en el aula?

3b ¿Qué características atribuyes a su labor docente para haber sido preseleccionado al premio? (Puedes tener en cuenta el vocabulario visto en el apartado 2c). Comentadlo en pequeños grupos.

Parece que este profesor se preocupa por crear vínculos humanos entre sus estudiantes y…

Investiga y habla

4a Existen muchos proyectos alternativos y/o innovadores en la educación. En parejas, elegid uno de los que se ofrecen aquí o bien otro que os interese, buscad información y presentadlo en clase.

La Epe en Colombia
Innoomnia en Finlandia
La educación en verde, Heike Freire
Educación lenta, **Carl Honoré**
El aula invertida
Escuela por y para la vida, *Ovide Decroly*

4b Mientras escuchas, toma nota de su presentación, ¿cuál te parece la más interesante?

Propuesta educativa	Origen / fundador	Tipo de metodología

C LOS ENIGMAS DEL CEREBRO

Habla

1a Fíjate en estas imágenes y comenta con tu compañero qué forma de estudiar es más adecuada para ti.

Yo, si estudio con música, me distraigo y empiezo a tararear las canciones.

1b Completa las siguientes frases y compara las respuestas con tu compañero. ¿Hay muchas coincidencias entre vosotros?

• Para estudiar, necesito…
• Tengo una mayor capacidad para…
• Soy capaz de recordar fácilmente…
• Suelo olvidar rápidamente…
• Si tuviera que definirme como persona emotiva o racional, diría que soy…

Habla y lee

2a La neurociencia nos está permitiendo conocer cómo trabaja nuestro cerebro y de qué manera aprendemos. Fíjate en estas afirmaciones y decide con tu compañero si estás de acuerdo o no con ellas.

1 Solo usamos el 10% del cerebro.

2 Después de los 60 años, ya no se puede aprender.

3 Algunas habilidades son innatas, como la creatividad: hay quienes la tienen y quienes no.

4 Nuestros recuerdos son una reproducción fiel del pasado.

5 El cerebro humano se guía por la razón.

6 El cerebro de las mujeres es inferior en matemáticas.

2b En la actualidad, las anteriores creencias han sido desmentidas por la neurociencia. Relaciona cada una de ellas con su explicación.

A "Existe una carga genética que predispone al talento creativo –dice Manes–. Sin embargo, es el factor sociocultural el que juega un rol crucial, pues el acceso a experiencias de distinta naturaleza remodela las conexiones cerebrales necesarias para generar soluciones innovadoras". (…) "Ninguno de los grandes creadores tuvo una idea genial sin haber destinado muchísimo tiempo a pensamientos profundos y obsesivos sobre ese tema –explica–. De hecho, hay más relación entre obsesión y creatividad que entre coeficiente intelectual y creatividad. En términos de creatividad, la inspiración es para aficionados".

B "Las personas no solo pueden, sino que deben aprender hasta el último día –subraya Facundo Manes–. (…) Muchísimos trabajos indican que el compromiso permanente con la exigencia intelectual es uno de los caminos más eficaces para mantener el cerebro en forma".

C El cerebro de hombres y mujeres permite el mismo nivel de habilidades cognitivas. Sin embargo, estas habilidades son influidas también por aspectos sociales y culturales. Todo depende de la motivación, pues si se entrena a hombres y mujeres por igual, no se encuentran diferencias sobre rendimiento.

D La idea de que una gran cantidad de neuronas permanecen inactivas y son un tesoro sin explotar está ampliamente difundida, aunque todo indica que la verdad es diferente. "El cerebro funciona en forma interconectada y tiene gran nivel de actividad, aun cuando creemos que no hacemos nada o estemos durmiendo", dice Mariano Sigman.

Vocabulario

2c La primera palabra de estas listas está extraída del texto. Señala cuál de las otras que la acompañan tiene un significado distinto.

- **Predisponer:** incitar, posponer, inclinar.
- **Remodelar:** reestructurar, cambiar, destruir.
- **Distorsión:** deformación, emisión, alteración.
- **Fabular:** imaginar, inventar, charlar.
- **Presunción:** predisposición, suposición, conjetura.

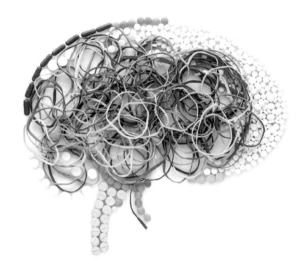

E Ya en 1932, el psicólogo Frederic Bartlett observó (…) que si les contaba historias a diferentes personas y después les pedía que las recordaran estas no solo las repetían con datos faltantes, sino también con distorsiones. "Hay dos mitos de este tipo muy difundidos –cuenta Quian Quiroga–: uno es que la visión funciona como una cámara fotográfica; es decir, que las imágenes se proyectan como una foto en la parte de atrás del cerebro. No es así. La visión es un proceso creativo; en realidad vemos muy poco y la creencia de que vemos con una enorme riqueza es en realidad una ilusión del cerebro que «rellena» información. Lo mismo ocurre con la memoria. Recordamos muy poco y después fabulamos sobre la base de presunciones. Por eso, cada vez que recordamos, de alguna manera modificamos nuestros recuerdos".

F Investigaciones recientes demuestran que la toma de decisiones depende fundamentalmente de áreas cerebrales involucradas con el control de las emociones. ¿Qué razonamiento lógico puede hacerse cuando es imposible predecir qué es lo que va a pasar mañana? Esto no significa que hay que dejar de pensar racionalmente para tomar una decisión, pero debería alertarnos de que la mayoría de las veces estamos actuando basados en lo que sentimos".

Extraído de www.lanación.com.ar y www.explora.cl

Lee y habla

2d Lee estos comentarios y explícale a tu compañero si a ti también te ocurren estas cosas.

> 💬 Mi cerebro siempre ha estado más predispuesto a aprender idiomas que a resolver problemas matemáticos.

> 💬 A menudo, cuando estoy con los amigos de la infancia, veo que tienen una imagen muy distorsionada de aquellos años, para mí no fue un momento tan feliz.

> 💬 Soy de esas personas que siempre están fabulando sobre cómo habría sido su vida si hubiera tomado otras decisiones (si hubiera estudiado otra carrera, o vivido en otro país o me hubiera casado con otra persona).

> 💬 Necesito dar cambios importantes en mi vida cada cierto tiempo, mi vida está en un proceso constante de remodelación.

> 💬 Soy una persona muy racional. No me gusta basar mis opiniones o creencias en presunciones, necesito siempre analizar las cosas y darles un enfoque objetivo.

Escucha

3a 🔊 16 En el programa *Los enigmas del cerebro*, el neurocientífico Facundo Manes nos muestra cómo se desarrolla este órgano. Escucha atentamente, toma notas y completa la información.

1 En su primer día de vida, el cerebro de un bebé…
2 A partir de ese momento se produce…
3 Las primeras áreas cerebrales en activarse están relacionadas con…
4 A continuación, se desarrolla…
5 Por último, se adquiere la capacidad de…

Habla

3b ¿Qué se puede hacer para potenciar la memoria y el aprendizaje durante la infancia, la juventud, la madurez o la vejez? Comenta con tu compañero algunas posibles soluciones y luego ponedlo en común con el resto de la clase.

D SUPERHÉROES DE CARNE Y HUESO

Habla

1a Mira las imágenes y comenta con tus compañeros:

¿Cuál es tu superhéroe favorito? ¿Qué poder tiene?
Ese poder, ¿tiene algún inconveniente?
¿Cómo ha conseguido el poder? ¿Es un talento natural?

Lee

1b En la vida real también hay personas con superpoderes. Ordena los párrafos de este artículo para que tenga sentido.

Superhéroes

A Otro caso en el que una enfermedad o una alteración genética proporciona extrañas capacidades a un ser humano es el de Liam Hoekstra, que nació con un déficit de miostatina, la proteína que limita el crecimiento del tejido muscular. Por eso, desde muy niño es pura fuerza: se dice que a los cuatro meses podía «hacer el pino» y que a los seis ya corría escaleras arriba y abajo en casa de sus padres adoptivos. [...]

B [...] Si eres aficionado a los cómics o a las películas de ciencia ficción, es probable que hayas soñado más de una vez con tener las capacidades extraordinarias de tus héroes favoritos. Cualquiera dejaría que una araña le picase si tuviese garantías de trepar por las paredes a partir de entonces; y más de uno de nosotros estaría dispuesto a sufrir alguna mutación a cambio de esos preciados superpoderes. Aunque tal vez no lo sepas, en nuestro mundo existen personas de carne y hueso con habilidades increíbles, muy parecidas a las de los protagonistas de los relatos fantásticos.

2 Lee los comentarios que dejaron los lectores y relaciona las frases en negrita con su significado.

1 *De no haberse quedado ciego, no habría desarrollado la ecolocalización*, *lo que demuestra que es una capacidad que todos tenemos innata.*

   a Excepto que se hubiera quedado ciego, no la habría desarrollado.

   b Si no se hubiera quedado ciego, no la habría desarrollado.

2 *No sé qué decirte,* *a lo mejor si entrenara todo el día durante diez años, podría convertirme en un maestro en artes marciales,* *pero dudo mucho que pudiera subir a la cima del Everest semidesnudo.*

   a A no ser que entrenara todo el día, podría convertirme en un maestro.

   b Entrenando todo el día, podría convertirme en un maestro.

3 *Pues, yo la verdad es que* **no encuentro ninguno de estos poderes útiles, salvo que quieras dedicarte a ladrón de museos.** *Entonces, quizás el del niño ciego, sí sería interesante.*

   a No encuentro ningún poder útil, en el caso de que quieras ser ladrón.

   b No encuentro ningún poder útil, a menos que quieras ser ladrón.

4 *Pero ¡qué dices!* ***Controlando el sistema nervioso con la mente, serías invencible****, nada te afectaría.*

   a Si hubieras controlado el sistema nervioso (…), serías invencible.

   b De controlar el sistema nervioso (…), serías invencible.

Marcadores condicionales

Son los elementos del discurso que expresan diferentes condiciones. Algunos de ellos, al expresar matices, tienen un uso menor, pero no menos necesario. Siempre van con subjuntivo, salvo que sea una forma no personal del verbo (infinitivo, gerundio).

- **De + infinitivo simple / compuesto:** expresa una condición general:
De ser invisible, me dedicaría al espionaje.

- **Gerundio:** expresa una condición general:
Teniendo ese control mental, intentaría desarrollarlo.

- **A no ser que, excepto que, a menos que,** etc., expresa la única condición que puede impedir que se cumpla lo expresado en la oración principal:
A no ser que me pique una araña, no treparé por la pared.

- **En el caso de que:** expresa una previsión:
En el caso de que pudiera elegir un don, elegiría ser invisible.

Ver más gramática en pág. 152

3 En parejas, piensa qué supertalento te gustaría tener y explica cómo cambiarías el mundo. El resto de compañeros te rebatirá explicando por qué el suyo es mejor. Al final, elegiréis al mejor superhéroe de la clase.

- Si tuviera la capacidad de leer la mente, podría evitar muchas atrocidades.

- Bueno, a no ser que el exceso de información te volviera loco como en la peli "La milla verde". A mí me parece mejor…

En el blog BizarBin hemos encontrado una lista de individuos reales con estas características. Una de las historias más impactantes es la de Ben Underwood, un joven que perdió sus ojos a los tres años por un cáncer de retina. Asombrosamente, Ben se sobrepuso a su ceguera desarrollando «ecolocalización», un método similar al que utilizan animales como los murciélagos. Gracias al eco, generado por unos chasquidos que emitía con su lengua, era capaz de identificar objetos a su alrededor. Así pudo caminar sin ayuda e incluso practicar deportes hasta que su grave enfermedad terminó con su vida.

Por si te gustan más los héroes orientales hemos dejado para el final a Isao Machii. Este japonés, un maestro de las artes marciales, puede anticiparse como nadie a los movimientos. En su haber, cuenta con varios récords Guinness, como el de partir con su katana una pelota de tenis que se desplazaba a más de 700 kilómetros por hora. ¿Te parece poca cosa? Puede hacer lo mismo con una bola diminuta disparada con una pistola. Los de Akira Kurosawa no son más que aprendices al lado de este moderno samurái.

E Underwood nos enseñó que los seres humanos podemos hacer cosas aparentemente imposibles si volcamos todo nuestro esfuerzo en un objetivo. Es justo lo que pensaba Wim Hof, un holandés que logra influir en su sistema nervioso a través de la concentración... y así pudo escalar el Everest vistiendo únicamente unos pantalones cortos. ¡A 35 grados bajo cero! La hazaña le sirvió para tener su propio nombre de superhéroe, «El Hombre de Hielo». En el extremo opuesto a Hof está Master Zhou, un hombre que puede generar temperaturas superiores a los 90 grados usando tan solo sus manos.

Extraído de www.abc.es/tecnologia

EN ACCIÓN

1a Pon los signos de puntuación que falten en este fragmento literario y escribe un posible final (ayúdate de la información del cuadro). Después, compara tu versión con la de tus compañeros.

EL NIÑO PEQUEÑO

Una vez un niño pequeño fue a la escuela Era bastante pequeño y era una escuela bastante grande Pero cuando el niño pequeño descubrió que podía entrar a su salón desde la puerta que daba al exterior estuvo feliz y la escuela ya no parecía tan grande.

Una mañana luego de haber estado un tiempo en la escuela la maestra dijo Hoy vamos a hacer un dibujo ¡Qué bueno! pensó el pequeño Le gustaba hacer dibujos Podía hacerlos de todas clases leones y tiburones pollos y vacas trenes y barcos y sacó su caja de crayones y empezó a dibujar.

Pero la maestra dijo ¡Esperen! aún no es tiempo de empezar y esperó a que todos estuvieran listos Ahora dijo la maestra vamos a dibujar flores ¡Qué bien! pensó el pequeño le gustaba hacer flores y empezó a hacer unas flores muy bellas con sus crayones rosados naranjas y azules.

Pero la maestra dijo ¡Esperen! yo les enseñaré cómo Y dibujó una que era roja con el tallo verde Ahora dijo la maestra ya pueden empezar.

Helen Buckley

1b 📄 **DELE** Debes hacer una presentación oral sobre los temas presentados en la unidad. La exposición debe incluir los siguientes puntos:
- tema central;
- ideas principales y secundarias;
- comentario sobre las ideas principales.

Dispones de 3 a 5 minutos. Puedes consultar tus notas pero no debes limitarte a la lectura de estas.

La coma [,]

- En oraciones coordinadas disyuntivas, se usa como marca de énfasis entonativo. Ej.: *¿Fuiste a comer, o no saliste?*
- Para hacer algún inciso en el enunciado:
  - Enunciados no constituyentes de serie unidos por *y*: *Comieron arroz y pollo, y luego fueron al cine.*
  - Subordinadas antepuestas: *Si tuviera tiempo, te ayudaría. / Te ayudaría si tuviera tiempo. // Para que lo sepas, se lo he dicho.*

Dos puntos [:]

- En sustitución de la coma como expresión de pausa enfática, antes de comienzo de enunciado, con locuciones del tipo *ahora bien, pues bien…: Ahora bien: es necesario considerar que…*
- En relaciones por yuxtaposición para dar una explicación: *El cocido es un plato muy típico madrileño: lleva garbanzos…*

Punto y coma [;]

- Delante de conjunciones y locuciones conjuntivas (*pero, mas, aunque, sin embargo, por tanto, por consiguiente,* etc.) que introducen enunciados largos o complejos: *Había estado todo el día trabajando sin parar, en casa y en su oficina; sin embargo, cuando sus amigos le llamaron para salir…*

Comillas latinas [« »] o inglesas [" "]

- En obras narrativas encierran textos que reproducen de forma directa los pensamientos de los personajes: *«Aguantaré hasta el último minuto», pensó la niña.*
- En concurrencia con otros signos: *Y entonces dijo: «¡Me importa un "pimiento"!».*
- Usos metalingüísticos: *El verbo «satisfacer» es irregular.*

Adaptado del *Plan Curricular del Instituto Cervantes.*

Diario de aprendizaje

1 ¿Qué temas se han visto en cada epígrafe? ¿Cuál te ha gustado más y por qué?

A EQUIPAJE DE MANO:

B LA EDUCACIÓN PROHIBIDA:

C LOS ENIGMAS DEL CEREBRO:

D SUPERHÉROES DE CARNE Y HUESO:

2 Escribe tres preguntas sobre los contenidos de la unidad y házselas al resto de tus compañeros. Después, analiza qué necesitas repasar.

7 PAISAJES URBANOS

A EDIFICIOS DEL FUTURO

Lee

1a "La ciudad sin límites" es el nombre de un proyecto arquitectónico, ¿lo conoces? Observa la imagen, ¿cómo la describirías?

1b Lee un artículo sobre "La ciudad sin límites" publicado en una revista digital y contesta a las preguntas.

La ciudad sin límites

[1] Una torre autosuficiente de 300 metros de altura que tiene su propio ecosistema, negocios, comercios, residencias y áreas recreativas e incluso grandes parques. Así es el proyecto futurista diseñado por arquitectos chinos, con participación española, para el centro de Londres.

[2] La 'Endless City in Height' ('ciudad elevada sin límites' o 'ciudad elevada interminable') es un rascacielos gigante diseñado para la capital del Reino Unido, capaz de albergar a miles de personas, permitiéndoles realizar muchas de sus actividades cotidianas y cubriendo sus necesidades sin tener que salir de él.

[3] Este edificio, de formas asimétricas y tan elevado como la torre 'The Shard' de Londres, que es la construcción más alta de esa ciudad, consta de rampas entrelazadas que conectan diferentes secciones de la estructura y conducen a sus ocupantes y visitantes a través de una serie de zonas destinadas a las compras, el trabajo, la educación, la salud, la tecnología, las finanzas, las leyes, las comunicaciones, el diseño y el entretenimiento.

[4] Asimismo, este superrascacielos incluye la tecnología necesaria para reducir el impacto ambiental, aumentar la sostenibilidad, poner en marcha industrias y utilizar fuentes de energía limpia. [...]

CIUDAD VERTICAL, PILARES DE ACERO

[5] Según la compañía que lo ha diseñado, este edificio ocupará una superficie cubierta total de 165 855 m², y procurará "reducir las necesidades de luz, refrigeración y calefacción artificiales". Sus diferentes niveles no solo proporcionarán unas vistas impresionantes de los alrededores, sino que además contarán con plazas públicas y espacios comunes.

[6] "El apoyo estructural de esta torre gigante estará a cargo de seis tubos de acero, que también contendrán la fontanería y electricidad para gran parte del edificio, y las diferentes áreas del edificio estarán vinculadas por medio de una serie de puentes y pasarelas que ayudarán a aumentar los intercambios, las comunicaciones y las interacciones", según informa Nancy Qian, desarrolladora de proyectos de SURE Architecture. [...]

[7] Para que esta "ciudad en altura" sea sostenible, sus diferentes partes compartirán e intercambiarán ideas, energía, agua y residuos, funcionando como un ecosistema completo, en el que las pérdidas se reducirán al mínimo y se optimizarán las reutilizaciones.

[8] Según esta compañía, la propia forma del rascacielos ha sido diseñada para reducir el consumo de energía, siendo su estructura más contraída en la parte inferior, para mantener la distancia con los edificios cercanos, y más dilatada en la parte superior, para dejar entrar la luz natural. [...]

CON SU PROPIO ECOSISTEMA

[9] "El nuevo rascacielos es autosuficiente, al tener su propio ecosistema, parques, residencias, oficinas, áreas recreativas e incluso industrias. La dimensión y los espacios que encontramos en una ciudad se podrían ver en las diferentes alturas de la 'Endless City'", añade Alina Valcarce (directora asociada de SURE Architecture).

[10] Según esta arquitecta, las rampas, puentes, pasos peatonales, escaleras eléctricas y ascensores de este superrascacielos "facilitarán la movilidad de las personas tanto como sea posible, y sus diferentes áreas comerciales podrán personalizar sus fachadas de la forma más conveniente, como en cualquier urbe del mundo, lo que proporcionará una gran vitalidad al diseño".

[11] Sobre las características más destacadas de esta gran estructura, la arquitecta comenta: "Lo que hace especial y único a 'Ciudad sin límites' es que lo hemos diseñado pensando en la alta densidad de las ciudades actuales. Nuestro punto de partida consistió en buscar la forma de crear una ciudad en altura, es decir, una extensión de la ciudad de Londres manteniendo una similitud con el paisaje urbano existente pero creciendo verticalmente".

Extraído de www.eluniversal.com.m.

PREGUNTAS

1 ¿Cuál es el principal motivo que sustenta la realización de este proyecto arquitectónico?
2 ¿Por qué se refieren a este edificio como "rascacielos orgánico"?
3 Según el artículo, ¿qué ventajas brindará a sus ocupantes?
4 ¿Qué beneficios ofrece su diseño estructural?
5 ¿Cómo se comunican los diferentes niveles de altura?

1c Busca en el texto sinónimos de estas palabras:
[2]: dar hospedaje _____
[3]: estructura desigual _____
[4]: emprender algo _____
[7]: mejorar _____
[10]: pared principal exterior _____
[10]: ciudad _____
[11]: inicio de algo _____

2a Lee los comentarios que algunos usuarios de este periódico digital han dejado en la web y comenta con tu compañero con cuáles estás de acuerdo.

Dandy
Yo no creo que la solución sea hacer las ciudades, de por sí densas, aún más densas, sino distribuir la población. Mientras la población de las zonas rurales siga emigrando a las grandes ciudades, no habrá solución para el problema de la superpoblación. El futuro es volver a los pequeños núcleos, y es ahí donde el mundo de la tecnología debe adentrarse.

Retex
Lo de la vuelta al pueblo, ni pensarlo. Antes que volver al pueblo, prefiero que las ciudades crezcan verticalmente. El futuro está en las grandes ciudades y lo que importa no es que sean más o menos densas, sino que estén bien planteadas.

Sunny
Este tipo de proyectos quedan estupendos sobre el papel, pero a la hora de la verdad yo no veo factible su construcción. Me da la sensación de que cae más en el saco oportunista del boom de rascacielos que se está viviendo en las grandes ciudades. ¡Hasta que no lo vea, no me lo creo!

Sergio Plus
Y siempre que alguien dice que es algo "casi imposible", me viene la idea de que hace solo unos 100 años el hombre solo podía soñar con volar, 60 años después el hombre pisaba la luna y hoy coger un vuelo que nos lleve a la otra parte del mundo en unas horas está al alcance de cualquiera. A medida que vayan proliferando este tipo de construcciones, nos iremos familiarizando con la idea de vivir en ciudades verticales. Así pues, creo que esto SÍ es el futuro.

Rita Dinamita
En cuanto estuviera allí una semana, me daría claustrofobia. Vivir, trabajar y pasar tu tiempo de ocio en un mismo lugar…, no gracias, no soy una hormiga.

Gramática

Partículas temporales

Las partículas temporales informan sobre el momento en el que se realiza una acción. A veces, además de su sentido temporal, aportan otros significados:

(1) Expresa la <u>preferencia</u> por una acción en relación con otra, aunque ambas acciones no son deseadas por el emisor:
Antes que *vivir en un rascacielos así, me muero.*

(2) Pone el énfasis en la <u>urgencia</u> de la realización de una acción con relación a otra:
Tan pronto como *nos acostumbremos a estas viviendas, nos parecerán indispensables.*

(3) <u>Idea condicional</u> de una acción que ocurre durante todo el tiempo que sucede otra:
Mientras *no perdamos calidad de vida, nos dará igual el tipo de edificaciones en el que vivamos.*

(4) Expresa la <u>progresión simultánea</u> de dos acciones:
Conforme *crezcan las ciudades, se harán más inviables.*

(5) Expresa una <u>restricción</u>:
*Solo **cuando** la contaminación nos ahogue, me retiraré al campo.*

Ver más gramática en pág. 154

2b Busca en los comentarios anteriores ejemplos de cada uno de los usos temporales propuestos.
(1) _____
(2) _____
(3) _____
(4) _____
(5) _____

2c Completa las siguientes frases relacionadas con el artículo anterior con tu opinión.

1 Yo viviría en una ciudad como esta solo cuando…

2 Antes de que se haga realidad este proyecto…

3 En cuanto comiencen las obras de este edificio…

4 A medida que vaya aumentado la población…

5 Mientras se pueda construir horizontalmente…

6 Hasta que no agotemos todos los recursos naturales…

Investiga y habla

3 ¿Reconoces alguno de estos edificios? Comenta con tu compañero qué te sugieren estas imágenes.

- El de Barcelona me parece un edificio demasiado futurista, que provoca un impacto paisajístico.

- Pues a mí me gusta ese contraste de estilos.

4 Piensa en algún edificio o construcción arquitectónica interesante de tu país y prepara una presentación para la clase. Puedes dar información de los siguientes aspectos:

- El tipo de edificio, características y descripción.
- El arquitecto y/o patrocinador.
- El año de construcción.
- El barrio.
- El uso actual del edificio.
- El impacto generado en la zona.

B INTERVENCIONES URBANAS

Lee y habla

1a Mira las fotos y, en parejas, comenta estas opiniones sobre arte urbano. ¿Que opiniones te parece que están a favor y cuáles en contra?

- Respetar el mobiliario urbano es necesario para una convivencia pacífica. Mi libertad termina donde empieza la del otro.

- El altruismo de estos artistas es encomiable. Si lo firmara un artista de renombre, muchos de sus detractores estarían dispuestos a pagar una fortuna.

- No es arte, sino pintadas; estos actos vandálicos deben ser perseguidos. Si hubiera renovado la fachada de mi casa y después vienen y me la pintan, me daría un ataque.

- Parece que solo llamamos arte a lo que tiene un marco. Por esa regla de tres, deberíamos borrar las pinturas rupestres.

1b Lee el texto y di si estas frases son verdaderas (V) o falsas (F).

1 La teoría de las ventanas rotas es válida solo en barrios marginales. ___

2 El proyecto pretende evitar el deterioro del barrio. ___

3 Lo que los ciudadanos ven les afecta mucho en su día a día. ___

4 Cualquiera podrá intervenir en el paisaje urbano. ___

Muros que alegran la vista

En 1969 el psicólogo estadounidense Phillip Zimbardo dejó en las calles del degradado Bronx, de Nueva York, un coche abandonado. En pocos minutos los transeúntes comenzaron a robar piezas y en unos días el vehículo estaba destrozado. Luego dejó otro coche en un barrio rico, en Palo Alto, California. Aquí no pasó nada, hasta que Zimbardo rompió una de las ventanillas y machacó un poco la carrocería: entonces el proceso fue similar, el coche fue progresivamente maltratado por los habitantes del barrio hasta acabar hecho un destrozo.

Este experimento, en el que se inspiró la teoría de las ventanas rotas, fue recordado por el delegado del Área de las Artes, Deportes y Turismo, Pedro Corral, durante la presentación de la segunda fase del Plan de Mejora de Paisaje Urbano en los Distritos, en esta ocasión en Usera y Villaverde (Madrid). "Quiere decir que cuando se ve que un espacio degenera, esa sensación se contagia y se acelera la degradación", explicó Corral. "Queremos que aquí ocurra al revés". A sus espaldas, en la plaza Mayor de Villaverde, se veía una colorida intervención del artista urbano E1000, con sus habituales tonos amarillos y morados, que da vida a una ruinosa fachada.

El plan incluye intervenciones sobre muros deteriorados, especialmente en medianeras que han quedado a la vista, en plazas duras y también la mejora de huertos urbanos y el desarrollo de proyectos culturales en diálogo con el vecindario: "El paisaje urbano es una de las realidades de la ciudad que más tienen que ver con la calidad de vida de los ciudadanos y que más afectan al devenir cotidiano de los vecinos", dice José Francisco García, director general de Patrimonio Cultural y Paisaje Urbano. "Este proyecto trata de mejorar esa realidad". [...]

La primera fase de este plan tuvo lugar en 2013 como proyecto piloto en Tetuán, con tan buena acogida que ha hecho que el ayuntamiento quiera repetir y continuar durante el año que empieza en otros distritos. El consistorio apuesta así por el arte urbano permitido. En los últimos tiempos hemos visto grandes intervenciones en la ciudad [...] pintadas por varios artistas. Pero persigue y multa el no permitido (hasta 3000 euros, y 6000 si se reincide).

El País, por Sergio Fanjul

1c En grupos de tres, comenta qué os parece la teoría de las ventanas rotas. Piensa otras tres ideas que podrían ayudar a mejorar una zona degradada. Discútelas con tus compañeros.

Gramática

2a Intenta relacionar, sin mirar el artículo, los adjetivos con los sustantivos o verbos correspondientes. Decide la posición del adjetivo y compáralo con tu compañero.

| degradado abandonado cotidiano piloto |
| ruinosa deteriorados varios grandes rico |

1	___ devenir ___
2	___ muros ___
3	___ artistas ___
4	___ Bronx ___
5	___ coche ___
6	___ barrio ___
7	___ proyecto ___
8	___ fachada ___
9	___ intervenciones ___

2b ¿Encuentras alguna razón por la que estas palabras vayan antes o después del sustantivo? ¿Cambia el significado al cambiar la posición?

Posición del adjetivo

En español los adjetivos pueden ir antes o después del sustantivo.

Pospuestos, se usan normalmente para distinguir el objeto del que hablamos de otros objetos: *huerto* **urbano**.

Antepuestos, suelen expresar una apreciación subjetiva, para enfatizar cualidades del sustantivo: **fantástico** *mural*.

Algunos adjetivos cambian el significado según vayan colocados: antepuestos, tienen sentido valorativo; pospuestos, tienen sentido determinativo, objetivo: *No es mi novio, es un* **simple** *amigo* (solo es un amigo) / *Tu amigo es un poco* **simple**, *¿no?* (no es muy inteligente).

Ver más gramática en pág. 150.

Escucha

3a 🔊 17 Vas a escuchar una entrevista en la radio con un miembro de Boa Mistura, un colectivo español de arte urbano. Primero lee las frases y después escucha y elige la opción correcta.

1 El barrio de Cuemanco en México donde realizaron uno de sus trabajos:
  a se transformó en una zona muerta.
  b era famoso por su aspecto decadente.
  c tiene como objetivo cobijar a gente de origen rural.

2 El trabajo que empezaron a desarrollar en 2011 con frecuencia surge:
  a por iniciativa de los vecinos.
  b de la confianza de unos arquitectos.
  c de los políticos.

3 El trabajo de Boa Mistura en España:
  a es ilegal, no se puede pintar en la calle.
  b se complica por los trámites previos a una obra.
  c no les preocupa, prefieren la acogida que tienen fuera.

4 En el fondo, Boa Mistura anhela:
  a que su talento sea reconocido por las autoridades.
  b que los políticos piensen en el bienestar de la comunidad y combatan el vandalismo.
  c que las instituciones cambien su postura ante estas expresiones artísticas.

Investiga y habla

3b Mira estas dos obras de Banksy, un conocido artista urbano de origen británico. En parejas, comentad una posible interpretación de las mismas.

Puede que el doctor quiera oír el corazón del mundo.

3c Busca en internet otra obra de Banksy y descríbela.

C PROBLEMAS EN LA VIVIENDA

Habla

1a Miras las imágenes. Estas personas han tenido un problema con sus viviendas. Comenta con tu compañero de qué problema crees que se trata.

1b ¿Con qué imagen relacionarías estas expresiones? ¿Has sufrido alguno de estos problemas?

1 Tener un mal aislamiento acústico
2 Embargarte el piso
3 Tener una avería
4 No llegar a fin de mes
5 Subir la hipoteca
6 No poder pegar ojo
7 Necesitar reparar algo

Lee y habla

2 Lee ahora titulares de prensa publicados en España. ¿Coinciden con alguno de los problemas que habéis mencionado antes? ¿Existen los mismos problemas en tu país?

> **La vivienda se encarece un 1,3% en el cuarto trimestre del año** *(El País)*

> **178** empresas, multadas por vender pisos en mal estado *(20 minutos)*

> **DOS INDIGENTES FALLECEN EN MENOS DE 24 HORAS EN VALENCIA POR EL FRÍO** *(Público)*

> Los desahucios de vivienda habitual aumentan un 13,5% *(El País)*

> **En España hay 500 000 pisos turísticos irregulares** *(El Mundo)*

> *Condenan a 16 meses a un vecino ruidoso que ponía música de madrugada y se iba (El Mundo)*

Yo creo que en mi país los precios de las casas se están disparando, por eso prefieren vivir de alquiler.

3a La comunidad de vecinos de la calle Norte ha creado un grupo de whatsapp. Lee los mensajes y decide a cuál de los anteriores problemas hacen referencia.

Víctor Sánchez
¡Hola a todos! Tras la última reunión, vamos a escribir una carta al vecino del 1.° D por el problema que tenemos con su piso.

Sara Bellido
¡Por fin! ¡Ya era hora! Llevo más de un mes sin poder dormir. No puedo más.

Rubén Zamora
Perdonad, no estuve en la reunión, ¿qué ha pasado?

José Martínez
Nada nuevo, Rubén. Es sobre el 1.° D. Parece ser que no tienen licencia y cada vez entra más gente desconocida cargando sus maletas en el portal.

Rubén Zamora
Lo imaginaba. No hay más remedio que presentar una queja ante el ayuntamiento.

3b Ante este problema, ¿qué vecino muestra más resignación, alivio o esperanza? ¿Cómo lo expresa?

- Resignación: _____
- Alivio: _____
- Esperanza: _____

4a En parejas, elige una de las situaciones de la actividad 1. Preparad un borrador del diálogo y grabadlo para trabajar la entonación.

No sé qué le pasa a este calentador. Llevo una hora intentando arreglarlo. Me parece que no nos queda más remedio que...

4b Representadlo delante de la clase. Vamos a valorar:

- La coherencia y cohesión del discurso.
- Su riqueza léxica.
- La interpretación del grupo.
- La entonación y el ritmo.

José Martínez
Cruzo los dedos para que nos hagan caso.

Sara Bellido
Me quedo más tranquila sabiendo que al menos las autoridades van a tener conocimiento de lo que nos pasa.

Rubén Zamora
Bueno, Sara, va a llevar un tiempo. Por ahora me parece que no nos queda otra que seguir aguantando.

José Martínez
Sí, sería mejor dirigirnos primero a él, a ver si conseguimos algo. Ya sabéis, la esperanza es lo último que se pierde.

Lee y escribe

5 Lee la carta de requerimiento que ha enviado la comunidad a su vecino y escribe los motivos de su queja.

Muy señor mío:

Me pongo en comunicación con usted en calidad de Presidente de la Comunidad de Propietarios de la calle Norte 19 para comunicarle el tema que se trató en la última reunión de vecinos celebrada el pasado día 3 de febrero relacionado con el uso de su vivienda.

Son reiteradas las quejas de nuestros vecinos de la comunidad que manifiestan su completa oposición a

Dichas actividades molestas y/o prohibidas, vienen afectando a la comunidad de vecinos y, si en el plazo de una semana no cesa su actividad, no me quedará más remedio que, en nombre de la comunidad, ejercitar las acciones judiciales pertinentes. Queremos advertirle que según establece la ley, en caso de obtener sentencia favorable a nuestros intereses, se le podrá condenar, incluso, a la privación del derecho al uso de la vivienda del 1.º D por un tiempo no superior a tres años. Es por ello que insistimos en el cese de la actividad molesta o la adopción de medidas que posibiliten una convivencia que respete a todos los copropietarios.

A la espera de sus noticias, le saludo muy atentamente.

Juan Díaz Quintela

El Presidente de la Comunidad

Vocabulario

6a Cuando entramos a vivir en un piso, es posible que nos encontremos con algunas averías. ¿A qué profesional deberíamos llamar para solucionarlas?

1 Ha habido un cortocircuito.
2 Las paredes tienen humedades.
3 Gotea un grifo.
4 Se saltan los plomos constantemente.
5 Hay una tubería atascada.
6 Hay goteras en el techo.
7 Se ha levantado el parqué del salón.
8 Han aparecido unas grietas en la pared del dormitorio.
9 No funciona un enchufe / un interruptor.

Electricista	Fontanero	Albañil

6b ¿Qué otras averías suele haber en una vivienda? ¿Recuerdas alguna anécdota relacionada con ellas? Coméntalo con tus compañeros.

Escribe

7 Imagina que vives en un piso que tiene alguna de estas averías. Has llamado por teléfono a tu compañía de seguros, pero no te dan respuesta. Escribe una carta de requerimiento para que lo solucionen.

D DISEÑO DE INTERIORES

Habla

1 ¿Qué tipo de ambiente te gusta más para tu vivienda? Coméntalo con tus compañeros y justifica tu respuesta.

Ecléctico   Desenfadado   Minimalista

Industrial   Cálido y acogedor   **Romántico**

Elegante   Luminoso

De líneas sintéticas y modernas

Respetuoso con el medio ambiente

Me apasiona el diseño industrial pero más para restaurantes, museos o lugares de ocio, aunque creo que se ha abusado un poco de él. En la decoración de una vivienda,...

Escucha

2 🔊 18 📄 DELE Vas a escuchar dos veces una entrevista a Anatxu Zabalbeascoa, periodista especializada en arquitectura. Completa las anotaciones con la palabra sinónima correspondiente entre las doce opciones que aparecen abajo.

1 Tenemos que aprender a desaprender cosas que dábamos por válidas y dábamos por (1)_____.

2 Podemos aprender que la imperfección es necesaria para llegar a cierta (2)_____.

3 Podemos aprender lo que sirve implicar al ciudadano en el (3)_____ de su propia ciudad.

4 Diseño, y necesario, hay muy poco, porque te puedes sentar y hacer un (4)_____ con tus manos.

5 Nos movemos por la tendencia a cambiar de (5)_____.

6 Muchas empresas de diseño (6)_____ sus diseños a recuperar la diversidad.

7 El diseño puede cambiar la (7)_____ de muchas empresas.

a hueco	**e** equitativas	**i** dirigen
b fortuna	**f** muerte	**j** recipiente
c empeño	**g** proyecto	**k** excelencia
d desarrolladas	**h** escatiman	**l** inclinación

Lee y habla

3 Lee estas frases célebres sobre interiorismo. ¿Estás de acuerdo con lo que dicen? Coméntalo.

"Los libros no se han hecho para servir de adorno; sin embargo, nada hay que embellezca tanto como ellos en el interior del hogar". HARRIET BEECHER STOWE

"Rodéate de calidad, no de desorden. Compra una vez, y lo correcto". MARNI JAMESON

"No tengas nada en tu hogar que no tenga un uso o que no creas que es bello". WILLIAM MORRIS

"La mayoría de la gente piensa que el diseño es una tapa, una simple decoración. Para mí, nada es más importante en el futuro que el diseño. El diseño es el alma de todo lo creado por el hombre". STEVE JOBS

"Las tendencias desaparecen, el estilo es eterno". YVES SAINT LAURENT

Soy muy de comprar cosas baratas que me gustan, por eso me quedo con la frase de William Morris pues estoy absolutamente convencido de que menos es más, ya que...

Vocabulario

4a Mira el léxico siguiente y relaciónalo con las fotografías.

a Cabecero		**g** Fregadero de acero
b Apliques en la pared		**h** Taburete
c Tarima de pino		**i** Pared con papel pintado
d Grandes ventanales		**j** Alfombra estampada
e Escalera de caracol		**k** Un cubrecamas
f Almohadones		**l** Barandilla

4b Dividir la clase en dos grupos. Por turnos, un representante de cada equipo tiene que dibujar en la pizarra una palabra relacionada con interiorismo. El equipo contrario debe adivinar a qué término se refiere.

5 Si pudieras redecorar tu casa, ¿cómo sería? Descríbeselo a tu compañero.

Matadero de Madrid, convertido en centro cultural.

EN ACCIÓN

1a 📄 **DELE** Vas a hacer una presentación oral a partir del siguiente texto en el que el arquitecto y escritor británico Edward Hollis nos presenta un libro. Analiza cuál es el tema principal.

La vida secreta de los edificios

En el corazón de la teoría arquitectónica hay una paradoja: los edificios están concebidos para durar y, por tanto, sobreviven a las apariencias insustanciales para las que se crearon. Después, liberados de las ataduras de la utilidad inmediata y de las intenciones de sus amos, son libres para hacer lo que quieran. Los edificios sobreviven mucho tiempo a los propósitos para los que se crearon, a las tecnologías con arreglo a las cuales se construyeron y a la estética que determinó su forma; sufren innumerables restas, sumas, divisiones y multiplicaciones, y muy pronto su forma y su función tienen poco que ver la una con la otra.

La mayoría de las veces, los más seguros dictados de la teoría arquitectónica se ven debilitados por la vida secreta de los edificios, que es caprichosa, proteica e imprevisible, pero demasiado a menudo esta contradicción se considera objeto de interés exclusivo de especialistas relacionados con la conservación del patrimonio o con el interiorismo. Sabemos todo de la vida de Le Corbusier o Frank Lloyd Wright, pero mucho menos de la biografía de los edificios que ellos proyectaron. Es mucho más difícil encontrar estudios que hablen de la evolución de los propios edificios, como lo maravillosos y quiméricos monstruos que son, que encontrar cotilleos sobre los monstruos que proyectaron.

Hay unas pocas excepciones. En el siglo xix, Eugène-Emmanuel Viollet-le-Duc, en Francia, y John Ruskin, en Inglaterra, fundaron escuelas rivales de filosofía de la conservación, cuya exégesis en el siglo xx emprendieron autores como Alois Riegl y Cesare Brandi. En la época moderna, con su obsesión por el futuro, solo Jože Plečnik y Carlo Scarpa se aplicaron seriamente a la alteración de los edificios del pasado, planeando fascinantes híbridos en los que la arquitectura moderna se pega sobre los sustratos superpuestos de épocas históricas anteriores. En tiempos más recientes, *Sobre la alteración de la arquitectura,* de Fred Scott, y *Relecturas,* de Graeme Brooker y Sally Stone, han encarado el ejercicio profesional desde la perspectiva del interiorista, cuyo cometido consiste casi exclusivamente en modificar edificios existentes.

Sin embargo, el hecho de que los edificios cambien con el paso del tiempo se suele considerar una especie de secreto inconfesable o, en el mejor de los casos, una fuente de melancólicas reflexiones. Este libro ha sido escrito con el propósito de insistir no solo en que los edificios cambian, sino también en que quizá tienen que hacerlo. Es una historia de la alteración de los edificios y a la vez un manifiesto a favor de ella.

La vida secreta de los edificios, Edward Hollis

1b Toma notas y prepara una presentación oral sobre el texto anterior. La exposición debe incluir:

- tema central • ideas principales y secundarias
- comentario sobre las ideas principales
- intención del autor, si procede.

1c Dispones de 3 a 5 minutos para hacer un monólogo breve sobre el tema preparado. Puedes consultar tus notas, pero la presentación no puede limitarse a una lectura de las mismas.

Diario de aprendizaje

1 ¿Qué temas se han visto en cada epígrafe? ¿Cuál te ha gustado más y por qué?

A EDIFICIOS DEL FUTURO:

B INTERVENCIONES URBANAS:

C PROBLEMAS EN LA VIVIENDA:

D DISEÑO DE INTERIORES:

2 ¿Qué aspectos gramaticales y léxicos han sido nuevos para ti?, ¿qué necesitas repasar?

8 GEOGRAFÍAS Y VIAJES

TEMAS

- **Geografías:** léxico de geografía y clima
- **Grandes escapadas:** viajar en vacaciones
- **Turismo masivo:** hacer recomendaciones
- **La vuelta al mundo en 80 libros:** expresar preferencias

A GEOGRAFÍAS

Habla y lee

1a Piensa en estas preguntas y coméntalas con tu compañero.

1 ¿Cuál es el lugar al que más veces has ido de vacaciones en tu vida?

2 ¿Recuerdas el lugar más caliente o el más frío en el que has estado?

3 ¿Cuál crees que es el lugar más árido o el más húmedo en el que has estado?

4 ¿Cuál es el lugar más alto al que has subido?

5 ¿Cuál es el lugar más tenebroso en el que te has adentrado?

6 ¿Cuál es el lugar en el que has sentido más claustrofobia?

7 ¿Cuál es el paisaje más idílico o el más desolador que has visto?

8 ¿Hay algún lugar en el que todavía no has estado pero que te gustaría visitar?

Para mí el lugar en el que he sentido más claustrofobia fue cuando visité las cuevas de Sorbas en Almería, había algunas partes en las que teníamos que reptar para poder pasar, todavía recuerdo la sensación de falta de aire.

1b ¿Te ha sorprendido algún lugar de los que habéis hablado?

2a Vamos a participar en un concurso. Pon a prueba tus conocimientos sobre geografía a través de este cuestionario. Marca la respuesta que consideres correcta en cada caso.

1 ¿Cuál es la cadena montañosa más larga de la tierra?

a La cordillera del Himalaya.
b La cordillera de los Andes.
c La cordillera Dorsal Mesoatlántica.

2 ¿Cuál es el único río de Europa que desemboca en el mar formando cascada?

a El río Xallas, España.
b El Loira, Francia.
c El Vístula, Polonia.

3 ¿Qué ciudad se halla en dos continentes?

a Estambul, Turquía.
b Melilla, España.
c Tiflis, Georgia.

4 ¿Cuál es el lugar más árido del mundo?

a El desierto de Atacama, Chile.
b El desierto del Sáhara, África.
c La Antártida.

5 ¿Qué peculiaridad se le atribuye al río Nilo?

a Es uno de los ríos del planeta que fluye de sur a norte.
b Es el río con mayor número de afluentes.
c Es el río más caudaloso del planeta.

6 ¿Cuál es el mayor desfiladero del mundo?

a Cañón del Colorado, EE. UU.
b Garganta de Vintgar, Eslovenia.
c Cañón del Blyde, Sudáfrica.

7 El mayor embalse del mundo, la presa de las Tres Gargantas, está situado en el curso del río…

a Orinoco, Colombia.
b Grijalva, México.
c Yangtse, China.

8 ¿En qué país se encuentra la ciudad más austral del mundo?

a En Nueva Zelanda.
b En Argentina.
c En Chile.

Escucha

2b ◄)) 19 Escucha esta conversación entre unos amigos que han hecho este cuestionario y comprueba tus respuestas. Toma nota de las explicaciones que dan. ¿Te ha sorprendido algo?

2c En el audio aparecen frases que se usan para corregir una información o para pedir y dar una confirmación. Escucha a tu profesor y presta atención a la entonación, gestos e intención comunicativa en cada caso.

- **¡Pero qué me estás contando!**

- A mí me suena que es Estambul, **¿estoy en lo cierto?**
- **Efectivamente**, Estambul se encuentra entre Europa y Asia.

- **¡Cómo que la Antártida!, ¡pero si está llena de hielo!**
- **Que sí**, que parece ser que dentro de la Antártida hay zonas sin hielo de extrema sequedad, **de hecho** se estima que hace dos millones de años que no llueve.

- Sin duda, el Cañón del Colorado, **¿a que sí?**
- **Así es**, muy bien.

- **Pero ¿qué dices, hombre?** Si el Puerto Williams está más al sur.
- **¡Venga ya!**

Gramática

Corregir una información, pedir u ofrecer confirmación

- Podemos corregir una información justificando una opinión diferente:

  –*¿Es la cordillera de los Andes la más grande del mundo?*
  –***Yo no diría que*** *es la más grande,* ***pero sí*** *una de las más grandes.*
  –***Una cosa es que sea*** *el río más caudaloso y* ***otra muy diferente que*** *sea el más largo.*

- Si queremos intensificar que estamos en rotundo desacuerdo con el interlocutor en un registro coloquial, solemos utilizar enunciados exclamativos o interrogativos:

  –***¡Pero qué me estás contando!***
  –***¿Que las más grandes son las cataratas Victoria? Imposible.***
  –***¡Qué va!***

Ver más gramática en pág. 158

2d Reacciona a las siguientes afirmaciones para corregir o confirmar la información.

1 Las cataratas de Iguazú son las más grandes del mundo.
2 El planeta se divide en cinco continentes: Europa, América, Asia, África y Oceanía.
3 Yo creo que Rusia es el país más grande del mundo, ¿estoy en lo cierto?
4 La montaña Mauna Kea o también llamada Montaña Blanca, en Hawái, es la más alta del mundo.
5 El lugar más caluroso del planeta se halla en California, EE. UU.
6 ¿Es Hamburgo, en Alemania, la ciudad con más puentes del mundo?
7 Hay cuatro océanos en el planeta Tierra.

Vocabulario

3a Relaciona elementos de las dos columnas.

1	Un paisaje o un lugar		
2	Una cadena		
3	El curso de / la desembocadura de	**a**	extrema
		b	torrencial
4	Un río	**c**	vegetación
5	La cima de	**d**	caudaloso
6	Lluvia	**e**	austral, septentrional
7	Vientos	**f**	un río
8	Sequedad	**g**	huracanados
9	Abundante o escasa	**h**	montañosa
10	Una ciudad	**i**	idílico, desolador, árido
		j	una montaña

3b Piensa en zonas interesantes que visitar de tu región, ¿qué lugares destacarías? Ten en cuenta el vocabulario de las actividades anteriores.

Yo soy de la provincia de Jujuy, en el noroeste argentino, aunque es una zona muy árida, sin duda merece la pena visitarla. Hay muchas aldeas pintorescas y unos cañones espectaculares. Un lugar idílico es…

Escribe y habla

4 En pequeños grupos vais a crear vuestro propio concurso de geografía. No olvidéis poner tres opciones de respuesta para cada pregunta, donde solo una es verdadera. Preparad las explicaciones. ¿Qué grupo ha acertado más?

B GRANDES ESCAPADAS

Habla y lee

1a ¿Qué te gusta hacer durante las vacaciones? Comenta en parejas cuáles son tus prioridades y por qué.

- ✓ Cultura
- ✓ Lujo
- ✓ Naturaleza
- ✓ Diversión
- ✓ Aventura
- ✓ Gastronomía
- ✓ Romanticismo
- ✓ Retiro espiritual
- ✓ Otros

Yo normalmente busco aventura y naturaleza, pero estas vacaciones van a ser las primeras con mi pareja y me gustaría que fueran un poco más románticas, quizá una bonita ciudad con buena gastronomía y oferta cultural.

1b Lee los siguientes destinos, busca alguno que aúne las preferencias de tu compañero y coméntalo.

República Dominicana

La isla caribeña conjuga todos los ingredientes para calificarla como un remanso de paz para todo aquel que desee unos días de relax: clima privilegiado, unas playas de agua inmaculada y una importante estructura hotelera en la que encontrar el alojamiento soñado. Pero no es solo eso, de hecho, es considerada la isla caribeña con una mayor diversidad gracias a su naturaleza exuberante y a su riqueza cultural, ya que, en algunos de sus rincones, los retazos de historia se mantienen intactos, sobre todo, en la capital.

Penang, Malasia

En George Town, capital de la isla, siglos de inmigración y comercio se conjugan para trazar viajes culinarios perceptibles con solo caminar unos minutos. Los aletargados callejones de Chinatown resucitan al ocaso convertidos en restaurantes de dim sum abarrotados de clientes fieles bajo la luz tropical.

-Para ti, me parece perfecto República Dominicana porque tiene relax, naturaleza y buena comida.

-¿Tú crees? Yo lo veo un poco artificial, si pudiera permitírmelo, iría a Vietnam. Eso sí que es naturaleza en estado puro.

1c Busca en los textos descriptivos anteriores expresiones que signifiquen:

a Un lugar para desconectar del mundanal ruido. [1]

b Pedazos de hechos sociales, políticos, culturales, etc. [1]

c Un lugar que se considera central y principal. [3]

d Entender la idiosincrasia de un pueblo. [3]

e Llenos de gente. [2]

f Ofrecer todo tipo de comodidades a los clientes. [5]

Vietnam

Comenzamos por los remotos valles y altas montañas que conforman la frontera natural con China, donde se ubican las cinco etnias más antiguas. La única forma de llegar hasta Sapa, su centro neurálgico, es viajar durante toda la noche en un antiguo tren de madera compartiendo con otros viajeros literas. La incomodidad del viaje se desvanece al contemplar el verdor intenso de los campos de té y de arroz que se deslizan en terrazas escalonadas. [...] Para atrapar su esencia hay que abandonarse al suave ritmo de sus gentes y fluir silenciosos como su río Mekong; desvestirse de prejuicios y arriesgarse a conocerlas.

Oaxaca, México

Es medianoche. Entre las lápidas resquebrajadas y las ruinas de una antigua iglesia se advierte un vaivén de sombras que se arrastran. Estas personas están cantando y algunas incluso dando pasos de baile a través de las velas cuya luz tilila en el concurrido cementerio. Una banda de mariachis toca por fuera de las tapias, donde el gentío baila en las calles. Es a la vez una fiesta y una peregrinación, cautivadora y maravillosa.

Princess Royal Island, Canadá

Forma parte del Great Bear Rainforest, una de las mayores extensiones del bosque pluvial templado (del tamaño aproximado de Irlanda). Durante ocho meses al año, la isla se mantiene ajena a la presencia del hombre, pero cuando llega junio, el hotel King Pacific Lodge es remolcado hasta las costas de la isla. [...] El emplazamiento es extraordinario, frente a tierra firme y en aguas protegidas. Las águilas calvas escudriñan el aire y no es raro ver ballenas jorobadas emergiendo del agua. [...] Al regresar al hotel no se escatiman los lujos.

Revista *Woman* suplemento de El Mundo y Grandes escapadas guía lonely planet

2a En la web de una guía turística, los viajeros dejan sus comentarios sobre los lugares que han visitado. Léelos, ¿en cuál de los lugares anteriores crees que han estado?

Viajar por el mundo

Cuéntanos tu experiencia

La verdad es que había leído sobre esta tradición, pero eso no me preparó para lo que me iba a encontrar. Me vi entre tumbas, escuchando rancheras y cuando una viuda de luto con la cara embadurnada de blanco se me acercó, **eché a correr** como si tuviera cinco años. A lo largo de la noche y con la ayuda de mi amigo, **fui haciéndome** a todo y he de decir que es la experiencia más catártica que he vivido. Imprescindible vivirlo, al menos, una vez en la vida. **Mary de Cork, Irlanda**

Leyendo sobre el país nos habíamos creado unas expectativas muy altas, nos imaginábamos como si fuéramos a ser de los primeros viajeros adentrándose en zonas de difícil acceso usando una forma de transporte antigua para acceder a aldeas no habituadas al extranjero. Todo muy bucólico, ¿no? Cuando nos montamos en el tren, **debía de haber** la mitad de extranjeros y al llegar a la primera aldea, nos dimos cuenta de que era como un parque temático. Dimos nuestra aventura por terminada y volvimos a la capital con una sensación de haber sido estafados.

Pierre de Lyon, Francia

Para ser sincero, yo nunca hubiera elegido ese destino, fue un regalo de mi chica por nuestro aniversario. **Estaba por decirle** que cambiáramos el destino, pero sabía que le hacía mucha ilusión. Yo ya me veía con una pulserita de esas de todo incluido durante una semana. Sin embargo, ella había reservado en un pequeño hotelito en un cayo. Fue sumergirme en esas aguas cristalinas, sentir la hospitalidad de su gente, su alegría con el merengue siempre de fondo, lo que **acabó por hacer** que me planteara empezar de nuevo allí. Ahora estamos viendo qué podemos montar allí para cumplir nuestro sueño. **Héctor de Asturias, España**

Soy cocinera, así que en cuanto llegué, quise probar su afamada cocina callejera. Llegué a una calle abarrotada de puestos y con tal variedad que mi ansia de sabores nuevos me hizo pedir cuatro platos muy diferentes. **Llevaba tres de ellos medio comidos** cuando sentí la urgencia de volver al hotel y no pude salir del baño hasta pasadas veinticuatro horas. **Acababa de recuperarme** cuando salí y **me puse a imitar** lo que hacen los isleños, para quienes salir a comer es un acontecimiento diario. **Flavia de Rimini, Italia**

2b Vuelve a leer y decide qué viajero:

1 Se arrepiente de haber ido.
2 Baraja la posibilidad de mudarse allí.
3 Aunque tuvo contratiempos, repetiría.
4 Superado el choque inicial, se adaptó completamente.

Gramática

2c Fíjate en las expresiones del texto marcadas en negrita, ¿cómo las dirías en tu idioma?

Las perífrasis verbales

Son expresiones compuestas por un verbo conjugado más un verbo en forma no personal (infinitivo, gerundio o participio pasado) unidos o no por preposiciones cuyo significado es un todo y no se pueden interpretar por separado. Pueden expresar:

- **Probabilidad:** *tener que / deber de / no poder* + **infinitivo:**
  –No sé qué me estoy comiendo, pero sabe a pipas.
  –Tienen que ser saltamontes o algo así, ¡qué horror!

- **El inicio incontrolado de una acción:** *romper a / echar(se) a / ponerse a* + **infinitivo:**
  Cuando me dio el regalo, rompí a llorar.

- **La inminencia de una acción:** *estar por / estar a punto de* + **infinitivo:**
  Estaba a punto de cambiar de destino, cuando encontré una oferta de vuelo y hotel buenísima.

- **El fin de una acción:** *acabar de / por* + **infinitivo:**
  Acababa de llegar cuando le robaron el pasaporte.
  Acabó por irse del trabajo.

- **El progreso de una acción:** *ir* + **gerundio:**
  Me fui haciendo a la idea de que tendría que aprender el idioma.

Ver más gramática en pág. 159

Habla

2d Piensa en las experiencias que has tenido durante tus viajes y busca a un compañero que…

- Estuvo a punto de perder un avión en alguna ocasión.
- Se echó a temblar al llegar al destino.
- Acabó por volverse a casa antes de lo esperado.
- Fue acostumbrándose poco a poco a la comida.

Escribe

3 Imagina que eres un periodista de una guía de viajes. Escribe una entrada para un blog sobre un lugar impactante.

C TURISMO MASIVO

Habla y lee

1 Fíjate en las fotos. ¿Qué crees que han hecho estos turistas en sus vacaciones? ¿Te gustaría realizar uno de estos viajes?

2a El siguiente artículo habla sobre el turismo masivo. ¿Qué significado crees que pueden tener las siguientes palabras en este contexto? Coméntalo con tu compañero. Lee el texto y comprueba tu respuesta.

- Homogeneización
- Población flotante
- Capacidad adquisitiva
- Sobreocupación
- Insostenibilidad
- Patrimonio

El desafío del turismo masivo

Todos somos turistas, aunque no nos sintamos identificados con eso que aún llamamos turismo. Nos extraña que los viajeros norteamericanos pre-
5 gunten en Barcelona a qué hora cierra el barrio gótico por miedo a no tener tiempo de comprar sus souvenirs de último minuto y nos sorprende que los turistas chinos adquieran en los cana-
10 les venecianos máscaras de carnaval producidas en serie y en la propia China, quizás no muy lejos de sus propios domicilios. Consideramos abominable que en los centros históricos los gru-
15 pos de visitantes sean tan numerosos que empiecen ya a ser numerados, portando cada uno así su etiqueta adhesiva para que el guía de turno pueda hacer mejor el recuento. [...]

20 Esa transición del turismo de masas del siglo XX al turismo masivo del siglo XXI se explica a partir del proceso de globalización. Concretamente, a partir de cinco procesos de gran calado que
25 definen hoy día el turismo global.

En primer lugar, una intensificación de los tipos de turismo ya conocidos. El mejor ejemplo de ello sería la revolución *low cost*, que en menos de un
30 lustro ha conseguido amplificar hasta extremos impensables el abanico de usuarios del transporte aéreo.

En segundo lugar, una multiplicación de tipos de turismo diferentes que van
35 apareciendo a diario: el turismo de supervivencia, el turismo del miedo [visitar lugares tenebrosos], el turismo enológico y al turismo cultural en todas sus variedades.

40 En tercer lugar, estos nuevos tipos de turismo significan, en realidad, una progresiva segmentación del mercado de consumo turístico. Es decir, que encontramos tantos destinos, ofertas y
45 experiencias turísticas como potenciales segmentos de consumidores. Cada turista tendría así su tipo de turismo, asociado a unos lugares y tiempos y no a otros, en función de su capacidad
50 adquisitiva y preferencias culturales.

En cuarto lugar, una amplificación temporal del uso turístico del espacio por la cual el turismo pasa de ser algo puntual u ocasional en el tiempo,
55 a hacerse claramente habitual y constante. Si el turismo se ha hecho global, el tiempo turístico se ha hecho total, puesto que aunque el turista represente una población flotante por un
60 espacio corto de tiempo, a un turista le sucede otro y luego otro...

Por último, el turismo es hoy el consumo emocional del lugar. Como turistas, calibramos el paisaje en función de
65 su solvencia para remitir a una experiencia o explicar una historia, de su capacidad para garantizar el consumo de una emoción. Por ello las ciudades turísticas se ven obligadas a parecerse
70 a la imagen más acorde con ese consumo emocional que el visitante espera encontrar.

Los cinco procesos nos explican la naturaleza actual de un turismo global
75 ante el cual cabe preguntarse si es sostenible o no. (...) ¿Pueden convivir las ciudades con el éxito de eso a lo que todavía seguimos llamando turismo?

¿Cómo garantizar la sostenibilidad, no
80 solo ambiental, sino sobre todo social y cultural de la ciudad toda vez que el turismo se asienta en su base económica?

La diagnosis, en ese sentido, es conocida: sobreocupación de los espacios pú-
85 blicos; homogeneización del comercio; banalización del paisaje urbano; dimisión de los habitantes de su propia ciudad..., son solo algunas de las resultantes que muestran la insostenibilidad
90 del turismo y su carácter potencial de expolio de patrimonios colectivos si no se acompaña de una buena gestión de sus efectos en el entorno urbano.

El problema, por tanto, no es decir
95 sí o no al turismo, sino replantear la manera en la que la ciudad se ofrece al turista para evitar las dinámicas de *copy & paste* entre urbes que simplifican y banalizan la cultura local y
100 hacen, a la larga, que el propio turista pierda su interés. La urbanalización a la que el turismo global contribuye es la antesala para que el ciudadano acabe dimitiendo de su ciudad y el tu-
105 rista no vuelva a ella. Un escenario de muy difícil retorno. Para evitarlo, hay decisiones propias del gobierno urbano que urge acometer, como gestionar bien las licencias para evitar la bran-
110 dificación del paisaje comercial local o preservar el patrimonio urbano ordinario que ayuda a explicar la identidad de calles o barrios y atestigua por qué una ciudad es diferente de otra.

Francesc Muñoz
Extraído de www.elpais.com

2b Según el texto, ¿cuáles de estas afirmaciones son verdaderas?

1 Desde hace varias décadas, el precio de los viajes ha experimentado una considerable reducción.

2 Se han creado ofertas de viajes que reúnen los intereses de la mayor parte de la población.

3 El turismo ha dejado de ser una actividad estacional.

4 El principal objetivo de los turistas es conseguir un viaje que se ajuste a sus necesidades económicas.

5 La industria turística ha permitido dar a conocer la cultura y tradiciones de muchas regiones.

6 Debido a la afluencia masiva de turistas, muchos habitantes acabarán abandonando sus propias ciudades.

2c En el artículo aparecen dos nuevos conceptos aplicados al turismo de masas: urbanalización y brandificación. ¿A qué se refieren? ¿Qué opinión te merecen?

3 Habla con tu compañero acerca de estas cuestiones. Las expresiones del cuadro pueden ayudarte.

- ¿En qué lugares de tu país se concentra más turismo? ¿Por qué?
- ¿Qué sitios recomendarías visitar para huir de este tipo de turismo? ¿Qué actividades se pueden realizar?
- ¿Qué lugares crees que se deberían evitar? ¿Por qué?

> **¡Fíjate!**
>
> **Para aconsejar o recomendar** puedes usar las siguientes expresiones:
>
> *Te sugeriría…   Ni se te ocurra…*
> *Lo más aconsejable / recomendable es…*
> *Siempre puedes / podrías / queda el recurso de…*

D LA VUELTA AL MUNDO EN 80 LIBROS

Escucha y habla

1 Lee estas opiniones del escritor español Javier Reverte, viajero infatigable, y discute con tus compañeros si coincides o no con ellas.

"Todo buen viaje es aquel que te cambia un poquito".

"Viajar acaba con los dogmas que arrastramos a lo largo de la vida".

"Coincido con Graham Greene en que escribir un libro o viajar permiten huir de la rutina diaria, del miedo al futuro".

"El viaje en solitario te proporciona una sensación enorme de libertad, simplemente el decidir lo que vas a hacer ese día o esa noche sin tener que llegar a un consenso con nadie. De verdad que es muy gratificante…".

> **¡Fíjate!**
>
> Para **hacer recomendaciones sobre un libro** puedes usar:
>
> - *Te engancha / atrapa desde el principio, no puedes parar de leerlo.*
> - *No dejes de leerlo, es una joya.*
> - *Te aseguro / garantizo que te va a encantar.*
> - *Uff, no pude con él. Esto no hay quien se lo trague.*

2a ◄)) 20 Y tú, ¿qué lees en tus viajes? Escucha este programa de televisión y di si las siguientes afirmaciones son verdaderas (V) o falsas (F).

1 ☐ Hay unanimidad en considerar la literatura de viajes como un auténtico género literario.

2 ☐ La literatura de viajes tuvo su auge en el siglo XIX.

3 ☐ El periodismo literario sigue estrictamente el formato de la literatura de viajes.

4 ☐ El locutor defiende la idea de viajar desde el sofá, que permite la lectura.

2b ◄)) 20 Vuelve a escuchar y toma nota de los autores citados. ¿Conoces alguno? Ponlo en común con el resto de la clase.

2c ¿Puedes recordar las lecturas que te han acompañado en alguno de tus viajes? Habla con tus compañeros y recomiéndales un buen libro.

Recuerdo como si fuera hoy cuando leí El cuarteto de Alejandria, de Lawrence Durrel. Fue en un viaje que hice de un mes al mar Rojo.

Lee y habla

3a 📄 DELE A continuación tienes cuatro textos (A-D) correspondientes a cuatro sinopsis de cómics de viajes y seis enunciados (1-6). Léelos y elige la letra del texto que corresponde a cada enunciado. Recuerda que hay alguno que debe ser elegido más de una vez.

A. *Astérix el galo* es un clásico lleno de tópicos que deben entenderse en clave de humor. El recurso de la pareja representa, al igual que en don Quijote y Sancho Panza, al ser humano en toda su complejidad. Astérix es bajo, serio, inteligente, habilidoso, astuto y solo adquiere una fuerza inconmensurable al beber la poción mágica que prepara el druida Panoramix, a diferencia de Obélix, que posee esa fuerza de forma permanente por haber caído de niño en la marmita de la poción. La violencia se expresa siempre en su variante cómica tradicional donde a pesar de los inmensos porrazos que se propinan nunca hay muertos. Astérix representa la victoria de David contra Goliat desde la primera página de sus libros, donde siempre se recuerda que su aldea es la única de la Galia que resiste al invasor.

C. *El fotógrafo* relata el periplo llevado a cabo por el fotógrafo Didier Lefèvre a Afganistán en plena guerra con los soviéticos, acompañado de un grupo de Médicos Sin Fronteras en 1986. Acabará siendo un viaje iniciático que trastocará su vida, atípico en el modelo de ficción habitual, ya que el protagonista no es el héroe sino el escriba que recoge con el objetivo de su cámara el heroísmo y la ruindad cotidianos, sin gloria ni infamia, que le rodean. Aunque a la fuerza ha de consignar sus propias vivencias, lo hace de un modo distante, como si se viera a sí mismo desde fuera. O desde detrás de una lente. Y, de hecho, las muy abundantes fotografías que jalonan la obra son tanto la prueba de la veracidad de lo narrado como un mecanismo de desdramatización que nos recuerdan que esto no es una aventura de cómic, con sus giros, su intriga y sus emociones, sino una aventura a pesar de todo.

B. *Persépolis* es un cómic autobiográfico que fue adaptado con gran éxito al cine. El cómic empieza a partir del año 1979, cuando Marjane Satrapi tiene diez años y desde su perspectiva infantil es testigo de un cambio social y político que pone fin a más de cincuenta años de reinado del sha de Persia en Irán y da paso a una república islámica. Presenta como trasfondo la guerra entre Irán e Irak a mitad de los ochenta y narra el inicio de su adolescencia a la que le siguen las múltiples penurias y peripecias vitales que vivirá la autora en Austria, donde es enviada a vivir por sus padres para protegerla tanto de los bombardeos como de los problemas legales en los que podría acabar de continuar con su inadecuada conducta para las costumbres propugnadas por el nuevo gobierno.

D. Guy Delisle cuenta en *Crónicas Birmanas* su vida cotidiana en Rangún. Testigo curioso y de mirada aguzada, el autor mezcla su propia historia con la del país. Con una buena dosis de ironía confronta sus insignificantes preocupaciones de occidental con las dificultades que atraviesan los habitantes de un país pobre bajo el yugo de una dictadura militar. Tras la aparente tranquilidad de las calles de Rangún despuntan las injusticias y carencias impuestas por la junta militar, los efectos de la censura, las zonas prohibidas, los rumores, la desinformación y el miedo permanente. Un retrato emotivo y comprometido de Birmania.

1 La obra narra las peripecias de alguien que huye de un gobierno extremista.

A   B   C   D

2 Se dice que los problemas del país del autor no son nada comparados con la realidad del país visitado.

A   B   C   D

3 En la obra la violencia no deriva en finales con difuntos.

A   B   C   D

4 El viaje produce un cambio en la vida del autor/a.

A   B   C   D

5 El libro denuncia la maldad diaria del mundo que describe.

A   B   C   D

6 El interés de esta obra reside en la completa visión del alma humana que ofrece.

A   B   C   D

3b ¿Te gusta la novela gráfica?, ¿qué otros cómics conoces? Coméntalo con tus compañeros.

EN ACCIÓN

1a Prepara un relato corto para participar en el siguiente certamen literario.

VITAMINA TE INVITA A UN NUEVO CONCURSO LITERARIO

"El mejor viaje de mi vida"

CERTAMEN

Con este lema te invitamos a contar
la historia del viaje de tu vida.
Los relatos han de responder al título
del certamen.
Extensión no superior a
dos folios DINA4.
Público destinatario:
jóvenes y adultos

1b Escucha los relatos de tus compañeros y vota por:

• el más impresionante   • el mejor redactado   • el más divertido

Diario de aprendizaje

1 ¿Qué temas se han visto en cada epígrafe? ¿Cuál te ha gustado más y por qué?

A GEOGRAFÍAS:

B GRANDES ESCAPADAS:

C TURISMO MASIVO:

D LA VUELTA AL MUNDO EN 80 LIBROS:

2 ¿Qué aspectos gramaticales han sido nuevos para ti? ¿Qué necesitas repasar?

3 ¿Qué palabras y expresiones quieres recordar? Escríbelas en tu cuaderno.

9 DEPORTE Y BIENESTAR

A DEPORTES ALTERNATIVOS

Habla y lee

1a ¿Te consideras una persona deportista?, ¿qué deportes practicas o has practicado en tu vida? Coméntalo con tu compañero.

1b Observa las fotos de estos deportes, ¿Sabes algo sobre ellos? ¿Cómo crees que se juegan?

1c En grupos de tres, repartid la lectura de los siguientes textos. Luego, contestad a las preguntas.

1 ¿Cuál es el deporte más antiguo?
2 ¿Cuáles se inventaron a raíz de otro deporte?
3 ¿Cuál requiere una dimensión mayor del campo?
4 ¿Cuáles permiten que se juegue entre hombres y mujeres?
5 ¿Cuáles restringen el uso de las manos?
6 ¿Cuál requiere más jugadores por equipo?
7 ¿Cuál entraña mayor complejidad?

Ultimate

Sepak Takraw

Deportes desconocidos

Ultimate El *ultimate* es un deporte competitivo de equipo jugado con un disco volador o *frisbee*. La manera de anotar en este deporte es similar a como lo hacen en el fútbol americano y frecuentemente es practicado en clases de educación física en los colegios.

Este deporte fue inventado en 1967 por un grupo de estudiantes de New Jersey y poco a poco se extendió con ligas en institutos y universidades. [...]

Es jugado por dos equipos de siete jugadores cada uno y no hay límite en el número de substituciones. El campo mide 100 x 37 m y el disco volador tiene que pesar 175 g. En la modalidad de *ultimate* playa las dimensiones del campo son menores (75 x 25 m) y se juega con cinco jugadores por equipo. Siguiendo la filosofía del espíritu del juego, en el *ultimate* no suele haber árbitro, son los propios jugadores los que se auto juzgan. [...]

El objetivo del *ultimate* es anotar puntos recibiendo el *frisbee* en la zona de anotación del oponente. Ganará el equipo que más puntos consiga anotar al finalizar el tiempo (variable según la competición).

Korfbal El *korfbal* es uno de los pocos deportes mixtos que existen. Se atribuye su creación a Nico Broekhuysen, el cual era un maestro de Ámsterdam, y realizó un seminario en Suecia donde descubrió un extraño deporte que consistía en pasar la pelota por un aro situado en un poste de 3 m de altura. Le llamó la atención el hecho de que fuera mixto, así que, al regresar a su país, decidió probarlo con sus alumnos, y en 1902 redactó las normas y añadió algunos cambios, como el cambio del aro por un cesto (*korf* en holandés). Un año más tarde ya se formaría la Asociación Nacional de *Korfbal,* y en 1920 fue deporte de demostración en los Juegos Olímpicos. [...]

El *korfbal* se puede jugar tanto en interior (pista de 40 x 20 m) como en exterior (pista de 60 x 30 m). Cada equipo consta de cuatro jugadoras y cuatro jugadores, situando en cada mitad del campo a dos jugadoras y dos jugadores. En una mitad del campo tendrán el rol de defensores y en la otra de atacantes (estos roles se intercambian cuando la suma de los marcadores de ambos equipos da un número par).

El *korfbal* quiere fomentar la cooperación y el juego limpio, y el modo de defender contrasta claramente con otros deportes, como por ejemplo el baloncesto.

Sepak Takraw El *sepak takraw* es un espectacular juego acrobático que se practica principalmente en el sudeste asiático. Combina características de cuatro deportes distintos: el fútbol, por la forma de golpear el balón; las artes marciales, por la agilidad y técnica de las patadas voladoras; el voleibol, del que toma la mayoría de reglas y, por último, el bádminton, por las dimensiones del campo. [...]

Existen dos versiones distintas acerca de los inicios de este deporte, aunque ambas sitúan su nacimiento en las costas

Korfbal

asiáticas. Mientras algunos historiadores sostienen que hace 6500 años ya se practicaba, la versión más extendida sugiere que esta disciplina nació hace unos 500 años como una evolución del juego chino *cùjú*. Hombres y niños se situaban en círculo y se pasaban un balón de caña entretejida (*takraw*) dando toques sin que este cayese al suelo. De juego pasó a rito y de rito a deporte con red.

El primer reglamento escrito data de 1829, y el moderno, de 1945. No fue hasta 1960 que empezó a haber asociaciones de *Sepak takraw* hasta que, finalmente, la federación internacional se constituyó en 1965. Desde 1990 forma parte de los Juegos Olímpicos asiáticos, y actualmente aspira a ser juego olímpico internacional.

Reglamento: en un terreno de juego de dimensiones idénticas al de un campo de bádminton (13,4 x 6,1 m), pero con distintas líneas interiores y una red situada a 152 cm en la parte superior (142 cm para mujeres), tres jugadores por equipo deben evitar que el balón caiga en su campo, golpeándolo con cualquier parte del cuerpo, excepto manos y brazos. [...] Se juega al mejor de tres sets, de 21 tantos los dos primeros, de 15 si se llega al tercero.

Extraído de
www.deportesdesconocidos.wordpress.com/
www.am14.net/deportes-estramboticos-ii-sepak-takraw-1177/

Escucha

2 🔊 21 Escucha una entrevista con el fundador de un nuevo deporte, el *Spiribol*, y toma notas sobre los siguientes aspectos:

- Características del juego.
- Material empleado.
- Número de jugadores.
- Lugar donde se puede jugar.
- Objetivo de la fundación *Spiribol*.
- Origen del deporte.

Gramática

3a Lee estos diálogos sobre algunos de los deportes anteriores, ¿estás de acuerdo con alguien?, ¿cuál es tu opinión?

FERNANDO: A mí el *ultimate* me parece el típico deporte de playa, para pasar el rato.
VICKY: Hombre, <u>aunque es verdad que se juega mucho en la playa</u>, no es el único sitio, hay campos específicos para practicarlo con ligas y campeonatos.

LUCÍA: Dicen que el *sepak takraw* es un deporte muy divertido, <u>aunque hay que ser un tanto acróbata para poder practicarlo</u>.
HÉCTOR: Bueno, <u>aunque no sea</u> un deporte fácil de practicar, es cuestión de mucha práctica, como cualquier otro deporte.

3b ¿Qué tienen en común las frases subrayadas? Relaciónalas con el uso concesivo correspondiente.

1 Damos una información nueva al interlocutor.
2 Se cita una información compartida con el interlocutor sin ánimo de juzgarla, se declara como una afirmación.
3 Se cita una información compartida con el interlocutor pero juzgándola, bien porque no estamos de acuerdo o porque queremos restarle importancia.

3c ¿Qué modo verbal sigue a los conectores concesivos de las frases anteriores?

3d Aquí aparecen otros usos específicos que pueden tener las oraciones concesivas. Relaciona cada diálogo con la ilustración correspondiente y completa el cuadro poniendo los ejemplos según su uso.

1 ¡Venga! ¿Por qué no pruebas el salto con pértiga! <u>Aunque tuviera alas, nunca podría saltar tan alto como tú.</u>

2 No tienes ninguna posibilidad de ganarle, es mucho más fuerte que tú, te va a dar una paliza. <u>Yo tengo que intentarlo pase lo que pase.</u>

3 Mira lo que me ha traído el gracioso de mi cuñado de regalo, <u>aun cuando sabe que a mí no me gusta el fútbol.</u> Pues si no la quieres, me la quedo yo.

4 Tienes que venir a las clases de zumba, es lo mejor. <u>Será muy bueno, pero conmigo no cuentes.</u>

Oraciones concesivas I

Presentan un obstáculo que no llega a impedir la realización de la acción de la oración principal. **Aunque** es el conector más común.

Aunque *no estoy en forma, voy a correr el maratón.* (*"No estar en forma"* es un obstáculo que podría impedir la acción principal *"correr el maratón",* pero no lo hace).

Las oraciones concesivas pueden tener usos como:

- Expresar un reproche:

  *Le dije que yo no estaba en forma y **aun así** me apunté a la carrera.* (1) _____

- Expresar la determinación por hacer algo independientemente de las opiniones o acciones de los demás:
  Cueste lo que cueste, *conseguiremos ganar.*
  (2) _____

- Poner énfasis en la imposibilidad de que cambie una acción, para ello se propone una circunstancia irreal o muy poco probable.

  Aunque *fuera más joven, no practicaría un deporte tan arriesgado.* (3) _____

- Introducir una oposición o rechazo.

  –Este año el equipo de natación sincronizada está más preparado que nunca para ganar el oro.
  *–Estará muy preparado, **pero** dudo que consiga arrebatar el oro a Rusia.* (4) _____

Ver más gramática en pág. 161

3e Completa las siguientes frases utilizando todos los verbos del recuadro, conjugados apropiadamente. Piensa en el uso concesivo de cada una.

> ser   estar   rogar   ser   llevar   ofrecer

1 La oferta que te han hecho no se puede rechazar.
Pues no pienso cambiar de equipo aunque me _____ más, el dinero no lo es todo.

2 ¿Sabías que aunque solo _____ un año en el equipo me han nombrado el capitán?
No, no lo sabía, enhorabuena.

3 ¿Por qué estás tan enfadado?
Porque el entrenador no me dejó jugar el partido, aun cuando le _____ que me sacara.

4 ¿Por qué no te vienes conmigo a correr?
Con mis problemas de espalda, imposible, de todos modos, aunque _____ bien, no iría a correr, me aburre mucho.

5 Es muy difícil hacer hueco en la agenda para los entrenamientos, estamos todos muy ocupados.
Pues si queremos ganar, hay que sacar tiempo para entrenar _____ como _____.

Habla

4 Vamos a participar en un debate en el que se tratarán los siguientes temas aparecidos en la prensa. Prepara tus argumentos a favor o en contra usando las partículas concesivas.

> Las personas que hacen un ejercicio más intenso tienen un menor riesgo de mortalidad prematura que los que hacen un ejercicio más moderado.

> Para estar en forma es necesario ir al gimnasio regularmente.

> Hacer deporte es fundamental para gozar de buena salud, cualquier deporte es saludable.

> El fútbol no es un deporte, es un negocio.

> Hacer deporte adelgaza.

> El sofá mata tanto como el tabaco.

-*Pese a que los datos indiquen que el ejercicio intenso es más beneficioso que el suave, esto no significa que sea siempre mejor, yo creo que va a depender de la condición física de cada persona.*
-*Ya, pero aunque tengas una mala condición física, si entrenas habitualmente...*

Investiga

5a Piensa en algún deporte poco conocido y prepara una presentación para tus compañeros. Ten en cuenta los siguientes aspectos:

Nombre del deporte.

Origen.
> *Su origen viene de... / Es originario de...*
> *Este deporte vio la luz por primera vez en... /*
> *Se dio a conocer en...*
> *Comenzó a practicarse de manera oficial en...*
> *Fue expandiéndose paulatinamente por...*
> *Está ganando adeptos en...*

Características de los equipos.
> *Cada equipo consta de...*
> *Los defensores / los atacantes*

Descripción del lugar: *Se juega en una pista / una cancha...*

Material que se necesita para realizarlo: *pelota, raqueta, bate...*
Vestimenta utilizada: *casco, rodillera, codera, mallas...*

Duración: *Un partido dura... / Se descuentan los tiempos muertos... / Se hace un descanso en el minuto... / Se juega una prórroga cuando...*

Reglas del juego: *Se divide en dos equipos de... / Gana el equipo que anota / marca un punto / un tanto/un gol. / Se penaliza si...*

5b ¿Cuál os ha sorprendido más?

B LA LUCHA ANTIENVEJECIMIENTO

Habla y Lee

1a ¿Te gustaría vivir más de 100 años?, ¿qué deberíamos hacer para conseguirlo? Haz una lista con tu compañero.

Comer sano y equilibrado.

1b Compárala con el siguiente listado con consejos publicado en un artículo digital sobre la salud. ¿Coinciden con los vuestros?

- **a** Reduzca su consumo de calorías.
- **b** No olvide surtirse de brócoli, fruta y café.
- **c** Una vez a la semana tome tostadas con manteca de cerdo.
- **d** Lea y juegue.
- **e** Viva en pareja.
- **f** Mantenga a raya los michelines.
- **g** A partir de los 70, sea precavido con sus movimientos.
- **h** Duerma hasta diez horas.
- **i** Mime y conserve a sus amigos.
- **j** Pasee media hora al día.
- **k** No infravalore el cuidado de sus dientes.
- **l** Vaya al médico cuando lo necesite.

1c ¿Sigues tú estos consejos? Coméntalo con tu compañero.

1d Lee el siguiente artículo y elige de los consejos anteriores el título que le corresponda a cada párrafo.

Averigüe cuántos años va a vivir

La inmortalidad es un deseo inalcanzable que acompaña al ser humano desde hace miles de años, pero a falta de vida eterna, prolongar la estancia terrenal es la aspiración para la mayoría de las personas. La barrera del siglo ya ha sido ampliamente superada por medio millón de habitantes en todo el mundo, aunque existen unas zonas azules, identificadas por el periodista Dan Buettner, en las que se concentran mayor número de centenarios (en Okinawa, Japón, o en Cerdeña, Italia, por ejemplo). España no se encuentra en esa lista de regiones extraordinariamente longevas, pero entre sus ciudadanos hay más de 13 500 centenarios y dentro de 50 años la cifra rozará los 360 000, según las estimaciones poblacionales del Instituto Nacional de Estadística (INE).

¿Qué se debe hacer para llegar a los 100 años y, sobre todo, en buenas condiciones físicas, según la ciencia? […]

1 _____ .

El cúmulo de grasa alrededor de la cintura puede ser un indicador de algo más peligroso: la existencia de grasa visceral, que es uno de los mayores factores de riesgo para desarrollar enfermedades cardiovasculares. Un trabajo de la Universidad de Leiden (Países Bajos) en mayores de 65 años ha encontrado la respuesta a por qué los varones de familias muy longevas tienen un perfil cardiometabólico excepcionalmente saludable (sus cifras de glucosa, colesterol y tensión arterial se mantienen normales): porque tienen poca grasa abdominal y visceral. […]

2 _____ .

Si, además, repite la rutina seis días a la semana, reducirá un 40% el riesgo de morir por cualquier causa, según ha publicado *British Journal of Sports Medicine*. "La actividad física previene multitud de procesos fisiológicos y patologías asociados al envejecimiento, como la pérdida de masa muscular, la osteoporosis y las enfermedades cardiovasculares y neurodegenerativas", subraya Fabián Sanchís-Gomar, del Instituto de Investigación del hospital 12 de Octubre, de Madrid, que ha publicado numerosos estudios sobre este asunto. […]

1e Busca en el texto palabras o combinaciones de palabras relacionadas con la salud, defíneselas a tus compañeros para que las adivinen.

-Es un índice que se utiliza para determinar la cantidad de años que vive una población en un cierto periodo de tiempo.
-¿La esperanza de vida?

3 _____ .

Es de sobra conocido que el sueño es necesario para reparar el organismo y activar las hormonas que permanecen aletargadas durante la vigilia. Lo que no está tan claro es cuántas horas hay que dormir para vivir más. Científicos de la Universidad de Portland, en Estados Unidos, han puesto el límite en siete horas y media según la información recabada en una muestra con más de 15 500 chinos mayores de 65 años. Pero, entre los 2800 centenarios de la muestra, muchos de ellos dormían hasta diez horas. Eso sí: de 100 años que viva, muchos los pasará en modorra.

4 _____ .

Mantener la mente ágil contribuye a la integridad física. "Leer el periódico, escribir cartas, ir al teatro o jugar al ajedrez o a las damas contribuyen a conservar el cerebro sano", indica Konstantinos Arfanakis, médico del Instituto de Tecnología de Illinois, Chicago, que basa su consejo en los hallazgos de exploraciones radiológicas de mayores de 81 años. […]

5 _____ .

Aunque no siempre es de color de rosa, durante la convivencia se reparten tareas y actividades, y eso repercute en su bienestar (es lo que aseguran numerosas investigaciones). Según la Universidad de Louisville (EE. UU.), vivir solo incluso aumenta la tasa de mortalidad en los hombres. Su cónyuge también le ayudará durante las fases convalecientes.

6 _____ .

Quien tiene un amigo tiene un tesoro, pero quien tiene muchos amigos tiene un seguro de vida, dice un estudio publicado en *Journal of Epidemiology and Community Health*, que asegura que las personas con muchos amigos reducen un 22% el riesgo de morir. Otros beneficios de la amistad se encuentran en pacientes de cáncer o en personas que han sufrido un ictus.

7 _____ .

Japón tiene la esperanza de vida más alta del mundo (y en la isla de Okinawa, una zona azul, vive un elevado número de personas centenarias), lo que lo convierte en un punto caliente para descifrar las claves de la longevidad. Pero sin restarle mérito al estilo de vida del país nipón, ni a la calidad de sus genes, una parte importante de esas envidiables edades hay que atribuirla a su sistema de salud que, a partir de 1961, hizo posible la igualdad de oportunidades en esta materia para todos sus ciudadanos. […]

Extraído de www. elpais.com

Escucha

2a ◄)) 22 Escucha tres diálogos entre conocidos que se encuentran casualmente. ¿Qué les pasa a cada uno de ellos?

1 _____

2 _____

3 _____

Gramática

2b Busca en la trascripción expresiones para saludar, responder a un saludo, despedirse, ofrecerse y animar, y colócalas en la siguiente tabla.

Saludar	Responder a un saludo	Ofrecer ayuda	Animar y consolar	Despedirse
¿Cómo estamos?	*No me puedo quejar, la verdad.*	*Estoy a tu disposición para lo que necesites.*	*Venga, venga.*	*Estamos en contacto.*

Escucha

2c ◄)) 23 Escucha estos diálogos fijándote en la entonación y piensa el contexto en el que suceden.

2d En parejas, elegid alguna de las siguientes imágenes para crear un diálogo en el que os encontráis con un conocido por la calle. Intentad usar las expresiones vistas anteriormente. Practicad el diálogo para luego representarlo delante de los compañeros. ¿Qué diálogo os ha parecido el más natural?

C LA SOCIEDAD DEL CANSANCIO

Habla

1a Comenta con tu compañero.

- ¿Consideras que llevas un ritmo de vida acelerado?
- ¿Crees que la gente de tu sociedad en general se siente insatisfecha con su vida? ¿Cuáles crees que son las causas?
- ¿Qué se podría hacer para evitar la falta de satisfacción?

Lee

1b ¿Sabes qué es el *Mindfulness*? Lee el artículo y comenta si las afirmaciones son verdaderas (V) o falsas (F).

	V	F

1 Teresa había sufrido una serie de situaciones trascendentales en su vida que la habían sumido en una situación de insatisfacción personal.

2 Teresa intentó solventar su situación apuntándose a diferentes actividades sin éxito.

3 Conoció el *Mindfulness* gracias a un conocido, que decidió cambiar de vida tras sufrir un fallo cardiaco.

4 El *Mindfulness* tiene raíces religiosas.

5 A partir de la meditación, el *Mindfulness* permite desarrollar la capacidad de ignorar los contenidos negativos de la mente para que no nos afecten.

6 Practicar *Mindfulness* ayuda a poder asumir las situaciones tal y como son.

7 Pese a sus beneficios, no se espera que se llegue a emplear como tratamiento de patologías psicológicas.

8 Hay que tener perseverancia para llegar a obtener beneficios con el *Mindfulness*.

Vocabulario

1c Estas expresiones aparecen en el artículo, búscalas y trata de entenderlas por el contexto. Luego piensa en otras situaciones en las que podrías utilizarlas.

- Llevar una vida ajetreada.
- Tambaleársele / Rompérsele los esquemas a alguien.
- Vivir a remolque de algo / alguien.
- Dejarse llevar por algo / alguien.
- Estar en la cresta de la ola.
- (Ser) un fin en sí mismo.

-Hombre, pues yo creo que para vida ajetreada la de los actores, se pasan el día de aquí para allá, viviendo en hoteles…

-¿Y qué me dices de los músicos?...

MINDFULNESS:

Los beneficios de la meditación

Teresa estaba siempre de mal humor. Médica de cincuenta y pocos y separada, su ajetreada vida era una auténtica insatisfacción. Después de horas en un quirófano, solo le faltaba que un camarero le trajera el café demasiado caliente, que un inocente transeúnte se acercara demasiado al caminar o que su familia tardara demasiado en llamarla.

Y es que no eran las grandes cosas las que la llevaban al borde de un ataque de nervios. Era lo más nimio y cotidiano: una multa de tráfico, el ruido incesante de la nevera, un dolor sordo en un costado, una mancha en la blusa, la caldera que no para de gotear…

¿Qué había hecho mal? ¿Por qué todos se habían puesto de acuerdo para hacerle la vida imposible?

Había probado de todo: *spinning*, boxeo, fines de semana en spas, masajes relajantes, hasta un "psicoanalista argentino mostrándote el camino"… Nada. Su umbral de estrés era tan bajo que fluctuaba entre la tristeza y la rabia, buscando diagnóstico para su infelicidad.

Pero un día, un colega del hospital le habló del *Mindfulness*. Su experiencia previa era parecida: años de estrés hasta que un infarto le tambaleó los esquemas, redujo su jornada laboral y se puso a respirar.

¿Qué es el *Mindfulness*? Su traducción es "atención plena", una técnica derivada del budismo que enseña a crear un espacio entre el estímulo exterior y la respuesta del cuerpo. Poner conciencia a las emociones y pensamientos y no dejarse llevar por el "piloto automático" del caos y el malestar. Acostumbrados a vivir a remolque de nuestra mente, nos identificamos con ella, y con su torrente de pensamiento compulsivo.

La clave de esta técnica, considerada como terapia de tercera generación, tiene dos componentes fundamentales: la regulación de la atención centrada en la experiencia inmediata y la actitud de curiosidad y aceptación hacia esta experiencia, sea positiva o negativa, a partir de la práctica de la meditación.

A nivel clínico también está en la cresta de la ola, y se augura que acabará destronando a las famosas terapias cognitivo-conductuales como componente principal o coadyuvante en modelos para la depresión, la ansiedad y los trastornos de la personalidad.

Eso sí, requiere entrenamiento. No podemos aspirar a dominar la técnica en dos días. Debemos ver la práctica como un fin en sí mismo y no olvidar que se está aprendiendo un modo de estar, de ser más conscientes. Los que lo han probado aseguran que, cuando dominas la técnica, sirve para hacer cualquier cosa mejor. […]

Extraído de la revista *Welfa*

Gramática

2a Algunas personas comentan sus experiencias practicando *Mindfulness*. ¿Te sientes identificado con alguno? ¿Quiénes lo han probado ya?

AINHOA: A mí me parece que no me ayudará porque no tengo tiempo para hacer meditación a diario.

HUGO: Mi novia y yo nos hemos apuntado a un curso de *Mindfulness*, pero no creo que me vaya a aportar nada, yo prefiero los deportes donde se suda la camiseta.

SANDRA: La verdad es que yo era muy escéptica en lo que a este tipo de técnicas se refiere, pero mi hermana se empeñó en que me apuntase y me sorprendió gratamente. No me imaginaba que me fuera a ayudar tanto.

BRUNO: Yo tengo curiosidad por comprobar si realmente este tipo de técnicas de relajación funcionan; sin embargo, no creo que me atreviese a hacerlo delante de otras personas, me daría vergüenza.

ADRIÁN: Después de darle muchas vueltas me decidí y la verdad es que nunca hubiera creído que me fuera a cambiar tanto mi vida.

JULIA: Yo no creía que iba a ser capaz de dominar la técnica porque me resulta tremendamente complicado centrarme en la respiración; sin embargo con esfuerzo y constancia se puede lograr.

2b Completa la tabla con los ejemplos anteriores y fíjate en los tiempos verbales que siguen a los verbos de opinión.

2c Completa las siguientes frases para mostrar opinión. Ten en cuenta la concordancia de los verbos.

1 Tengo la intención de apuntarme a natación, me lo ha recomendado mi doctora. Supongo que… **me irá bien para la espalda.**
2 He ido con una amiga a clases de pilates por primera vez y sorprendentemente me ha parecido muy fácil. Yo no me imaginaba que…
3 Era muy escéptico sobre las terapias de relajación pero después de varias sesiones me alegré de hacerlo. Nunca hubiera pensado que…
4 He aconsejado a mi madre que vaya a acupuntura para solucionar su problema de la rodilla, pero seguro que no va. No cree que…
5 Fui al fisio durante varias semanas con mucha ilusión pero el dolor del hombro no mejoró. Yo pensaba que…
6 Tenía muchas expectativas con las clases de yoga, pero me borré decepcionada. No pensaba que…

Habla

3 ¿Conoces más técnicas para combatir el estrés? Observa la lista, ¿qué experiencias tienes, has tenido o crees que tendrías si las hicieras? Coméntalo.

Risoterapia Aromaterapia Musicoterapia Acupuntura Pilates Yoga Zumba Masajes

Pues a mí una amiga me invitó a una sesión de zumba en su gimnasio y no pensé que me iba a gustar, pero al final me lo pasé en grande porque…

Concordancia temporal con verbos de opinión

Los verbos de opinión como *creer, pensar, suponer,* o expresiones como *me parece*, introducen una información nueva y por ello van seguidos de indicativo, mientras que en negativo, presuponen una información, por lo tanto van seguidos habitualmente de subjuntivo.

	Afirmativo	Negativo
PRESENTE	*Yo creo que me ayuda / está ayudando.*	*No me parece que me ayude / esté ayudando.*
FUTURO: de más a menos probabilidad.	*Pienso que me va a ayudar.* • *Supongo que me ayudará.* • Ainhoa: *A mí me parece que no me ayudará…*	(1) • *No pienso que me ayude.* (2)
PASADO hipótesis.	*Yo creía / creí que me iba a ayudar / me ayudará.*	(3) (4)
hipótesis no realizadas.	*Yo hubiera pensado que me iba a ayudar / me ayudaría.*	(5) • *Yo no hubiera creído que me iba a ayudar / me ayudaría.*

Ver más gramática en pág. 163

D TENDENCIAS ESTÉTICAS

Habla

1 ¿Cuáles son tus preferencias estéticas? Coméntalo con tu compañero.

- Dejarse canas o teñirse / ponerse mechas.
- Llevar el pelo liso u ondulado.
- Llevar el pelo suelto o recogido (en una coleta, un moño, una trenza).
- Llevar la raya en medio o a un lado.

- Raparse o dejarse melena.
- Hacerse un corte de pelo.
- Ir afeitado o dejarse barba o perilla.
- Tener un cuerpo musculoso o no.

No soporto verme canas porque envejecen.

Lee y habla

2a ☐ **DELE** Lee el extracto de una entrevista realizada por Eduard Punset, comunicador científico, a Nancy Etcoff, psicóloga del **Harvard Medical School,** sobre la belleza. Se han extraído seis párrafos. Decide en qué lugar del texto hay que colocarlos.

[...] Eduard Punset: Probablemente se pueda decir que, en la actualidad, incluso las feministas, o algunas feministas, han aceptado que el cabello largo y seductor, las caderas y labios prominentes… todo está codificado en nuestro cuerpo en cierto modo, y no se puede evitar, e incluso no se debe evitar.

Nancy Etcoff: Sí. Creo que algunas feministas establecen una distinción entre la expresión cultural de la belleza (en algunos aspectos concretos) y el deseo innato de las personas de ser guapos, de contemplar la belleza. **(1)** _____

Eduard: Lo que creo es que, en realidad, incluso quienes aceptan todo lo anterior son conscientes de que hay otras cosas que también son muy importantes, como los olores, las voces… ¿qué más? Los gestos, ¿no? O incluso las feromonas, ¿verdad?

Nancy: Sí, aunque creo que somos criaturas visuales. Si pensamos en nuestro cerebro, el 50% del procesamiento superior de la corteza cerebral es visual, así que nos regimos mucho por lo visual. No obstante, hay muchas otras claves que definen la belleza, el atractivo y la capacidad de gustar, entre las que se incluyen el olor, la manera de andar, las expresiones, el estilo, y otros aspectos sobre uno mismo. **(2)** _____

Eduard: Nancy, sé que investigas… bueno, todo el mundo sabe que también investigas el tema de la felicidad. Y resulta que yo también he abordado ese problema en el pasado. Me parece sorprendente que la felicidad no tenga una dimensión de belleza, es decir, que la belleza no sea una de las dimensiones clásicas de la felicidad. **(3)** _____.

Nancy: […] Las pruebas más recientes apuntan a que quizá los más guapos no solamente sean más felices, sino que tal vez tengan incluso menos probabilidades de padecer depresión, así que quizá la belleza comporte un beneficio en lo que respecta a la felicidad. **(4)** _____.

[...] Eduard: Me gustaría saber tu opinión sobre algo que también has dicho y que fue una novedad en el debate sobre la belleza. Dijiste algo así como que no existe ninguna moda universal. Bueno, salvo por el hecho de que queremos volver visibles algunas zonas concretas, partes eróticas del cuerpo. Pero, aunque no exista una moda universal, sí que existe una belleza universal. ¿A qué te refieres?

Nancy: Me refiero a que existe una geometría abstracta de la belleza que se basa en la biología, y a que nos gusta ver señales que publiciten nuestra salud y fertilidad, que se expresan en un pelo seductor, una piel suave y sin imperfecciones, la forma de reloj de arena de las mujeres. **(5)** _____.

No hay ninguna cultura que diga, por ejemplo, que la piel con muchas imperfecciones sea especialmente atractiva, o que el cabello débil y endeble sea cautivador; existen señales universales de salud y además respondemos a las diferencias entre hombres y mujeres, que también nos resultan muy atractivas.

(6) _____.

Las mujeres tienen mandíbulas más gráciles, más pequeñas, ojos más grandes, suelen tener la frente más ancha… el rostro de las mujeres difiere en varias cosas respecto al de los hombres y, si se exageran las diferencias, nos parece más bonito. […]

Extraído de www.rtve.es/television/20110608/ciencia-belleza/438211.shtml

A Y en los hombres en la zona superior del brazo y la fuerza de la parte superior del cuerpo… y nos resultan atractivos porque aquellos de nuestros antepasados que eran así sobrevivieron y se reprodujeron y nosotros estamos aquí para contarlo.

B Además, no solamente hay que analizar el plus que aporta la belleza, sino también la penalización que conlleva la fealdad. Se ha descubierto que las personas poco atractivas sufren realmente una

gran desventaja social y tienen más probabilidades de sufrir una depresión.

C Y, desde luego, nuestra personalidad y preferencias se reflejan en nuestro aspecto tanto como en nuestros pensamientos.

D Y puede que digan: «No quiero llevar tacones porque, en esta sociedad, simbolizan tal y cual cosa», pero a la vez afirman que quieren unas piernas bonitas o un cabello maravilloso, o que les importa su aspecto físico.

E Hablábamos del nivel de ingresos, de las relaciones con los demás, de la salud, la educación, la religión… todas ellas se supone que son dimensiones de la felicidad. Pero la belleza no se consideraba una de ellas.

F Si exageramos lo más diferente en un rostro femenino respecto a un rostro masculino, o en un cuerpo femenino respecto a un cuerpo masculino, también tenderemos a encontrarlo atractivo.

2b ¿Qué opina Nancy Etcoff respecto a las siguientes frases? ¿Qué opinas tú? Coméntalo en clase.

1 La forma de percibir la belleza está condicionada por la cultura.
2 El concepto de belleza se basa exclusivamente en el atractivo físico de las personas.
3 Ser guapo ayuda a ser más feliz.
4 Los rasgos están condicionados por la evolución biológica.

3a Observa esta ilustración y contesta.

"**Con lo borde que es** y lo mucho que liga".

"Bueno, parece que el carácter no lo es todo".

1 ¿Qué carácter tiene la chica de la que hablan?
2 ¿Esta característica le supone un obstáculo para tener éxito?

Gramática

Fíjate

En un registro informal, para intensificar el obstáculo para la realización de la acción de la oración principal, podemos usar conjunciones concesivas como:

Con lo que

Con el / la / los / las + sustantivo + que

Con la de + sustantivo plural + que   + indicativo

Con lo + adjetivo o adverbio + que

Con lo que come y lo delgado que está.

*No sé cómo te puede gustar **con la fama de mujeriego que tiene**.*

Con la de chicas que hay en el mundo y te tienes que fijar en esta.

Con lo borde que es y lo mucho que liga.

3b Transforma las siguientes frases concesivas usando las estructuras vistas anteriormente para que tengan un registro más informal.

1 Aunque tiene mucho dinero, viste fatal.
   Con el dinero que tiene y lo mal que viste.
2 Pese a ser muy simpática, casi no tiene amigos.
3 Aunque es muy inteligente, le cuesta mucho aprobar los exámenes.
4 A pesar de tener un trabajo muy cómodo, se está quejando constantemente.
5 Aunque le han hecho un montón de regalos, todavía no está contento.
6 Aunque ha perdido mucho peso, aún no se siente a gusto con su cuerpo.
7 Pese a tener el armario lleno de ropa, todavía dice que no tiene nada que ponerse.
8 A pesar de tener un gripazo de muerte, todavía quiere correr el maratón.
9 Aunque parecía muy recatada, no para de ligar.
10 Aunque se quejaba todo el tiempo, ahora no dice ni mu.

Habla

4 Lee las siguientes noticias sobre algunos famosos que han dado mucho que hablar en las redes sociales. ¿Qué opinas tú al respecto? Coméntalas con tu compañero. Puedes buscar más noticias curiosas.

"Antonio Banderas ha vuelto a la juventud. El actor está encantado con su nueva vida de estudiante de diseño en la escuela de moda Central Saint Martins".

"Enrique Iglesias tendrá que pagar 169 dólares por conducir con el carné caducado".

"La reina Letizia ya tiene su Barbie".

"Lady Gaga gasta 260 mil euros en tres pares de zapatos".

–Anda que la noticia de Antonio Banderas, con lo mayor que es y ahora se pone a estudiar.
–Pues a mí me parece bien, nunca se es mayor para aprender.

Investiga

5 Prepara una presentación sobre qué tendencias estéticas están vigentes en tu país y si han cambiado mucho a lo largo de las últimas décadas.

En mi país actualmente la gente sigue las tendencias estéticas que marcan los estilistas y diseñadores. La gente joven quiere parecerse a los modelos y actores del momento, por eso...

EN ACCIÓN

1a *"Aunque tú no lo sepas"* es el título de un poema de Luis García Montero, representante de la "poesía de la experiencia". Lee el poema y comenta con tu compañero de qué crees que habla.

1b Este poema ha inspirado la letra de una canción. Completa las partes que faltan apoyándote en el poema. Después, búscala en internet y comprueba tus respuestas.

Como la luz de un sueño,
que no raya en el mundo pero existe,
así he vivido yo
iluminado
esa parte de ti que no conoces,
la vida que has llevado junto a mis
pensamientos...

Y aunque tú no lo sepas, yo te he visto
cruzar la puerta sin decir que no,
pedirme un cenicero, curiosear los libros,
responder al deseo de mis labios
con tus labios de whisky,
seguir mis pasos hasta el dormitorio.

También hemos hablado
en la cama, sin prisa, muchas tardes
esta cama de amor que no conoces,
la misma que se queda
fría cuanto te marchas.

Aunque tú no lo sepas te inventaba conmigo,
hicimos mil proyectos, paseamos
por todas las ciudades que te gustan,
recordamos canciones, elegimos renuncias,
aprendiendo los dos a convivir
entre la realidad y el pensamiento.

"Aunque tú no lo sepas"
Luis García Montero

Aunque tú (1)_____ _____ _____,
me (2)_____ _____ tu nombre,
me drogué con promesas
y he dormido en los coches.

Aunque tú no lo entiendas
nunca (3)_____ el remite en el sobre
por no dejar mis huellas.

Aunque tú (4)_____ _____ _____,
me he acostado a tu espalda,
y mi (5)_____ se queja
fría cuando (6)_____ _____.

Y he blindado mi puerta,
y al llegar la mañana
no me di ni cuenta
de que ya nunca (7)_____.

Aunque tú (8)_____ _____ _____,
nos decíamos tanto,
con las manos tan llenas,
cada día más flacos.

Inventamos mareas,
tripulábamos (9)_____
y encendía con besos
el mar de tus (10) _____.

"Aunque tú no lo sepas". Quique González.
Versión de Enrique Urquijo.

Diario de aprendizaje

1 ¿Qué temas se han visto en cada epígrafe? Piensa qué necesitas repasar.

A DEPORTES ALTERNATIVOS:

_____

B LA LUCHA ANTIENVEJECIMIENTO:

_____

C LA SOCIEDAD DEL CANSANCIO:

_____

D TENDENCIAS ESTÉTICAS:

_____

10 ECONOMÍA Y NEGOCIOS

TEMAS

- **La religión del capital:** recursos para contraargumentar
- **El cerebro en modo negocios:** negociar con firmeza y tacto
- **Negocios versus solidaridad:** reformular lo dicho
- **Seducir al consumidor:** recursos para la comunicación

A LA RELIGIÓN DEL CAPITAL

Habla y lee

1a Comenta con tu compañero esta cita. ¿Estáis de acuerdo con ella?

Cuando se trata de dinero, todos son de la misma religión.

Voltaire

1b ¿Conoces muchas palabras relacionadas con el dinero? Juega a encontrar el intruso. En parejas, busca la palabra que no encaja en la misma categoría.

A	B	C	D
inflación	carencia	cobrar	bienes
deuda	opulencia	malgastar	consumidores
nómina	escasez	despilfarrar	posesiones
quiebra	miseria	derrochar	patrimonio

LA RELIGIÓN
DEL CAPITAL

Hoy en día, muchas de nuestras tensiones y perturbaciones están relacionadas con nuestra dimensión laboral y financiera. ¿Quién no tiene algún problema con el dinero? Nómina. Hipoteca. Trabajo. Impuestos. Consumo. Inflación. Deuda. Jubilación. Quiebra. Desahucio. Estas son algunas de las palabras que nos quitan el sueño por las noches y dificultan comenzar el día con una sonrisa.

Es evidente que el dinero no da la felicidad. Pero dado que nuestra vida se ha construido sobre un sistema monetario, sin dinero no podemos permitirnos el lujo de sobrevivir. De forma contradictoria, se desea tener dinero tanto como se rechaza. A muchos incomoda hablar sobre este tema. Sin embargo, ¿por qué nos pasamos más de ocho horas al día trabajando? ¿Por qué esperamos cobrar la nómina a final de mes? El dinero es muy importante para algunas cosas y no lo es para otras. Y lo cierto es que remueve y despierta –más que cualquier otro elemento- los traumas que todavía escondemos dentro. De ahí que, a menos que aprendamos a manejar el dinero, terminará por controlarnos. [...]

Desde la óptica empresarial nos hemos convertido en clientes y consumidores. Para lograrlo, las compañías emplean todo tipo de técnicas y de mensajes subliminales. [...] El objetivo es convencernos de que compremos un determinado producto, no tanto por su utilidad como por lo que representa emocional y socialmente.

De hecho, la posesión de ciertos bienes materiales sigue siendo considerada como un signo de estatus dentro de un determinado grupo social. Como consecuencia, muchos siguen

1c Comenta con tu compañero lo que opinas sobre:

El dinero,
1 ¿nos preocupa?
2 ¿nos hace sentir plenos?
3 ¿es un tema que se prefiere evitar?
4 ¿define lo que somos?
5 cuando tenemos bastante, ¿dejamos de pensar en él?

1d Lee un fragmento del artículo "La religión del capital" y señala qué respuestas da el autor a las anteriores preguntas. ¿Coinciden con las tuyas?

creyendo que la identidad se define en función de la calidad y la cantidad de las posesiones. Sin embargo, parece que nunca tenemos suficiente; esencialmente porque a menudo nos comparamos con quienes están un peldaño por encima. [...]

Irónicamente, la opulencia se ha convertido en una enfermedad contemporánea. Y es que cuanto mayor es la desconexión de nuestro ser, mayor es también la sensación de carencia, escasez, pobreza e incluso miseria. De ahí que crezca, a su vez, la necesidad de seguir acumulando dinero: sin duda alguna, la religión con más fieles y seguidores. [...]

Tarde o temprano, llega un momento en que el dinero se convierte en una serie de números proyectados en una pantalla de un ordenador. Y superada una cierta cantidad, el deseo se vuelve más feroz. Al acumular 5000 euros en la cuenta corriente, el siguiente objetivo se centra en alcanzar 10 000. Y así, *ad infinitum*. Para salir de este círculo vicioso, el primer paso consiste en ver el dinero como lo que es, dejando de proyectar en él lo que nos gustaría que fuese.

Borja Vilaseca. Extraído de *El País Semanal*

Gramática

2a En temas relacionados con el dinero existen opiniones encontradas. Lee el siguiente diálogo y di con quién estás más de acuerdo.

- Acabo de leer un artículo sobre lo que ganan los jugadores más habilidosos de fútbol y no puedo entender que se gasten esas cantidades astronómicas en un fichaje, **por muy** hábiles **que** sean con los pies.
- Sí, es verdad, pero es que el fútbol mueve mucho dinero.
- Ya, pero **por mucho** dinero **que** mueva, se podría emplear el dinero en otras causas más loables.
- ¿Y qué me dices de las grandes estrellas del cine? También esos cobran lo suyo.
- Pues lo mismo, tampoco lo entiendo, por más famosos **que** sean, no se justifican los salarios que reciben.
- Bueno, depende, tanto el cine como el fútbol son industrias que generan muchos beneficios. Si pagan eso, es porque compensa.
- Mira, **por mucho que** compense, no es justificable. Hay otras profesiones más importantes que jamás podrían soñar con llegar a cobrar en un año lo que alguno de estos en un solo día de trabajo.
- Ya, pero **por muy** injusto **que** te parezca, es…

2b Fíjate en las frases anteriores en las que aparecen expresiones en negrita. ¿Por qué crees que van con subjuntivo?

1 Porque presenta la información como hipotética.
2 Porque quiere dar más importancia a la información de la frase en indicativo.

Oraciones concesivas II

Los nexos concesivos indican la presencia de una circunstancia que dificulta la acción principal sin impedirla. Uno de sus usos es **contraargumentar,** quitando importancia al razonamiento previo de nuestro interlocutor para destacar la información nueva que aportamos.

***Por más / mucho que* +**

Por muy / más* + adjetivo / adverbio + *que + ***subjuntivo***

***Por más / mucho-a/s* + sustantivo + *que* +**

- *Me parece un despropósito gastar tanto en cosas materiales.*
- *Mira, en nuestra sociedad, muchas veces te van a juzgar por las apariencias, **por muy superficial que** te parezca.*

Ver más gramática en pág. 164

Escribe

2c En parejas, elige una de estas situaciones relacionadas con el dinero y escribe un diálogo con tu compañero.
- El rescate a los bancos en las crisis económicas.
- El pago del consumo eléctrico.
- El despilfarro en Navidad.
- Pedir un crédito para las vacaciones.
- Otros.

2d Representad el diálogo anterior ante vuestros compañeros y decidid quién es el más cínico, desprendido o pesimista.

B EL CEREBRO EN MODO NEGOCIOS

Habla y lee

1a ¿Cómo crees que funciona el cerebro de los mejores ejecutivos? Comenta con tu compañero si coincides con estas afirmaciones.

1 Un buen gestor cuando toma decisiones estratégicas, deja su lado emocional aparte.
2 Las fechas límite mejoran la productividad e incrementan la creatividad.
3 El miedo a perder el trabajo aumenta considerablemente la productividad.
4 Un buen líder debe dar ejemplo, pero debe evitar hacer cumplidos.

1b Busca en el siguiente artículo si las afirmaciones anteriores son ciertas. ¿Te sorprende algo?

Cómo funciona el cerebro de los mejores ejecutivos

Los científicos usan máquinas sofisticadas para mapear lo que sucede dentro del cerebro cuando las personas hacen un trabajo o examinan un problema.

Piense en lo que sabe sobre la forma en la que los mejores ejecutivos toman decisiones. Ahora olvídelo. […]

Estas son algunas de las nuevas ideas que provienen del mundo de las neuroimágenes, donde los científicos usan máquinas sofisticadas para mapear lo que sucede dentro del cerebro cuando las personas hacen un trabajo o examinan un problema.

Solemos pensar que una fecha límite para entregar un trabajo nos saca de la inercia y nos ayuda a concentrarnos para hacer un buen trabajo. […] "La investigación muestra que mientras más estresante sea una fecha límite, menos abiertos estamos a otras formas de abordar el problema", señala Boyatzis, profesor del departamento de Comportamiento Organizacional de la Universidad Case Western Reserve.

¿Quiere decir esto que las empresas deberían eliminar las fechas límite? En la mayoría de los casos, no es una opción realista. Srini Pillay, profesora de la Escuela de Medicina de Harvard, sugiere que las empresas ayuden a los empleados a reducir el estrés y acceder a las partes creativas del cerebro incluso cuando están bajo presión.

[…] La incertidumbre también es un tipo de presión, por ejemplo, sentir que su empleo o el futuro de su empresa están bajo amenaza.

Pillay cita un estudio que encontró que los sentimientos de incertidumbre activan los centros del cerebro asociados con la ansiedad y el asco, y que esas preocupaciones naturalmente llevan a ciertos tipos de decisiones. El estudio mostró que un 75% de las personas en estas situaciones predijo erróneamente que les pasarían cosas negativas. De modo que las reacciones y decisiones que tomaron en base al temor y la ansiedad podrían resultar ser exactamente las equivocadas. Puesto que la incertidumbre es una característica de muchos lugares de trabajo modernos, la solución no reside en intentar evitarla, sino en aprender a aceptarla.[…]

Roderick Gilkey, profesor de Gestión y profesor de Psiquiatría de la Universidad de Emory, realizó un estu-

dio con colegas para analizar lo que sucede cuando los ejecutivos toman decisiones estratégicas. Les dieron a un grupo de gerentes de nivel medio varios escenarios de gestión, les pidieron sus análisis y recomendaciones, y escanearon sus cerebros mientras hacían la tarea. Preveían ver mucha actividad en la zona del cerebro conocida por su participación en planificación y razonamientos lógicos. Había actividad allí, pero dominaban las áreas involucradas en el pensamiento social y emotivo. Y los mejores pensadores estratégicos mostraron niveles mucho más altos de actividad en esas zonas. […]

Por ejemplo, el gerente promedio que debe mejorar los márgenes de ganancia de una empresa podría aplicar un programa de reducción de costos que incluya despidos, y desestimaría cualquier reacción emocional como una debilidad. Un buen pensador estratégico le prestaría atención a esas emociones y tomaría en cuenta el impacto completo y a largo plazo de los recortes en temas como el estado de ánimo de los empleados o la productividad. El resultado podría ser una forma distinta de mejorar la rentabilidad. Tener una buena capacidad de analizar un problema a través de los ojos de otra persona es tan importante como poder analizar los datos duros.

Otra área de investigación va más allá de la toma de decisiones y analiza la forma en que los buenos líderes inspiran a otros. El secreto parece ser priorizar la zanahoria en lugar del garrote.

Boyatzis y otros realizaron tomografías cerebrales para averiguar lo que sucede cuando la gente recuerda sus interacciones con un líder inteligente. Se activan áreas del cerebro involucradas en el pensamiento social, junto con otras asociadas con las emociones positivas. Al parecer, los mejores líderes motivan a sus subordinados al ofrecer estímulo, elogios y recompensas. Así crean un lazo emocional fuerte y una sensación de propósito entre los empleados. […]

Andrew Blackman. Revista *Estrategia y Negocios*

Habla y escucha

2a Los hallazgos de la Neurociencia han provocado que muchas empresas estén implementando medidas para aumentar la productividad. Mira las fotos y haz hipótesis con tu compañero sobre cuáles son.

2b  **24** Ahora, dividimos la clase en grupos A, B y C. Por turnos, cada grupo escucha unas medidas para mejorar el rendimiento laboral, y los otros dos salen de clase. Después, entran y se las explican sus compañeros. ¿Cuál os parece más práctica, original, efectiva?

Gramática

3 Elige la frase que te parece que responde de forma más suave y contrástalo con tu compañero. ¿Qué palabras ayudan a suavizar el mensaje?

1 No veo importante destinar tiempo de trabajo a que los empleados se relajen.

  a Pues, si queremos obtener mayores beneficios, es dinero bien empleado.

  b Bueno, al fin y al cabo, si queremos obtener mayores beneficios, es dinero bien empleado.

2 Me parece un desembolso innecesario destinar parte del presupuesto a organizar fiestas antes del trabajo.

  a Estas fiestas, en cierto modo, nos permitirán crear espíritu de equipo y, por tanto, aumentará la productividad.

  b Pues yo creo que estas fiestas permitirán crear espíritu de equipo y, por tanto, aumentará la productividad.

3 Nuestro sector es muy serio y no me imagino cómo convencer a nuestros profesionales para celebrar las reuniones en una piscina de bolas.

  a En realidad, es tan fácil como probarlo. Cualquier cambio siempre cuesta, pero hasta que vean que funciona.

  b Me parece que es tan fácil como probarlo. Cualquier cambio siempre cuesta, pero hasta que vean que funciona.

¡Fíjate!

Hay otros marcadores del discurso que nos ayudan a contraargumentar, reformular y reforzar nuestra opinión de una forma más suave.

A fin de cuentas, después de todo, de cualquier manera / modo, en el fondo, la verdad es que, *etc.*

- *Tenemos que dejarnos de actividades lúdicas y ampliar el horario laboral para cumplir los objetivos.*

- *Bueno,* ***en el fondo****, eso no es tan importante como la motivación, que hará que cumplan los objetivos.*

4a En grupos, elige una de las siguientes situaciones relacionadas con las medidas de 2b y prepara un diálogo usando los conectores anteriores. Intenta convencer a otra persona que tiene una opinión contraria.

Situación 1 Un empresario reacio a poner en funcionamiento estas medidas está reunido con dos trabajadores que le presentan propuestas innovadoras.

Situación 2 Un profesional que encuentra ridículo tener que participar en estas actividades lúdicas en una reunión en la que la persona responsable de su departamento está presentando medidas similares.

Situación 3 Dos empleados del mismo rango tomando un café y charlando sobre las actividades que propone la empresa. Una persona está a favor y la otra en contra.

4b Representadlo ante el resto de la clase. ¿Qué grupo ha conseguido convencer con más tacto?

C NEGOCIOS VERSUS SOLIDARIDAD

Habla y escucha

1a Lee estos titulares, y comenta con tu compañero en qué sección del periódico crees que aparecen.

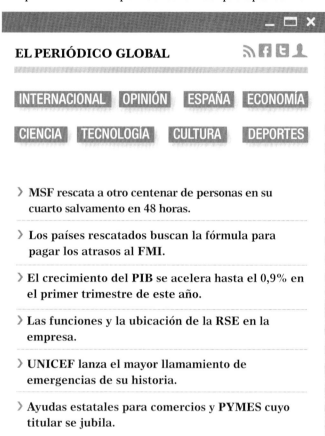

EL PERIÓDICO GLOBAL

INTERNACIONAL OPINIÓN ESPAÑA ECONOMÍA

CIENCIA TECNOLOGÍA CULTURA DEPORTES

> **MSF rescata a otro centenar de personas en su cuarto salvamento en 48 horas.**

> **Los países rescatados buscan la fórmula para pagar los atrasos al FMI.**

> **El crecimiento del PIB se acelera hasta el 0,9% en el primer trimestre de este año.**

> **Las funciones y la ubicación de la RSE en la empresa.**

> **UNICEF lanza el mayor llamamiento de emergencias de su historia.**

> **Ayudas estatales para comercios y PYMES cuyo titular se jubila.**

1b ¿Qué significan las siglas que aparecen en los titulares anteriores?

2a 🔊 25 ¿Crees que buscar un beneficio económico está reñido con contribuir a la mejora social? Escucha un programa colombiano sobre negocios y responde.

1. ¿En qué consiste la Responsabilidad Social Empresarial?
2. ¿Qué provecho se saca de llevar a cabo estas acciones?
3. Para una pyme que se interese en hacerlo, ¿cuáles son los pasos a seguir?
4. ¿Qué persiguen las empresas cuando hacen *Marketing Social*?

2b Comenta con tu compañero si conoces casos de empresas que lo tienen en cuenta.

Lee y habla

3a En parejas, elige una opción y lee la descripción de algunos inventos para cubrir necesidades básicas aparecidos en una exposición de una entidad bancaria. Explícaselos a tu compañero y elegid los dos más útiles.

ALUMNO A

Los RUFT: son alimentos terapéuticos y de bajo coste que contienen el aporte calórico y los micronutrientes necesarios para recuperar a un niño de desnutrición aguda. Cualquier adulto puede administrarlo, no precisa preparación ni condiciones especiales de conservación.

La incubadora Embrace: es portátil, no necesita electricidad para funcionar y es barata: cuesta 25 dólares, frente a los 15 000 de una incubadora normal. Mantiene una temperatura constante de 37 grados durante seis horas, gracias a unas pastillas de cera que se pueden calentar en una estufa.

El método SODIS: en 1984 el profesor libanés Aftim Acra descubrió que el sol destruye los microorganismos del agua. Años después, se desarrollaron proyectos de potabilización de agua en el ámbito doméstico. Se llenan botellas de plástico de agua, se exponen al sol durante un día y la temperatura y la radiación desinfectan el agua.

ALUMNO B

Botella de luz solar: miles de personas viven en chabolas, apiñadas unas junto a otras, sin apenas ventanas. Ni siquiera entra la luz durante el día. Se coloca en un agujero en el techo y proyecta la luz solar hacia el interior.

La mosquitera PERMANET: está impregnada de un insecticida de liberación progresiva que mata y repele los mosquitos que transmiten la malaria. Cuestan menos de cuatro euros, duran más de cuatro años y siguen siendo eficaces después de veinte lavados.

El MUAC: es un brazalete que se ajusta al brazo y presenta cuatro franjas de color indicadoras del nivel de desnutrición. Permite integrar a activistas comunitarios que no saben leer y agiliza enormemente la actuación en casos de desnutrición severa.

Gramática

3b Reformula estas frases usando cuyo-a/s según el modelo.

- *El tambor digital no necesita energía eléctrica para funcionar gracias a los paneles solares que tiene incorporados y cuenta con conexión a internet.*
- *El tambor digital, cuyos paneles solares permiten que funcione sin electricidad, cuenta con conexión a internet.*

1 Los RUFT son alimentos terapéuticos y de bajo coste que contienen el aporte calórico y necesario para recuperar a un niño de desnutrición aguda.

2 Las pantallas atrapanieblas son fáciles de montar. Presentan un bajo mantenimiento y una alta durabilidad. Convierten la humedad del ambiente en agua para consumo humano y el regadío agrícola.

3c En parejas, escribid la descripción de un invento usando una partícula relativa de la tabla. Presentadlo al resto del grupo y votad cuál es el más ingenioso.

cuyo-a/s	que	quien/es	el / la cual
	los / las cuales		

Una bicicleta con la cual se puede moler el cereal fácilmente y en menor tiempo para elaborar pan.

La partícula relativa *cuyo*

La partícula relativa **cuyo** tiene un carácter posesivo y un valor de: *de* + sustantivo.

Indica que el antecedente es el poseedor, pero concuerda en género y número con el sustantivo que le sigue, no con el antecedente. Nunca lleva artículo: *La exposición **cuyo** objetivo es dar a conocer la labor humanitaria de estos trabajadores estará abierta hasta final de mes.*

Ver más gramática en pág. 165

D SEDUCIR AL CONSUMIDOR

Habla

1a En tríos, tenéis tres minutos para encontrar tres cosas en común sobre vosotros. Después, explicad el porqué de vuestras elecciones.

- *¿Preferís la Coca Cola o la Pepsi?*
- *La Coca Cola, claro.*
- *Pues yo soy de Pepsi de toda la vida. Sabe mucho mejor, pero me da rabia que ahora es casi imposible de encontrar.*

Ensalada

Hamburguesa

Todoterreno

Descapotable

iPhone

Samsung

Converse

Nike

1b Lee las siguientes preguntas y escribe tres más. Plantéaselas a tus compañeros para conoceros mejor y decidir quién es el más ahorrador, derrochador, impulsivo o sensato.

1 Si te enamoras de algo, ¿sacas la tarjeta y lo compras aunque estés a fin de mes?

2 ¿Cambias de móvil cada vez que sale una nueva versión?

3 ¿Prefieres pedir un crédito o ahorrar hasta poder pagar a tocateja?

4 ¿Disfrutas buscando alimentos raros o eres de gustos sencillos?

Lee

2a ☐ **DELE** Haz una lectura rápida sin prestar atención a los huecos y ponle un título al siguiente artículo. Compáralo con el de tu compañero y argumenta cuál te parece más acertado y por qué.

La nueva ciencia del inconsciente está revelando que nuestro cerebro elige y valora opciones sin que nosotros **a)** _____ que lo estamos haciendo. Resulta obvio que no somos conscientes de todo lo que vemos y oímos, ¿pero puede influir en nuestro comportamiento?

En general somos **b)** _____ a aceptarlo. Según el psicólogo social de la Universidad de Yale y uno de los pioneros en el estudio del inconsciente moderno, John Bargh, "nos aferramos a la idea de que somos capitanes de nuestra propia alma". Y no siempre es así. Si un coche derrapa a nuestro lado y viene directo a atropellarnos, ¿quién toma la decisión de saltar a un lado? ¿Y cuándo decidimos confiar en una persona por ese algo **c)** _____ que emana? Las corazonadas, los impulsos, son resortes de nuestra voluntad con las que lidiamos a diario. La cuestión no es si influyen en nuestra vida, sino determinar cuál es el papel que desempeñan y hasta dónde llega.

Un ejemplo **d)** _____ de cómo el inconsciente juega con nuestra percepción lo tenemos en la llamada "paradoja de Pepsi": en catas ciegas, esta bebida carbónica gana por goleada a su competidora, Coca Cola, que, sin embargo, vende más. Elucidar este hecho marcó el nacimiento del llamado *Neuromarketing*, de la mano de Clinton Kilts, de la Universidad de Emory, en Atlanta. En 2003 este científico hizo resonancias magnéticas a varios voluntarios para ver qué zona del cerebro se activaba durante una serie de pruebas. Y descubrió que, cuando sabían qué estaban bebiendo, aquellos a los que les gustaba la marca Coca Cola se les iluminaba la corteza prefrontal ventromedial. Esta peculiar **e)** _____ está relacionada con la construcción de nuestra personalidad y con aquello que nos identifica, lo que significa que los consumidores de la famosa bebida no lo hacen porque objetivamente les agrade más, sino porque se identifican con la marca.

Extraído de *Muy interesante*

2b ☐ **DELE** Completa los huecos con la opción correcta.

a conozcamos	sepamos	notamos
b propensos	resistentes	reacios
c indefinible	identificable	característico
d meridiano	promedio	reconocido
e región	espacio	extensión

Escucha

3a 🔊 26 📄 **DELE** Escucha la entrevista a un especialista en *neuromarketing* y completa los huecos eligiendo una opción (a-h).

1 El *neuromarketing* ratifica que el mejor método para saber qué quieren los consumidores no es _____ _____ .

2 _____ del producto es más efectiva que un eslogan impactante.

3 El consumidor _____ por productos modificados. Un ejemplo son las sandías cuadradas que ocupan menos espacio.

4 Para incrementar las ventas hay que pensar cómo se coloca al modelo respecto al producto, ya que el consumidor se fija en _____ .

a siente rechazo	**e** se decanta
b la encuesta	**f** la entrevista
c la mirada	**g** un boceto
d una representación	**h** la vista

3b ¿Te ha sorprendido algo? Coméntalo con tu compañero.

4a Lee estas frases y ordénalas para que tenga sentido el diálogo.

a –Exactamente. **Total**, que no creo que seamos tan racionales como nos gustaría creer.

b –¿En serio? Yo que siempre me quejaba de que estaban todos rotos. Hablando de supermercados, ¿**sabes lo de** los huevos?

c –Acabaste comprando mucho más, ¿no?

d –No, ¿qué?

e –Pues, **cogen** y trucan las ruedas para que giren a un lado u otro y así te acerques a los lados del pasillo aunque no quieras.

f –¿**Sabes lo que** hacen con los carritos en los supermercados?

g –Pues, como saben que es un producto básico, **van** y los ponen al final del súper para que tengas que recorrer toda la tienda. Nos manipulan completamente, ¿**me sigues**?

h –Sí, sí, **sin ir más lejos**, me pasó ayer lo mismo con el aceite. Iba a hacer una tortilla y bajé solo por aceite, pero como estaba al final,...

i –No, ¿qué hacen con los huevos?

4b Decide para qué se usan las palabras marcadas en negrita completando la tabla con ellas.

Estrategias de comunicación

1 Introducir el tema

_____

Hola, no estarás ocupado, ¿(verdad)? Es que...
No sé si lo sabrá/s, pero...
Hola, no estarás ocupado, ¿verdad? Mira, es que quería hablarte de un tema.

2 Controlar la atención del interlocutor.

¿Te aburro? / Te estoy aburriendo, ¿no?
No te he liado, ¿no? _____

3 Introducir una acción

_____ / _____

4 Destacar un elemento

De hecho...
Bueno, de hecho, he estado con ella toda la tarde y no me ha comentado nada. _____

Es ineludible que (+ oración en subjuntivo)
Es ineludible que discutamos el problema del agua.

5 Concluir el relato

_____ (lenguaje oral informal)

En definitiva / A modo de conclusión.
Bueno, en definitiva, con estas actividades queremos que los empleados…

4c Comenta con tus compañeros otros aspectos que conozcáis empleados en *marketing*. No olvides usar las estrategias vistas en el ejercicio anterior.

> olores   precio   música
> colocación del producto   iluminación

EN ACCIÓN

1a Lee el siguiente texto y complétalo con la frase adecuada. Ten en cuenta que sobra una.

a que vamos a desmontar el valor de esos razonamientos

b se redactará el título definitivo del artículo

c este orden puede aparecer invertido

d Debe enganchar al lector

e que es el que normalmente escribe un estudiante de ELE

f no abuses de las preguntas retóricas

Pautas para escribir un artículo de opinión

Hay diferentes tipologías de artículo, pero vamos a centrarnos en el artículo de opinión **1**_____. En este formato de texto el lenguaje debe ser claro, sencillo, conciso y natural. El registro debe ser de formal a neutro, evita el lenguaje coloquial.

Lo primero es escribir un **título atrayente**. Ayuda a tener presente el tema y a no desviarse para mantener la coherencia. En segundo lugar, hay que dedicar tiempo a pensar qué puntos se van a tratar para organizar el escrito y anotar todo antes de ponerse a escribir el artículo.

Introducción: es el primer párrafo. **2**_____ para que quiera saber más. Aquí se presenta el problema o la situación sobre la que se opina.

Tesis: idea en la que el autor cree y que inmediatamente es defendida con una serie de argumentos. A veces, **3**_____, primero los argumentos para terminar con la tesis.

Argumentos: es importante presentar los argumentos a favor y en contra de la tesis. Asimismo, deben aparecer por separado, no mezclados en el mismo párrafo. Para introducir los argumentos en contra usamos una frase del tipo "también podría argumentarse / hay quien defiende que" seguido de un "ahora bien / no obstante" que ayuda a adelantar al lector **4**_____. A eso se le llama contraargumentar.

Conclusión: puede tratarse de la conclusión o de la opinión personal, de un resumen de lo expuesto o de motivar al lector a actuar.

Por último, se debe releer el artículo para verificar su ortografía y gramática, pero también la cohesión de cada párrafo y su coherencia general. Una vez revisado, **5**_____, de modo que resuma su contenido de manera perfecta.

1b Ahora, elige uno de los temas que han aparecido en esta unidad y escribe un artículo de opinión.

Diario de aprendizaje

1 ¿Qué temas se han visto en cada epígrafe? ¿Cuál te ha gustado más y por qué? Revisa los contenidos que debes repasar.

A LA RELIGIÓN DEL CAPITAL:

_____

B EL CEREBRO EN MODO NEGOCIOS:

_____

C NEGOCIOS VERSUS SOLIDARIDAD:

_____

D SEDUCIR AL CONSUMIDOR:

_____

11 PALABRAS, PALABRAS

TEMAS

- **Lenguas en contacto:** intercambio de palabras
- **Palabras que duelen:** el género de los sustantivos
- **Español sin fronteras:** las variantes lingüísticas del español
- **La vida secreta de las palabras:** la lengua literaria

A LENGUAS EN CONTACTO

Lee y habla

1 ¿Eres un *friki* de la lengua? Responde a las preguntas y compara tus respuestas con las de tu compañero.

1 ¿Revisas cientos de veces todas las cosas que escribes antes de enviarlas?
2 ¿Te pones muy nervioso cuando alguien te escribe un mensaje con faltas de ortografía?
3 ¿Inconscientemente corriges los errores de la gente cuando habla?
4 ¿Si encuentras una palabra nueva, no puedes evitar ir corriendo a mirar su significado?
5 ¿Te molesta cuando alguien repite incansablemente la misma palabra en una conversación?
6 ¿No soportas a las personas que usan constantemente palabras extranjeras cuando hablan en tu idioma?

2a El siguiente artículo habla sobre la aparición de extranjerismos en el español. ¿Crees que estas palabras enriquecen o empobrecen el idioma? ¿Por qué? Lee el texto y comprueba la opinión del autor. ¿Coincide con la tuya?

Vocabulario

2b Según el autor, los extranjerismos eliminan palabras que contienen ciertos matices de significado. Fíjate en estas palabras que aparecen en el texto y relaciónalas con su definición.

Palabras relacionadas con *friki:*
a estrafalario **b** raro **c** chiflado **d** extravagante
1 ☐ De aspecto poco cuidado o desastrado.
2 ☐ Fuera de lo común por ser demasiado original.
3 ☐ Loco, que tiene perturbada la razón.
4 ☐ Poco común o frecuente.

Palabras relacionadas con *ignorar:*
a menospreciar **c** desentenderse
b despreciar **d** soslayar
1 ☐ No querer tomar parte en algo.
2 ☐ Tratar mal a alguien.
3 ☐ Pasar por alto algo por ser difícil.
4 ☐ Considerar a alguien en menos lo que se merece.

El anglicismo depredador
por Álex Grijelmo

Los anglicismos, galicismos y demás extranjerismos no causan alergias, ni hacen que baje el producto interior bruto, ni aumentan la contaminación ambiental. No matan a nadie.

No constituyen en sí mismos un mal para el idioma. Ahí está "fútbol", por ejemplo, que viene de *football* y se instaló con naturalidad mediante su adaptación como voz llana en España y aguda en América. (...). "Fútbol", eso sí, llegó a donde no había nada. Además, abonó su peaje; se supo adaptar a la ortografía y a la morfología de nuestro idioma, y progresó por él: "futbolístico", "futbolero", "futbolista"... (...)

Sin embargo, nos invaden ahora anglicismos que tenían palabras equivalentes en español: cada una con su matiz adecuado a su contexto. Ocupan, pues, casillas de significado donde ya había residentes. Y así acaban con algunas ideas y con los vocablos que las representaban. Se adaptarán quizás al español en grafía y fonética, pero habrán dejado antes algunas víctimas.

Llamamos a alguien "friki" (del inglés *freak*) y olvidamos "chiflado", "extravagante", "raro", "estrafalario"

o "excéntrico". Necesitamos un *password* y dejamos a un lado "contraseña", o "clave". Se nos coló una nueva acepción de "ignorar" (por influencia de *to ignore*) que desplaza a "desdeñar", "despreciar", "desoír", "soslayar", "marginar", "desentenderse", "hacer caso omiso", "dar la espalda", "omitir", "menospreciar" o "ningunear". Olvidamos los cromosomas de "evento" (algo "eventual", inseguro; que acaece de improviso) y mediante la ya consagrada clonación de *event* se nos alejan "acto", "actuación", "conferencia", "inauguración", "presentación", "festival", "seminario", "coloquio", "debate", "simposio", "convención" y otras palabras más precisas del español que se refieren a un "acontecimiento" programado. Ya todo es un evento, aunque esté organizadísimo.

La riqueza de nuestro lenguaje depende de lo que decimos, pero también de lo que dejamos de decir... y por tanto perdemos. El problema no es que lleguen anglicismos, sino que se rodeen de cadáveres.

Extraído de El País

2c En los siguientes comentarios aparecen varios anglicismos. ¿Qué palabras españolas podemos usar en su lugar? Búscalas en el recuadro.

enlace   apariencia o aspecto   pinchadiscos
bitácora   encargado   gerente   pulsar
por internet   derechos de autor   éxitos

1 Para acceder a los contenidos de esta página solo tienes que **hacer click** en este **link.**

2 El **copyright** de sus canciones pertenece a la familia del artista.

3 La fiesta de cumpleaños de Miriam fue divertidísima, el **dj** seleccionó las mejores **hits** de nuestra juventud y la gente bailaba sin parar.

4 El periodista ha creado un **blog** en el que aparecen algunos de sus mejores artículos.

5 Tiene un **look** muy personal, su peinado y su forma de vestir nunca pasan desapercibidos.

6 Ahora trabaja como **mánager** en una empresa de venta *on-line*.

2d ¿Ocurre lo mismo en tu lengua? ¿Se utiliza alguna palabra que proceda del español? ¿Sabes si existen palabras en español que procedan de tu idioma? Coméntalo con tu compañero.

En mi lengua es cada vez más común el uso de palabras de origen inglés; sin embargo no hay tanta relación con el español. En España se usan algunas palabras del japonés como kimono y en mi lengua...

3a Si los préstamos del inglés se llaman anglicismos, ¿cómo se llamarán las palabras que proceden de estos pueblos?

1 del portugués: _____
2 del francés: _____
3 del árabe: _____
4 de los romanos: _____
5 de los pueblos americanos: _____
6 de los germanos: _____

Lee

3b La aparición de préstamos lingüísticos ha sido muy común a lo largo de la historia del español, debido a los contactos entre los pueblos. Lee las notas que ha tomado este estudiante y señala a cuál de los anteriores pueblos se está refiriendo.

1 Antes de entrar en la Península, **se vivía** en pequeñas ciudades muy poco urbanizadas. Gracias a ellos, **se realizaron** muchas obras públicas (calzadas, termas, teatros). El castellano, catalán, gallego, rumano, italiano o francés surgieron como dialectos de la lengua de este pueblo, por lo que se las denomina lenguas romances.

2 Llegaron durante el siglo V y **se dice** que fueron los principales responsables de la caída del Imperio romano. Muchos de los términos que nos dejaron están relacionados con el mundo bélico (*guerra, ganar, espía*).

3 Estuvieron en la Península más de ocho siglos. Durante el reinado de los Reyes Católicos, **se expulsó** a todas aquellas personas que no profesaran la doctrina católica, por lo que se vieron obligados a convertirse a la nueva fe o a abandonar sus tierras. Tenían grandes conocimientos de matemáticas, medicina, astrología o agricultura. De su lengua proceden palabras como *zanahoria, alcalde, alfombra* o *aceite*.

4 Se constituyó como reino independiente en 1071, si bien Castilla no ocultó sus deseos de incorporar el reino a sus territorios. Se les conoce por su destreza para la navegación y el comercio, razones por las que crearon un gran imperio colonial. De su lengua se han tomado palabras como *caramelo, mermelada* o *bandeja*.

5 Los contactos de España con este pueblo han sido numerosos durante toda la historia. Debido al camino de Santiago **se incorporaron** términos como *hereje, coraje* o *batalla*, procedentes de su lengua. A partir del siglo XVIII comenzó a reinar en España la dinastía de los Borbones, procedentes de este país, y se incorporaron términos como *bufanda* o *funcionario*.

6 Su descubrimiento supuso un gran desarrollo comercial y económico para España. Productos como *tabaco, tomate, cacao* o *café* eran desconocidos en Europa y tomaron sus nombres de las lenguas indígenas de los pueblos que habitaban estos países. Durante el siglo XIX el Imperio español se desplomaba, y se aprovechó esta situación para declarar la independencia.

Gramática

3c Fíjate en los usos que tiene el pronombre *se* en los textos anteriores. ¿Cuál es el sujeto de la oración? ¿Quién realiza la acción del verbo?

3d Lee el cuadro gramatical y señala a qué tipo de construcción pertenece cada ejemplo.

Expresar impersonalidad e indeterminación

Para expresar impersonalidad e indeterminación usamos el pronombre *se* y un verbo en 3ª persona:

1 **Construcción impersonal:** solo aparece con verbos en tercera persona del singular y no tiene sujeto (*En este lugar se grita mucho*). Puede llevar un complemento de persona (*Se informó al paciente*).

2 **Construcción pasiva refleja:** aparece con verbos en tercera persona del singular y del plural. El verbo está concordado con el sujeto (*Se cometió un asesinato. / Se cometieron varios asesinatos*). El sujeto recibe la acción del verbo y no suele expresarse quién realiza la acción.

Ver más gramática en pág. 166

3e A partir de la información anterior, escribe dos frases usando este tipo de estructuras. Tu compañero tiene que adivinar de cuál de los anteriores pueblos estás hablando.
Se tomaron muchas palabras de su lengua para nombrar productos que hasta esa época eran desconocidos.

4 Lee este artículo y piensa una respuesta a lo que plantea. Después, compárala con la de tu compañero.

¿Qué lengua hablará el mundo en 2115?

Las lenguas evolucionan, se modifican, se mezclan, desaparecen, resurgen y se reinventan con el objetivo de conseguir que las personas se entiendan entre sí. En un mundo cada vez más globalizado e interconectado, cabe esperar que este camino hacia la comunicación global entre las personas sea cada vez más sencillo, pero ¿hasta qué punto surgirá un idioma universal? ¿Llegará un momento en el que el planeta entero hable la misma lengua tal y como muestran las películas de ciencia ficción? En tal caso, ¿qué idioma será el que compartamos todos los seres humanos?

Extraído de www.elconfidencial.com

B PALABRAS QUE DUELEN

Habla y lee

1 ¿Crees que vivimos en una sociedad sexista? Coméntalo con tu compañero.
Bueno, yo creo que aunque la sociedad se va haciendo más abierta y respetuosa, todavía existen ciertas conductas muy sexistas…

2a 📄 **DELE** Lee el artículo periodístico sobre el sexismo en el lenguaje y selecciona la opción correcta.

1 Según el artículo, el sexismo lingüístico…
  a dejó de preocupar en los años setenta.
  b ha sido debatido desde los años setenta.
  c recibe una mayor atención actualmente.

2 Según Susana Guerrero, este debate lingüístico…
  a está cargado de equívocos e ideas falsas.
  b afecta principalmente a la mujer.
  c es de sobra conocido.

3 Desdoblar las palabras cuando nos referimos a un grupo de hombres y mujeres…
  a debería realizarse siempre.
  b es lo único que preocupa a ciertas personas.
  c no es lo más importante.

4 La lengua critica de las mujeres…
  a la ausencia de castidad y moralidad.
  b su carácter exigente.
  c su rebeldía.

5 En determinadas situaciones, la feminización de las palabras supone…
  a un insulto mayor.
  b un intento de crear un lenguaje más inclusivo.
  c un matiz más afectivo.

6 Para acabar con el sexismo lingüístico…
  a se debería cuidar más el lenguaje.
  b se deberían prohibir ciertas expresiones.
  c se tienen que producir cambios sociales.

Por qué ser una zorra es malo y ser un zorro es bueno

LENGUAJE SEXISTA

"Siendo un zorro un hombre astuto, una zorra es una prostituta. Y, por supuesto, nada tiene que ver un respetable hombre público con una mujer pública, una prostituta (…)".

Con estas palabras hace referencia María Irazusta (autora de *Las 101 cagadas del español*) al "insultante sexismo" en su último libro, una biblia del insulto titulada *Eso lo será tu madre* (Espasa). Un capítulo que invita a reabrir el debate en torno al sexismo lingüístico, una polémica que si bien no es nueva y lleva abordándose en nuestro país desde los años setenta, sigue precisando de mucha atención y recuerda la necesidad de reflexionar cuando utilizamos determinadas palabras de las que se desprende una marcada discriminación hacia las mujeres. Susana Guerrero Salazar, profesora de lengua de la Universidad de Málaga y autora de diversas publicaciones que abordan la relación entre mujer y léxico, así lo ratifica a *S Moda*: "La gente desconoce el tema del sexismo lingüístico y parte de muchos prejuicios. La mayoría piensa que utilizar un lenguaje igualitario es desdoblar constantemente (queridos y queridas; amigos y amigas…). Pero eso es solo una de las muchas tácticas que existen y precisamente no es una de las más recomendables. Pensar que el lenguaje igualitario es el desdoblamiento es como decir que una gota de agua es el océano", afirma la experta.

(…) La falta de pureza y decencia son el blanco principal de los improperios dirigidos a las mujeres porque son cualidades que tradicionalmente se les ha exigido poseer. Pero incluso cuando el agravio va dirigido a un hombre, terminan siendo las afectadas las féminas que forman parte de su vida. ¿Cuántas veces son mentadas, por ejemplo en un campo de fútbol, las madres y novias de los jugadores?, ¿en cuántas ocasiones utilizamos *nenaza, mariconazo,* cualquier otra palabra en género femenino para aumentar el tamaño de la ofensa?

Más allá de los insultos y tacos, la imagen estereotipada y negativa de las mujeres se extiende (…), ciertas palabras tienen distintas connotaciones dependiendo del sexo al que hagan referencia (gobernante / gobernanta, verdulero / verdulera,

secretario / secretaria) y hasta los animales salen ganando cuando se escriben en masculino (un gallo es un hombre fuerte y valiente, mientras que un gallina define a una persona cobarde, pusilánime y tímida).

[5] Todo ello alimenta el debate de si el castellano es o no un idioma machista. Guerrero Salazar lo tiene claro: "La lengua española no es machista, como no es racista, ni homófoba. Es el uso que hacemos de ella lo que determina el carácter del discurso. Es una herramienta y, como tal, podemos utilizarla bien o no. Por tanto, reflexionar sobre la lengua desde la perspectiva de género sirve para aprender a evitar los usos sexistas". (…) Guerrero Salazar, al igual que múltiples expertos en lengua, defiende que la solución para poner fin a este problema no es suprimir las acepciones de golpe y porrazo del diccionario. "Los cambios lingüísticos no deben obedecer a imposiciones, sino a la marcha natural de las lenguas vivas que, como tales, se adaptan a los cambios sociales. Por ello, han surgido tantas feminizaciones (bombera, arquitecta, médica…), cambios de significados en las palabras (alcaldesa ya no es la mujer del alcalde, ni jueza la mujer del juez) que dan cuenta de la nueva manera en que estamos las mujeres en la sociedad. (…)

[6] En un momento en el que el debate feminista lo invade todo se hace fundamental reivindicar que el lenguaje, principal instrumento para expresar las ideas y reflejar la cultura de un determinado lugar en una situación concreta, vaya evolucionando y dejando en desuso las palabras que alimentan las diferencias entre hombres y mujeres.

Clara Ferrero, *Smoda. El País*

Vocabulario

2b Busca en el texto sinónimos o expresiones similares a estas palabras.

1 tratar [2] _____
2 insulto, grosería [3] _____
3 ofensa, injuria [3] _____
4 nombrar [3] _____
5 palabrota, blasfemia [4] _____
6 precipitadamente, irreflexivamente [5] _____

2c ¿Ocurre lo mismo en tu lengua? Piensa en algunos ejemplos y coméntalo con tu compañero.

Bueno, en mi país la mujer cuando se casa pierde su apellido y toma el de su marido. A mí me gusta más como se hace, por ejemplo, en España, porque la mujer mantiene sus apellidos y los hijos llevan los apellidos de su padre y de su madre, es más justo, ¿no?

3a El cambio de género gramatical en una palabra puede suponer también un cambio de significado. Señala si existe alguna diferencia entre estos pares de palabras.

1 el leño / la leña
2 el mar / la mar
3 el huerto / la huerta
4 el coma / la coma
5 el frente / la frente
6 el azúcar / la azúcar

3b Elige una palabra de la lista y crea una frase con ella. Léesela a tu compañero sin decir la palabra elegida. Él deberá decir cuál falta.

Hacía muchísimo frío, así que decidimos encender la chimenea y echarle…

Gramática

El género de los sustantivos

Algunos sustantivos pueden cambiar su significado según el género gramatical que presenten:

- **Individual / colectivo:** *el leño / la leña, el fruto / la fruta.*
- **Grande / pequeño:** *el huerto / la huerta, el cuchillo / la cuchilla.*
- El significado puede cambiar totalmente: *el frente / la frente, el coma / la coma, el capital / la capital.*

Existen sustantivos que pueden aparecer con los dos géneros sin cambiar su significado: *el mar / la mar, el calor / la calor, el azúcar/la azúcar.*

Ver más gramática en página 167

4 En español, el género masculino se usa para hablar de grupos integrados por personas de ambos sexos, situación que ha sido criticada por algunos colectivos. Lee esta circular y sustituye las palabras en cursiva por otras palabras o expresiones que eviten el uso único del masculino.

Queridos *alumnos*:
Nos complace comunicarles que ya pueden presentarse los proyectos para el X Concurso de Historia Universal. El tema de este año será *El hombre y la sociedad actual.* Los *interesados* deberán dirigir su solicitud a la *secretaria* de Dirección y presentar sus trabajos antes del día 27 del presente mes. La elección de *los ganadores* correrá a cargo de *los profesores* que imparten la materia. Por último, informarles de que serán *descalificados todos aquellos* que no se ajusten a las bases de la convocatoria.

Atentamente,
Damián Fernández
Profesor de Historia

Queridos estudiantes:
Nos complace comunicarles…

C ESPAÑOL SIN FRONTERAS

Habla

1 ¿Posees alguna habilidad artística? Si pudieras elegir, ¿en qué campo artístico te gustaría destacar? Coméntalo con tu compañero.

Yo no he destacado nunca en ninguna disciplina artística, pero siempre me habría gustado saber cantar bien. La verdad es que canto mucho, pero no soy capaz de afinar…

Escucha

2a 🔊 27 Vas a escuchar a tres artistas hispanos que hablan sobre sus comienzos profesionales. Escucha atentamente y relaciona a cada persona con su información.

1 Sus primeras composiciones se basaban en la intuición.
2 La timidez le llevó a su actual profesión.
3 Desde pequeño quiso seguir los pasos de su padre.
4 Le gusta seguir sus instintos, sin importarle el resultado.
5 No esperaba dedicarse a una profesión artística.
6 No recuerda con precisión sus comienzos artísticos.

2b Cada uno de estos artistas procede de un país diferente. ¿Crees que tienen un modo de hablar muy distinto entre sí? ¿Te ha llamado la atención algún rasgo lingüístico?

Fonética

2c Lee el siguiente cuadro. Después, vuelve a escuchar las tres entrevistas y señala con una cruz rasgos fonéticos que posee cada uno de ellos.

	Chucho Valdés (Pianista cubano)	Julieta Venegas (Cantante mexicana)	Leonardo Sbaraglia (Actor argentino)
Seseo			
Žeísmo			
Pérdida de *s*			
Confusión de *r* y *l*			
Aspiración del sonido de la *j*			

Vocabulario

3a Aunque la mayor parte del vocabulario del español es común en todos los países hispanos, hay algunas palabras que se usan únicamente en algunas regiones. ¿Conoces alguna? Marca la zona en el mapa.

El español de América

Llamamos español de América al conjunto de rasgos lingüísticos de esta amplia región. No se trata de rasgos específicos comunes a toda la comunidad hispanoamericana, algunos de ellos se dan en ciertas regiones de los diferentes países y no en todo el estado.

- **Seseo:** es la ausencia del sonido de la letra *z* y la presencia en su lugar del sonido *s*. Es un fenómeno que se extiende por América y España, y alcanza todas las regiones y niveles sociales.

- **Yeísmo:** los sonidos de las letras *ll* e *y* se pronuncian de igual manera. El žeísmo es un fenómeno de algunas regiones como Argentina o Uruguay y consiste en pronunciar estas letras como /ž/, un sonido parecido a la *sh* del inglés.

- **La /s/ al final de la sílaba o la palabra**. El sonido /s/ en esta posición se debilita o incluso se llega a perder.

- **Neutralización de /l/ y /r/**. Se trata de una confusión entre los sonidos de estas letras, por lo que cada hablante puede percibirlo de manera diferente.

- **Realizaciones del sonido /x/**. El sonido de la *j* o *g* + *e* /*i* es aspirado, menos fuerte que su realización en España.

3b Estos titulares han sido publicados en distintos medios de prensa hispanoamericanos. Relaciona cada titular con una imagen.

1 Ya se puede **manejar** el auto desde el **celular.**

2 El multimillonario Michael Bloomberg recomienda ser **plomero.**

3 **Reventón** en la playa para disfrutar durante el verano.

4 Presidente del Madrid pide perdón al **arquero** Keylor Navas.

5 Sin contratos las **guaguas** escolares.

3c Sustituye la palabra en negrita por otra que conozcas y que tenga el mismo significado.

3d A continuación, tienes dos listas con vocabulario que se usa en distintas zonas del mundo hispano. Elige una de ellas y crea tres titulares con una palabra de cada sección. Lee los titulares a tu compañero y pídele que los interprete.

Estudiante A	Estudiante B
Tapas (España) Botanas (México, Guatemala, Panamá, Honduras, Nicaragua) Abrebocas (Colombia, Venezuela, Ecuador, Panamá)	Armario (España) Clóset (México, Guatemala, Honduras, Nicaragua, Ecuador, Perú, Colombia) Placar (Argentina, Bolivia, Uruguay, Paraguay)
Niño, chaval (España) Chavo, chamaco (México) Chamo (Venezuela) Pelado (Colombia) Pibe (Argentina)	Autobús (España) Camión (México) Colectivo (Argentina, Venezuela, Paraguay) Guagua (Cuba, Puerto Rico, R. Dominicana) Ómnibus (Bolivia, Uruguay)
Atasco, embotellamiento (España) Trancón (Colombia, Ecuador, Uruguay) Taponamiento (Bolivia) Taco (Chile)	Grifo (España) Llave (México, Colombia, Honduras, Venezuela, Ecuador, Bolivia, Chile) Canilla (Argentina, Uruguay, Bolivia)

Información extraída de *El País Semanal*

4a Lee estas estrofas de la canción *Latinoamérica* del grupo portorriqueño *Calle 13* y elige la palabra más adecuada en cada una.

Soy,
soy lo que dejaron,
soy toda la sobra de lo que se *robaron/encontraron* **(1)**.
Un pueblo escondido en la cima,
mi piel es de cuero, por eso aguanta cualquier clima.

Soy una fábrica de *zumo/humo* **(2)**,
mano de obra campesina para tu consumo.
Frente de frío en el medio del verano,
el amor en los tiempos del cólera, mi hermano.

El sol que nace y el día que *muere/quieres* **(3)**,
con los mejores atardeceres.
Soy el desarrollo en carne viva,
un discurso político sin saliva.

Las caras más bonitas que he conocido,
soy la fotografía de un *desconocido/ desaparecido* **(4)**,
la sangre dentro de tus venas.
Soy un pedazo de tierra que vale la *muere/pena* **(5)**.

Soy una canasta con frijoles,
soy Maradona contra Inglaterra anotándote dos goles.

Soy lo que sostiene mi *bandera/tierra* **(6)**,
la espina dorsal del planeta es mi cordillera.

Soy lo que me enseñó mi padre,
el que no quiere a su patria no quiere a *nadie/su madre* **(7)**.

Soy América Latina,
un pueblo sin piernas pero que *castiga/camina* **(8)**.

Tú no puedes comprar al viento.
Tú no puedes comprar al sol.
Tú no puedes comprar la lluvia. [...]

4b Escucha la canción en internet y comprueba tu respuesta. ¿Qué situación denuncia la canción?

5 ¿Qué se puede hacer para crear un mundo más justo? En parejas, pensad en medidas que se podrían tomar con este fin y contádselo a vuestros compañeros. Ellos os darán su opinión al respecto.

-Yo creo que las fronteras entre los países deberían desaparecer para que la gente pueda elegir libremente dónde vivir.

-No, no, de ningún modo. Si el mundo no tuviera fronteras…

> **¡Fíjate!**
>
> **Para reforzar una opinión afirmativa podemos usar:**
> Lo que está claro es que…
> No cabe la menor duda de que…
> Nadie puede negar que…
> Es de sentido común pensar que…
>
> **Para reforzar una opinión negativa podemos usar:**
> Es descabellado pensar que…
> A nadie se le pasaría por la cabeza…
> En modo alguno. / De ningún modo.
> Rotundamente, no.

D LA VIDA SECRETA DE LAS PALABRAS

Habla y escucha

1a Piensa en una palabra en español que…
- te suena bien
- te trae buenos recuerdos
- usas constantemente
- no puedes soportar
- no sabes usar correctamente
- te parece graciosa

1b Compara los resultados con tu compañero y cuéntale los motivos de tu elección.

gracias sentimiento alma murciélago espíritu equilibrio muévete fútbol Querétaro

2a ◄)) 28 El Instituto Cervantes para celebrar el *Día del Español*, ha pedido a diferentes personalidades del mundo hispano que expliquen cuál es su palabra favorita. Escucha y anota cuáles son y los motivos que dan.

| 1 Pau Gasol | 2 Ricardo Darín | 3 Mario Vargas Llosa | 4 Mara Torres | 5 Shakira |

1 _____

2 _____

3 _____

4 _____

5 _____

2b Piensa en cuál sería la palabra que elegirías tú sin decírsela a tus compañeros. Explícales los motivos por los que has escogido esa palabra y ellos deberán adivinarla.

Lee

3a Lee el fragmento de la novela *La casa de los espíritus* de la escritora Isabel Allende. Léelo y responde a las preguntas.

1 ¿Qué diferenciaba a Clara del resto de las niñas de su edad?

2 ¿Cómo recibió la familia de Clara su mensaje? ¿Prestaron atención a lo que decía?

3 ¿Se cumplieron sus palabras?

3b A pesar de su aparente realismo, en el relato aparecen detalles que nos alejan de la normalidad. ¿Cuáles son?

3c El realismo mágico fue una corriente narrativa hispanoamericana en cuyas historias se mezclaba la realidad del continente con lo fantástico y lo mágico. Sus mayores representantes son Julio Cortázar, Gabriel García Márquez y Juan Rulfo ¿Has leído algo de estos autores? ¿Conoces a otros escritores hispanos?

3d Lee los fragmentos que aparecen a continuación y relaciona estas informaciones con los textos.

a Recoge la historia de una familia y un pueblo en la que se suceden la guerra, la dictadura, los amores y la desdicha.

b El protagonista realiza un viaje a un lugar en busca de justicia.

c La realidad del protagonista cambiará radicalmente tras atropellar a una mujer.

d La valentía de su protagonista parece ilimitada.

e El narrador comienza describiendo una escena muy cotidiana.

f Pese a su inicial reticencia, el protagonista aceptará realizar su misión.

3e El lenguaje literario se caracteriza por un uso mucho más cuidado de la lengua. Fíjate en estas frases y señala cómo se dicen en el texto.

a Se lo dije hasta que se murió.

b Admiraba el comienzo del bullicio en la ciudad a esas horas.

c Le intentaron matar, poniendo un potente veneno en su bebida, pero no lo consiguieron.

d Un día me entraron muchas ganas de conocer a mi padre.

e Amanecía en la ciudad.

f Su título militar era válido en todo el país.

La casa de los espíritus

Clara pasó la infancia y entró en la juventud dentro de las paredes de su casa, en un mundo de historias asombrosas, de silencios tranquilos, donde el tiempo no se marcaba con relojes ni calendarios y donde los objetos tenían vida propia, los aparecidos se sentaban en la mesa y hablaban con los humanos, el pasado y el futuro eran parte de la misma cosa y la realidad del presente era un caleidoscopio de espejos desordenados donde todo podía ocurrir. Es una delicia, para mí, poder leer los cuadernos de esa época, donde se describe un mundo mágico que se acabó. Clara habitaba un universo creado para ella, protegida de las inclemencias de la vida, donde se confundían la verdad prosaica de las cosas materiales con la verdad tumultuosa de los sueños, donde no siempre funcionaban las leyes de la física o la lógica. Clara vivió ese periodo ocupada en sus fantasías, acompañada por los espíritus del aire, del agua y de la tierra, tan feliz, que no sintió necesidad de hablar en nueve años. Todos habían perdido la esperanza de volver a oírle la voz, cuando el día de su cumpleaños, después que sopló las diecinueve velas de su pastel de chocolate, estrenó una voz que había estado guardada durante todo aquel tiempo y que tenía resonancia de instrumento desafinado.

–Pronto me voy a casar –dijo.

–¿Con quién? –preguntó Severo.

1 Pedro Páramo

Juan Rulfo

VINE A COMALA porque me dijeron que acá vivía mi padre, un tal Pedro Páramo. Mi madre me lo dijo. Y yo le prometí que vendría a verlo en cuanto ella muriera. Le apreté sus manos en señal de que lo haría, pues ella estaba por morirse y yo en un plan de prometerlo todo. «No dejes de ir a visitarlo –me recomendó. Se llama de este modo y de este otro. Estoy segura de que le dará gusto conocerte». Entonces no pude hacer otra cosa sino decirle que así lo haría, y de tanto decírselo se lo seguí diciendo aun después de que a mis manos les costó trabajo zafarse de sus manos muertas.

Todavía antes me había dicho:

–No vayas a pedirle nada. Exígele lo nuestro. Lo que estuvo obligado a darme y nunca me dio... El olvido en que nos tuvo, mi hijo, cóbraselo caro.

–Así lo haré, madre.

Pero no pensé cumplir mi promesa. Hasta que ahora pronto comencé a llenarme de sueños, a darle vuelo a las ilusiones. Y de este modo se me fue formando un mundo alrededor de la esperanza que era aquel señor llamado Pedro Páramo, el marido de mi madre. Por eso vine a Comala.

–Con el novio de Rosa –respondió ella.

Y entonces se dieron cuenta de que había hablado por primera vez en todos esos años y el prodigio removió la casa en sus cimientos y provocó el llanto de toda la familia. Se llamaron unos a otros, se desparramó la noticia por la ciudad, consultaron al doctor Cuevas, que no podía creerlo, y en el alboroto de que Clara había hablado, a todos se les olvidó lo que dijo y no se acordaron hasta dos meses más tarde, cuando apareció Esteban Trueba, a quien no habían visto desde el entierro de Rosa, a pedir la mano de Clara.

Isabel Allende

Escucha

4 🔊 **29** Escucha al profesor Enrique Páez hablando de estilo literario y toma notas. Después, comenta con tu compañero las ideas más importantes.

Escribe

5 Teniendo en cuenta los consejos anteriores, vamos a continuar una de las cuatro historias de los fragmentos anteriores que has leído. Elige el personaje que más ha llamado tu atención y desarrolla su historia. Una vez terminadas, vamos a leerlas y votaremos por…

> La historia más conmovedora

> La historia más original

> La historia más inquietante

> La historia más entretenida

2 Cien años de Soledad

Gabriel García Márquez

EL CORONEL AURELIANO Buendía promovió treinta y dos levantamientos armados y los perdió todos. Tuvo diecisiete hijos varones de diecisiete mujeres distintas, que fueron exterminados uno tras otro en una sola noche, antes de que el mayor cumpliera treinta y cinco años. Escapó a catorce atentados, a setenta y tres emboscadas y a un pelotón de fusilamiento. Sobrevivió a una carga de estricnina en el café que habría bastado para matar a un caballo. Rechazó la Orden del Mérito que le otorgó el presidente de la república. Llegó a ser comandante general de las fuerzas revolucionarias, con jurisdicción y mando de una frontera a la otra, y el hombre más temido por el gobierno, pero nunca permitió que le tomaran una fotograma. Declinó la pensión vitalicia que le ofrecieron después de la guerra y vivió hasta la vejez de los pescaditos de oro que fabricaba en su taller de Macondo. Aunque peleó siempre al frente de sus hombres, la única herida que recibió se la produjo él mismo después de firmar la capitulación de Neerlandia que puso término a casi veinte años de guerras civiles. Se disparó un solo tiro de pistola en el pecho y el proyectil le salió por la espalda sin lastimar ningún centro vital. Lo único que quedó de todo eso fue una calle con su nombre en Macondo.

3 La noche boca arriba

Julio Cortázar

A MITAD DEL LARGO zaguán del hotel pensó que debía ser tarde y se apuró a salir a la calle y sacar la motocicleta del rincón donde el portero de al lado le permitía guardarla. En la joyería de la esquina vio que eran las nueve menos diez; llegaría con tiempo sobrado adonde iba. El sol se filtraba entre los altos edificios del centro, y él –porque para sí mismo, para ir pensando, no tenía nombre– montó en la máquina saboreando el paseo. La moto ronroneaba entre sus piernas, y un viento fresco le chicoteaba los pantalones.

Dejó pasar los ministerios (el rosa, el blanco) y la serie de comercios con brillantes vitrinas de la calle Central. Ahora entraba en la parte más agradable del trayecto, el verdadero paseo: una calle larga, bordeada de árboles, con poco tráfico y amplias villas que dejaban venir los jardines hasta las aceras, apenas demarcadas por setos bajos. Quizá algo distraído, pero corriendo por la derecha como correspondía, se dejó llevar por la tersura, por la leve crispación de ese día apenas empezado. Tal vez su involuntario relajamiento le impidió prevenir el accidente. Cuando vio que la mujer parada en la esquina se lanzaba a la calzada a pesar de las luces verdes, ya era tarde para las soluciones fáciles. Frenó con el pie y con la mano, desviándose a la izquierda; oyó el grito de la mujer, y junto con el choque perdió la visión. Fue como dormirse de golpe.

EN ACCIÓN

1 *Ejercicios de estilo* es el libro de Raymond Queneau en el que, a partir de una historia sencilla, se desarrollan noventa y nueve maneras diferentes de contarla. Lee estas versiones y relaciónalas con uno de los estilos de la tabla que propone el autor.

Versos libres   Ignorancia   Relato   Punto de vista subjetivo

1 _____

Una mañana a mediodía, junto al parque Monceau, en la plataforma trasera de un autobús casi completo de la línea S (en la actualidad el 84), observé a un personaje con el cuello bastante largo que llevaba un sombrero de fieltro rodeado de un cordón trenzado en lugar de cinta. Este individuo interpeló, de golpe y porrazo, a su vecino, pretendiendo que le pisoteaba adrede cada vez que subían o bajaban viajeros. Pero abandonó rápidamente la discusión para lanzarse sobre un sitio que había quedado libre.

Dos horas más tarde, volví a verlo delante de la estación de Saint-Lazare, conversando con un amigo que le aconsejaba disminuir el escote del abrigo haciéndose subir el botón superior por algún sastre competente.

2 _____

No estaba descontento con mi vestimenta, precisamente hoy. Estrenaba un sombrero nuevo, bastante chulo, y un abrigo que me parecía pero que muy bien. Me encuentro a X delante de la estación de Saint-Lazare, el cual intenta aguarme la fiesta tratando de demostrarme que el abrigo es muy escotado y que debería añadirle un botón más. Aunque, menos mal que no se ha atrevido a meterse con mi gorro.

Poco antes, había reñido de lo lindo a una especie de patán que me empujaba adrede como un bruto cada vez que el personal pasaba, al bajar o al subir. Eso ocurría en uno de esos inmundos autobuses que se llenan de populacho precisamente a las horas en que debo dignarme a utilizarlos.

3 _____

El autobús
lleno
el corazón
vacío
el cuello
largo
el cordón
trenzado
los pies
planos y aplanados
el sitio
vacío

y el inesperado encuentro junto a la
estación de mil luces apagadas
del corazón, del cuello, del cordón, de
los pies,
del sitio vacío
y de un botón.

4 _____

Yo, no sé qué quieren de mí. Pues sí, he cogido el S hacia mediodía. ¿Que si había gente? A esa hora, por supuesto. ¿Un joven con sombrero de fieltro? Es muy posible. Aunque yo no miro descaradamente a la gente. Me importa un pito ¿Una especie de galón trenzado? ¿Alrededor del sombrero? Comprendo, una curiosidad como otra cualquiera, pero, desde luego, no me fijo en eso. Un galón trenzado... ¿y se habría peleado con otro señor? Cosas que pasan.

Y, además, ¿tendría que haberlo vuelto a ver otra vez una o dos horas más tarde? ¿Por qué no? Hay cosas aún más raras en la vida. Precisamente, recuerdo que mi padre me contaba a menudo que...

2 En parejas, pensad en otro estilo para esta historia y tomad notas. Después, contádsela a vuestros compañeros, ellos tienen que adivinar qué estilo habéis usado. Estas son algunas sugerencias:

• Policial   • Filosófico   • Moderno   • Pesimista   • Eufórico

Diario de aprendizaje

1 ¿Qué temas se han visto en cada epígrafe? ¿Cuál te ha gustado más y por qué?

A LENGUAS EN CONTACTO:

_____

B PALABRAS QUE DUELEN:

_____

C ESPAÑOL SIN FRONTERAS:

_____

D LA VIDA SECRETA DE LAS PALABRAS:

_____

2 Analiza los contenidos de la unidad que necesitas repasar.

12 SIGLO XXI

TEMAS

A SONAMBULISMO TECNOLÓGICO

Habla y lee

1a ¿Qué te sugiere esta foto? ¿A qué crees que nos referimos cuando hablamos de "infoxicación"? Coméntalo con tu compañero.

1b Y tú, ¿crees que estás infoxicado? Lee el texto y completa las frases para resumir con tus palabras las ideas más importantes del mismo.

1 La sobreexposición a redes sociales…
2 El síndrome de Diógenes digital…
3 La procrastinación o el arte de postergar las tareas necesarias…

1c En parejas, revisa el léxico del texto y añade dos preguntas más a esta lista. Házselas a tu compañero, ¿quién dirías que padece más tecnoestrés?

- ¿Dirías que eres una persona hiperconectada?, ¿cuánto tiempo pasas al día enganchado a una pantalla?
- ¿Alguna vez has sentido pánico al comprobar que te habías dejado el móvil en casa?
- ¿Acumulas muchos correos en tu bandeja de entrada?, ¿eres de los que los clasifican con mimo?
- ¿Tiendes a abarcar más tareas de las que puedes?

Estás 'infoxicado' y tienes síndrome de Diógenes digital: ¡Combátelo!

LARA SOLER

Son las siete de la mañana e inexplicablemente ya es tarde. Llamadas, *e-mails,* bombardeo de titulares, notificaciones, lecturas en cola desde hace días y, como constante, la sensación de que acumulamos un lastre informativo agotador. Las señales están ahí, pero ¿realmente entendemos qué es lo que nos pasa? Vivimos inmersos en una revolución digital que, silenciosamente, ha modificado nuestros patrones sociales y afecta directamente a nuestra forma de entender la vida. La inmediatez ha desatado la cultura del clic, y con ella la imperiosa necesidad de estar sobreinformados e hiperconectados permanentemente a nuestro entorno. Siempre queremos más, aunque no podamos digerirlo. Estamos infoxicados. […]

SÍNDROME DE DIÓGENES DIGITAL

¿Y ahora, cómo nos libramos de esta nueva enfermad? Lo principal es asumir que el día solo tiene 24 horas. Puede parecer una obviedad, pero está demostrado que tendemos a abarcar más actividades socioculturales de las recomendadas, adoctrinados en cierta medida por los famosos "influencers" que guían nuestro ecosistema informativo. Hace una década los productores de información estaban contados y procedían principalmente de tres vías populares, la radio, la televisión y el periódico. En la actualidad todo ha cambiado, las reglas del juego se están reinventando constantemente a través del gigante de internet, destacando el poder de las redes sociales y la sobreexposición de estas. […] Facebook, YouTube y Twitter se postulan como las redes más reclamadas por los usuarios, herramientas que generan toneladas de datos y nos conducen a experimentar el llamado 'Síndrome de Diógenes Digital', que se basa en la acumulación de material multimedia: desde correos electrónicos, *newsletters,* descargas… El caso más común es el fenómeno de la bandeja de entrada infinita, que almacena *e-mails* que jamás leeremos, algo para lo que Enrique Dans, profesor de Sistemas de Información en IE Business School, estableció seis perfiles diferentes sujetos al comportamiento de cada individuo, desde el que clasifica la información con mimo hasta el que únicamente guarda aquel material que posee un valor sentimental.

FALTA DE PRODUCTIVIDAD Y SOLUCIONES

La sobreexposición informativa ha estandarizado conductas en la sociedad que repercuten directamente en la productividad de la persona. Aunque ficticio, el perfil de Homer Simpson podría ser una muestra de la "habilidad" para retrasar las obligaciones que todos poseemos. La procrastinación forma parte de nuestra rutina y produce que nos hallemos en un *zapping* mental permanente, fuente de estrés y desconcierto. Por ese motivo Jose Luis Orihuela, profesor de la Facultad de Comunicación de la Universidad de Navarra, propone optimizar el tiempo que estamos conectados consumiendo información, para poder desconectar a posteriori y analizar todo lo que hemos recibido. Una labor que puede ser mucho más sencilla si nos valemos de las herramientas que la tecnología pone a nuestro alcance. […]

Extraído de http://smoda.elpais.com

Escucha

2a 🔊 30 Observa esta lista de fobias del siglo XXI generadas por el abuso de la tecnología. ¿Podrías explicar alguna de ellas? Escucha el siguiente reportaje de la televisión peruana y toma nota de lo que dicen de cada una.

1 Nomofobia
2 Síndrome del doble *check*
3 *Phubbing*
4 Depresión por Facebook
5 Síndrome de la llamada imaginaria
6 *Sleeping texting*
7 Cibercondría
8 Efecto Google

2b Compara tus respuestas, ¿te sientes identificado con algo de lo que se dice en el audio? ¿Conoces a alguien que padezca fobias de este tipo?

Gramática

3a Algunos expertos advierten sobre el mal uso que hacemos de los aparatos tecnológicos. Lee sus opiniones y señala si hablan de problemas relativos a seguridad o a conducta.

1 Habremos conseguido acceder a mucha información pero ¿cuánta de ella es realmente relevante?
2 Desde nuestro programa lo habremos advertido ya mil veces: al conectarte a cualquier wifi pública estás poniendo en peligro todos tus datos.
3 ¿No nos habremos dejado algo en el camino? No puede ser que ignoremos de tal manera al que tenemos delante.
4 Habrás elegido una contraseña segura, ¿verdad? Aunque además, debes reforzarla con algún otro sistema de autentificación.
5 ¿No os habréis atrevido a darle vuestra contraseña a alguien desconocido? Evitad también conectaros a redes u ordenadores ajenos.
6 Con tanta red social disponible, seguro que habréis logrado un listado de mil contactos con los que, a la hora de la verdad, ¿podéis contar?

3b Mira el siguiente cuadro y decide a cuál de estos tres usos se refieren las frases anteriores.

El futuro compuesto

El futuro compuesto se usa para expresar diversas funciones sobre el pasado reciente, entre otros valores:

a **Valor de objeción** o contraste en el pasado: **Habrá llamado** muchas veces, pero no me he enterado.

b Sustituye a **espero que, no creo que, confío en que**..., u otras expresiones de sentimientos de sorpresa, extrañeza, reprobación, temor, precedido de **no** en pasado:
¿No me **habré dejado** algo? / ¿No **habrás tenido** el valor de pedirle su contraseña?

c **Enfatiza una afirmación** sobre una realidad pasada, con frecuencia con **si** o **no**:
¿Que no te acuerdas de tu contraseña?, ¡si la **habrás tecleado** más de mil veces!

Ver más gramática en pág. 168.

3c Transforma las frases haciendo uso del futuro compuesto según el modelo.

1 ¿Dices que no te he escrito? Pero si te he mandado por lo menos cinco mensajes. Seguramente me has escrito pero yo no he recibido nada.

Me habrás escrito, pero yo no he recibido nada.

2 ¡Ay! ¿Dónde estará mi móvil? Me muero si no lo encuentro. Espero no haberlo perdido.

3 ¿Has olvidado tu clave de acceso? Con la de veces que seguramente la has escrito.

4 –¿Qué tal la comida con Manuela?
–Comer, ha comido conmigo, pero ha estado solo pendiente de su móvil.

5 ¿Y ese dolor de cuello? Me imagino las horas que pasaste ayer frente al ordenador.

4 En pequeños grupos, piensa en buenas prácticas para hacer uso de las tecnologías. Luego, entre todos, seleccionad las que os parezcan mejores y escribid un decálogo con un título.

Pues yo he oído que una buena contraseña no debe llevar ninguna información que esté en tu carné de identidad, así que…

B PLASTICIDAD HUMANA

Escucha y habla

1a En parejas, intentad responder a estas preguntas.

1 ¿Qué número de personas dirías que compone nuestro círculo de relaciones?

2 ¿En qué tipo de empresa existe una mayor colaboración entre los trabajadores: en las grandes o en las pequeñas?

3 ¿Participa el cerebro en la selección del número de personas con las que establecemos vínculos?

4 ¿Qué especie animal se relaciona con un mayor número de miembros?

5 ¿El cerebro de los monógamos es de mayor o menor tamaño que el de otros?

1b ◀ 31 Escucha un extracto del programa científico *Redes* en el que se habla de cómo la evolución ha forjado nuestra manera de relacionarnos con los demás. ¿Habías acertado en tus respuestas?

1c Comenta con tu compañero los datos del programa que te han parecido más interesantes. Utiliza las expresiones del cuadro.

> ### ¡Fíjate!
>
> Para expresar sorpresa y extrañeza podemos usar:
>
> **¡Nunca lo hubiera imaginado!**
> **Pues no sé qué decirte, yo tengo mis dudas.**
> **Pues, yo no pensaba que tuviera tantos amigos.**
> **Claro, tiene su lógica, ahora que lo pienso.**
>
> **Pues yo nunca hubiera imaginado lo de que tendemos a relacionarnos con 150 personas, uff, tengo mis dudas al respecto, me parece un montón de gente.**

2a ¿Cómo será el ser humano del futuro? ¿Qué camino tomará? Lee el texto: da un título que resuma la información en cada párrafo y subraya las palabras que no entiendas.

-Me gustaría ser optimista y quiero pensar que la evolución humana avanza hacia el desarrollo de nuevas capacidades.

-¿Y cuáles dirías que son estas?

¿Qué camino tomará la especie humana?

La mayoría de los científicos opina que el ser huma[no] en nuestro planeta, que cada vez está más contam[...] algunas de las hipótesis emitidas sobre los cambi[os]

1 _____: Se prevé un mayor oscurecimiento de la piel por la mezcla racial. Sin embargo, en algunos países la mezcla genética es más fuerte que en otros. Según los expertos, esto depende de varios factores, como la intensidad de la inmigración y los rasgos físicos únicos que se adaptan al medio ambiente, por lo que es poco probable que la homogeneización completa de la raza humana pueda suceder algún día.

2 _____: Los científicos han comprobado la tendencia del aumento de la estatura de un ser humano. Se cree que los humanos primitivos tenían una estatura media de 160 centímetros y en los últimos siglos la altura del hombre está en constante aumento. El salto especialmente notable se produjo en la última década cuando el crecimiento humano aumentó en un promedio de 10 centímetros. De acuerdo con los investigadores, esta tendencia puede continuar en el futuro, ya que depende en gran medida de la dieta, que cada vez es más nutritiva y asequible.

3 _____: Si se tiene en cuenta la teoría de que los seres humanos seguirán desarrollándose aún más, convirtiéndose en seres más complejos e inteligentes, su cerebro será cada vez más grande, conllevando al crecimiento de la cabeza.

…eguirá adaptándose a los cambios que tienen lugar … dependiente de la tecnología. Las siguientes son …ue se vislumbran para el futuro de la humanidad.

4 _____: Debido a la amplia distribución de la calefacción y ropa asequible, el vello corporal perdió su objetivo inicial, lo que, por su parte, provocó la reducción del cuero cabelludo. No obstante, el destino evolutivo del pelo no es fácil de predecir con exactitud, ya que también pueden actuar como un indicador de la selección sexual. Si la presencia de vello corporal se mantiene como un aspecto atractivo para el sexo opuesto, el gen responsable del mismo permanecerá. Sin embargo, es probable que el hombre del futuro tenga mucho menos pelo.

5 _____: La tecnología, parte integrante de nuestra vida cotidiana, sin duda, afecta al desarrollo del cuerpo humano. Así, el uso constante de los teclados y pantallas táctiles puede conducir a que las manos y los dedos se vuelvan más delgados, largos y ágiles, mientras que el número de terminaciones nerviosas en ellos aumentará considerablemente. Por el contrario, nuestra memoria se verá debilitada a causa de esta.

6 _____: Los investigadores afirman que la clonación, partenogénesis y la creación de matrices artificiales pueden aumentar significativamente el potencial para la reproducción humana, que a su vez borraría por completo los límites entre el hombre y la mujer. Es probable que la humanidad esté completamente mezclada, formando una sola masa andrógina. Y en la nueva sociedad 'sin género' no existirá la diferencia entre mujeres y hombres.

Extraído de http://actualidad.rt.com/sociedad/

Lee

2b En grupos de tres, comparad los títulos y ayudaos a explicar el significado de las palabras que habéis subrayado.

Gramática

2c ¿Qué opinas de lo que dice el artículo? Completa las siguientes frases con tus hipótesis sobre el futuro de la raza humana.

- *Para mí que…*
- *Pudiera ser que…*
- *Cabe la posibilidad de que…*
- *Lo mismo…*
- *No tengo tan claro que…*
- *Sospecho / intuyo que…*

Expresar posibilidad

Para expresar posibilidad o falta de certeza podemos usar estas expresiones:

Para mí que *vamos a ser más bajitos.*

Pudiera ser que *lleguemos a tener hijos a la carta.*

Cabe la posibilidad de que *perdamos la memoria por completo.*

Lo mismo *llegamos a medir dos metros o más.*

No tengo tan claro que *vayamos a ser más morenos.*

Sospecho / intuyo que *seremos más inteligentes.*

Ver más gramática en pág. 169

2d Fíjate en las expresiones anteriores y escribe cuáles van habitualmente con indicativo y cuáles con subjuntivo.

Indicativo: _____
Subjuntivo: _____

Escribe

3 Piensa en otros cambios físicos o actitudinales que sufrirá el ser humano y coméntalo con la clase. Justifica tus ideas.

- ✓ sistema inmunológico
- ✓ inteligencia
- ✓ psicología
- ✓ alimentación
- ✓ medicina
- ✓ muerte
- ✓ espacio
- ✓ relaciones

-Para mí que tendremos un sistema inmunológico más débil pues estoy convencido de que, en el futuro, la humanidad dependerá más de los medicamentos que de sus defensas naturales.

-Pues yo no lo tengo tan claro porque…

C LA AMENAZA ROBOT

Lee y habla

1a ¿Qué crees que nos deparará este siglo en campos como la Inteligencia Artificial? Coméntalo con tus compañeros.

1b En parejas, lee los siguientes titulares sobre tecnología: ¿cómo os imagináis el contenido de la noticia?

1 La coreógrafa Blanca Li lanza espectáculo robótico.

2 Primera madre robot creada.

3 Facebook ofrecerá próximamente experiencias de realidad virtual.

4 *¿Quieres darte una vuelta en 3D por una ópera de Puccini?*

5 MADRID-NUEVA YORK en una hora.

6 Mark Zuckerberg augura un futuro de conexiones mentales en la comunicación.

7 Ciberolimpiadas en Quito.

8 Robot recibe colosal paliza.

1c Lee las noticias y relaciona cada una de ellas con uno de los anteriores titulares.

A "En el futuro, los usuarios de redes sociales estarán habilitados para transmitir pensamientos complejos a sus contactos sin necesidad de mediación, usando exclusivamente una especie de telepatía digital", ha explicado el creador de Facebook en un simposio sobre realidad virtual, añadiendo que "algún día no remoto los consumidores de redes sociales podrán hacer sentir a sus 'amigos' lo que ellos sienten exactamente a través del pensamiento con un proceso basado en la telepatía", que ha bautizado como 'la tecnología de comunicación definitiva'. Sin embargo, nos embarga la duda, ¿conducirá todo ello a una mayor vulnerabilidad del ser humano ?".

B Apenas acabamos de enterarnos del asesinato y posterior descuartizamiento del simpático robot autoestopista, cuando nos llega la noticia del acoso sufrido por un robot en la calle a manos de unos niños. Todo lo cual ha obligado a los científicos japoneses a enseñar a los robots cómo evitar el maltrato, diseñando un plan en el que un robot controlado por control remoto era colocado en un centro comercial de Tokio para analizar cómo los transeúntes interactuaban con él. Se descubrió que la mayoría de personas se apartaban cuando el robot les pedía que le dejasen avanzar. Sin embargo, llegó un nuevo grupo de pequeños que la emprendieron a palos y le propinaron varias patadas a la pacífica máquina ante el asombro de los viandantes. Pero ¿qué puede impulsar a una persona a atacar a estos simpáticos seres no humanos?, nos preguntamos.

C Los técnicos del departamento de robótica de la Universidad de Navarra han creado un robot capaz de fabricar sus propios bebés. Gracias a este experimento han conseguido que esta eficiente máquina examine a sus retoños y seleccione a los que se mueven más rápido, rehaciendo el resto y rediseñándolos para que sean más eficaces. Asombrosamente, los nuevos robots reconstruidos muestran una mayor perfección y cuentan con una velocidad mayor que la de los "nacidos" en primera gestación. ¿Estaremos ante el principio de nuevas familias numerosas?

Revista *Quo*

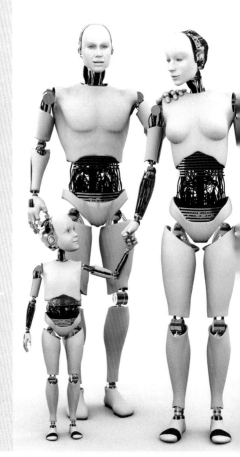

Vocabulario

2 Estas palabras pertenecen a las tres noticias anteriores. Relaciónalas con ellas y verifica con tu profesor que entiendes su significado.

> retoños   autoestopista   reconstruidos   bautizar
> vulnerabilidad   transeúnte   embargar   la duda
> descuartizamiento   eficiente   emprender   a palos

Gramática

3a Observa el uso de los artículos en las siguientes frases extraídas de las noticias anteriores. Únelas con su contexto.

1 Los usuarios de redes sociales transmitirán sus sentimientos a través de un proceso telepático.

a Es el titular de una noticia.

b Es el inicio de una noticia.

2 Usuarios de redes sociales transmitirán sentimientos por proceso telepático.

---

3 El simpático robot autoestopista había sido asesinado.

a En otras noticias ya se ha hablado de este robot.

b Se presenta el robot por primera vez.

4 Un simpático robot autoestopista había sido asesinado.

---

5 Analizaron cómo **los transeúntes** interactuaban con él.

a Se analizó solo a una parte de los transeúntes, no a todos.

b Se analizó a la totalidad de las personas que pasaron.

6 Analizaron cómo **unos transeúntes** interactuaban con él.

---

7 Los técnicos han creado **el robot** capaz de fabricar sus propios bebés.

a Todos esperaban ese robot.

b El robot no era esperado.

8 Los técnicos han creado **un robot** capaz de fabricar sus propios bebés.

---

9 El robot tiene aspecto de humanoide.

a Se habla genéricamente y representa a todas las clases de robots.

b Se habla de un robot identificable.

10 Un robot tiene aspecto de humanoide.

3b Lee las siguientes opiniones de expertos en Inteligencia Artificial y elige el artículo justificando tu respuesta. ¿Cuáles son más optimistas?

1 *El desarrollo de **una/** Ø completa inteligencia artificial podría traducirse en **un/el** fin de la raza humana.* (**Stephen Hawking,** científico británico)

2 *Creo que si queremos progresar hacia **los/** Ø robots realmente inteligentes, debemos tener cuidado de no dar **un/el** "exceso de bombo" a la ciencia.* (**Andrew Ng,** director científico de Baidu, Google chino)

3 *A medida que estemos más y más cerca de **la/** Ø Inteligencia Artificial avanzada, creo que sabremos si es peligrosa o no. Opino que vamos a aprender mucho en **el/un** proceso.* (**Larry Page,** fundador de Google)

4 *¿Y si **una/** Ø máquina cuyo fin, simplemente, es eliminar el spam de nuestro mail determina que la mejor forma de acabar con Ø /**el** spam es… deshacerse de los humanos?* (**Elon Musk,** fundador de la empresa de viajes espaciales SpaceX)

Investiga y escribe

4 Busca algunos hitos tecnológicos de este siglo y preséntaselos al resto de la clase. Decidid cuál os parece más trascendente para el futuro de la humanidad. Usa las fórmulas del cuadro para contraargumentar las propuestas de tus compañeros.

¡Fíjate!

Presentar un contraargumento:

No te falta razón

No (te) niego que + { ***pero / sin embargo / ahora bien / por el contrario…***

No te discuto que

No hay duda de que… a no ser que…

- ¿Sabéis quién es Hawking? Pues, para nosotros, un hito en la historia de la Inteligencia Artificial fue la creación del programa que usa y que registra cómo piensa para adelantarse a sus palabras y acelerar, así, el ritmo de su conversación.

- Sí, cierto, **no os falta razón**, **sin duda alguna** es muy interesante, sin embargo…

D EL HOMBRE EN SU BURBUJA

Lee y habla

1a Mira el mapa, ¿conocías estas costumbres? Coméntalo con tu compañero.

En **Gran Bretaña** y otros países, la forma más frecuente de saludar es con un apretón de manos. En cambio, en Francia, pueden llegar a darse hasta tres besos en la mejilla.

En **Rusia** se suelen regalar flores, ¡pero nunca ramos con un número par!

Escupir, eructar o hurgarse la nariz no estaba mal visto hasta no hace mucho en **China**, aunque actualmente se ha llegado incluso a imponer multas por lo primero.

En **México** y otros países latinos las visitas no anunciadas no son infrecuentes y son agasajadas por el anfitrión con un caluroso recibimiento.

En el **mundo árabe** se utiliza el pan a modo de cubierto. Usan la corteza como cuchara y la miga para absorber las salsas.

En **India** o **Pakistán** emplean la mano derecha para comer o saludar, pues la izquierda es considerada impura (es la que se ocupa en la higiene personal).

En **China** y **Japón** los palillos nunca han de dejarse clavados en el tazón de arroz (evoca rituales funerarios), ni deben chuparse ni morderse.

Vocabulario

1b Busca en los textos anteriores las palabras correspondientes a estas definiciones.

1 Forma de saludarse que consiste en darse la mano con efusividad.
2 Parte de la cara donde se dan y reciben besos.
3 Arrojar saliva por la boca.
4 Extraer con los labios o la lengua el líquido o jugo de una cosa.
5 Atender a alguien ofreciéndole muestras de cariño y afecto.
6 Parte interior y más blanda del pan.

Escucha y habla

2a En pequeños grupos, responde a las siguientes preguntas.

1 ¿Qué aspectos definen a la gente de tu país?
2 ¿Qué es importante para ellos?, ¿a qué le dan más valor?
3 ¿Cómo crees que os ve la gente de otros países?
4 ¿El siglo XXI ha traído cambios en el comportamiento?

2b Observa las imágenes de la derecha, a qué país hacen referencia? ¿Qué sabes de este país y su gente?

2c ◀) 32 Escucha a unos argentinos hablando de cómo se ven a sí mismos y completa el cuadro.

¿Cómo son (o dicen que son) los argentinos?

2d En parejas, ¿cuál de los rasgos comentados es común a tu cultura?, ¿qué adjetivos aplicarías a la gente de tu país?

Glaciar Perito Moreno

Vendedor de mates

Puerto Madero

Bailarines de tango

Congreso Nacional

Lee

3a Lee el siguiente artículo obviando los huecos y resúmelo con tus palabras en una frase.

3b Vuelve a leer el artículo y completa los espacios en blanco con las palabras del recuadro.

retroceder   desplazamiento   proxémico
cómoda   burbuja   apropiada

¿Qué tal te manejas en las distancias cortas?

El sentido del yo del individuo está limitado por su piel; se desplaza dentro de una especie de _____ (1) invisible, que representa la cantidad de espacio aéreo que siente que debe haber entre él y los otros. Esto es algo que cualquiera puede demostrar fácilmente acercándose de forma gradual a otra persona. En algún momento, esta comenzará, irritada o sin darse cuenta, a _____ (2). Las cámaras han registrado los temblores y los mínimos movimientos oculares que dejan al descubierto el momento en que se irrumpe en la burbuja ajena. Edward Hall, profesor de Antropología de la Northwestern Universtity, observó por primera vez y comentó este fuerte sentido del espacio personal; y de su trabajo surgió un nuevo campo de investigación denominado _____ (3), que él ha definido como "el estudio de cómo el hombre estructura inconscientemente el microespacio".

La preocupación principal de Hall consiste en los malentendidos que pueden surgir del hecho de que las personas de diferentes culturas disponen de sus microespacios en formas distintas. Para dos norteamericanos adultos, la distancia _____ (4) para conversar es de aproximadamente setenta centímetros. A los sudamericanos les gusta colocarse mucho más cerca, lo que crea un problema cuando un norteamericano y un sudamericano se encuentran frente a frente.

El sudamericano que se desplaza en lo que él considera la distancia _____ (5) para el diálogo, puede ser considerado "agresivo" por el norteamericano. A su vez, este parecerá engreído para el otro al tratar de mantener la distancia que para él es adecuada. Hall observó una vez una conversación entre un latino y un norteamericano que comenzó en la esquina de un corredor de diez metros y finalmente terminó en la otra; el _____ (6) se produjo por "una serie continuada de pasos hacia atrás del norteamericano e igual ritmo de pasos hacia adelante de su interlocutor".

Extraído de http://dialnet.unirioja.es y de www.inteligencia-emocional.org

3c ¿Puedes explicar el significado de las siguientes expresiones que aparecen en el texto?

1 irrumpir en la burbuja ajena
2 parecer engreído
3 dejar al descubierto
4 acercarse de forma gradual
5 encontrarse frente a frente

Gramática

4 En parejas, comenta si estás de acuerdo o no con las siguientes afirmaciones. Luego, escribe otra con tu opinión y plantéasela al resto de la clase.

1 Los mediterráneos socializan en donde pueden: bares, tabernas, plazas e incluso, lugares de culto.
2 Donde haya gente mediterránea, se escuchará siempre un murmullo.
3 El latino tiende a acercarse adonde se encuentra su interlocutor.
4 Cada cultura estructura su microespacio y se aproxima al otro hasta donde considere educado, entendiendo lo contrario como un avasallamiento de su espacio.
5 Adonde fueres, haz lo que vieres.

Escribe y habla

5 Prepara una exposición de tu propia cultura u otra que conozcas sobre las reglas que se siguen en los siguientes contextos. Escucha a tus compañeros y toma nota de lo que cuenten. ¿Qué has aprendido de otras culturas?

✔ saludos   ✔ gestos   ✔ leyes
✔ puntualidad   ✔ el valor del silencio   ✔ trabajo y negocios
✔ espacio personal ✔ comportamiento en la mesa   ✔ vida doméstica

Para mí, lo más difícil es acertar con los saludos, ¿dar un beso, un apretón de manos?
Un lío, pues en Francia damos uno, dos, tres e incluso cuatro besos, dependiendo de la región.
¡Hala!, no tenía ni idea.

Oraciones de lugar

Este tipo de oraciones indica el lugar donde se realiza la acción del verbo. Siempre van introducidas por el adverbio relativo **donde**, que puede ir precedido, o no, de preposiciones (**de donde, por donde**…) y **adonde**. Pueden indicar dirección, destino, procedencia etc., y van seguidas de indicativo o subjuntivo, según las reglas que rigen las oraciones de relativo.

- **Con indicativo**: nos referimos a un lugar conocido o específico:

  *Fui **adonde me dijeron*** (a un lugar concreto y conocido por el hablante).

- **Con subjuntivo**: hablamos de algo no conocido o no específico:

  *Voy **donde me llamen*** (a cualquier lugar que me digan).

Ver más gramática en pág. 172

EN ACCIÓN

1a Observa la siguiente infografía, ¿crees que las cifras que se barajan serán iguales en tu país?

LOS MEDIOS DE COMUNICACIÓN HOY

PERIÓDICOS Y REVISTAS

El consumo de prensa en papel ha descendido bruscamente, a cambio, se prefiere hojear diarios en su versión *on-line*.

RADIO

Más del 75% de mayores de 60 años escuchan la radio todos los días. Los jóvenes prefieren escuchar música en plataformas como Spotify.

TELEVISIÓN

En España, más del 46% de usuarios de TV la ven entre 1 y 2 horas diarias, preferiblemente después de cenar, y el 55% elige informativos; 36%, cine y películas; y 25%, series y comedias, aunque el 56% considera que la calidad de las emisiones es poca.

Cientos de millones de personas ven la retransmisión de la Gala de Año Nuevo en la televisión estatal china, lo que lo convierte en el programa más visto del mundo.

INTERNET Y REDES SOCIALES

En Europa, internet es usado por este orden:

51 %
entretenimiento

45 %
noticias

39 %
contacto con personas

29 %
aprender

10 %
trámites y compras

2 %
conocer gente

Cada segundo se suben o se descargan un millón de minutos de vídeo en el mundo.

Adaptado de http://es.slideshare.net/lkusmer/estudio-sobre-uso-de-internet-y-de-medios-de-comunicacion

1b 📄 **DELE** Vas a mantener una conversación con un entrevistador sobre este tema (tiempo 4-6 minutos). En la conversación, deberás: dar tu opinión sobre el tema; justificarla con argumentos; rebatir las opiniones de tu interlocutor… Puedes usar los siguientes modelos:

- Según datos de…
- Además de…
- Se estima que…
- Las estadísticas indican que…
- En lo que respecta a…
- Este incremento / descenso…
- Ha contribuido / se ha mantenido…
- De lo que se desprende que…

Diario de aprendizaje

1 ¿Qué temas se han visto en cada epígrafe? ¿Cuál te ha gustado más y por qué?

A SONAMBULISMO TECNOLÓGICO:

B PLASTICIDAD HUMANA:

C LA AMENAZA ROBOT:

D EL HOMBRE EN SU BURBUJA:

2 Escribe tres preguntas sobre los contenidos de la unidad y házselas al resto de tus compañeros. Después, analiza qué necesitas repasar.

APÉNDICE

- Gramática
- Transcripciones
- Soluciones

UNIDAD 1
INTENSIFICACIÓN DEL ADJETIVO

Para intensificar o dar más fuerza a los adjetivos, utilizamos diferentes recursos lingüísticos, como el grado superlativo, los morfemas intensivos o la anteposición de adverbios en -mente.

1 El grado superlativo

La forma superlativa del adjetivo expresa el significado de este en su mayor intensidad.

- El superlativo de los adjetivos regulares se forma añadiendo el sufijo –ísimo/a: difícil > dificilísimo.
- El superlativo absoluto de adjetivos terminados en –ble se forma con -bilísimo/a: ambable > amabilísimo.
- Algunos superlativos cultos se forman a partir del lexema latino:

antiguo > antiquísimo	noble > nobilísimo
fiel > fidelísimo	nuevo > novísimo
fuerte > fortísimo	reciente > recentísimo
	sabio > sapientísimo

- Hay superlativos que proceden del latín y tienen lexemas diferentes a los del grado positivo, que en ocasiones conviven con las formas en –ísimo/a: óptimo (de bueno), pésimo (de malo), máximo (de grande), mínimo (de pequeño), supremo (de alto), ínfimo (de bajo).

- Algunos superlativos tienen una raíz culta y se forman con el sufijo érrimo/a:

acre > acérrimo	mísero > misérrimo
áspero > aspérrimo	pobre > paupérrimo
célebre > celebérrimo	libre > libérrimo

- Algunos adverbios admiten la forma superlativa: lejísimos, cerquísima.

2 Morfemas intensivos

En la lengua hablada expresamos intensidad añadiendo al adjetivo calificativo los prefijos:

- super-: preferido por los jóvenes y niños en el español de España: ¡Es **superbonito**!

- re-: preferido en el español de América y, especialmente, en el Cono Sur: ¡Qué **relindo**!

- requete-: cada vez menos frecuente en el español de España: Este bizcocho está **requetebueno**.

Estos prefijos se usan también con los adverbios bien y mal: Este trabajo está **requetemal**. La película que me recomendaste está **superbien**.

3 Anteposición de adverbios en –mente

Los adverbios en –mente pueden modificar adjetivos, verbos, adverbios, incluso oraciones. Antepuestos al adjetivo pueden aportar los siguientes valores:

- **Adverbios intensificadores:** realmente, francamente, ver-daderamente, sumamente. Enfatizan una cualidad expresada con un adjetivo o un adverbio:
Este hombre es **francamente** admirable.

- **Adverbios que indican el grado alto de una cualidad:** ligeramente, levemente. Se usan cuando esta cualidad la percibimos como negativa, pero la suavizamos para ser menos bruscos, más corteses o con intención irónica:
Esta carne está muy buena, pero **ligeramente** salada.

- **Adverbios de conocimiento y percepción:** visiblemente, notoriamente, manifiestamente, sensiblemente, supuestamente…:
Lo noté **visiblemente** afectado.

- **Adverbios excluyentes:** sencillamente, simplemente…:
Lo encuentro **sencillamente** maravilloso.

- **Adverbios de tiempo:** brevemente, constantemente, definitivamente, eternamente, sucesivamente…:
Te estaré **eternamente** agradecida por este favor que me has hecho.

- **Adverbios de calidad:** cuidadosamente, perfectamente, fácilmente, pésimamente, pobremente…:
Este libro está **pésimamente** escrito.

- **Adverbios de relación:** conjuntamente, internamente, mutuamente…:
La decisión fue **mutuamente** consensuada.

ACTIVIDADES

1 Relaciona estos adjetivos con su definición.

1	Óptimo/a ___	**6**	Humilde ___
2	Escrupuloso/a ___	**7**	Íntegro/a ___
3	Frívolo/a ___	**8**	Provechoso/a ___
4	Austero/a ___	**9**	Afable ___
5	Caradura ___		

a Superficial, ligero o de poca importancia.
b Agradable en la conversación y el trato.
c Sobrio, sin adornos o que obra de forma severa y rígida.
d Muy bueno, que no puede ser mejor.
e Que no presume de sus logros y actúa sin orgullo.
f Que realiza la función o el trabajo que se le encomienda con cuidado, esmero y minuciosidad. / Que siente o suele sentir asco o aprensión hacia las cosas.
g De comportamiento recto e intachable.
h Persona descarada, atrevida y sin vergüenza.
i Que causa provecho, beneficioso, útil.

Completa las siguientes frases con alguno de los adjetivos anteriores.

1 Marta es buenísima, ha obtenido unos resultados _____ en los exámenes.

2 Le tocó la lotería pero sigue siendo tan _____ como siempre sin presumir de nada.

3 No he visto a nadie más _____ que Juanjo, no sé cómo se las arregla para irse justo cuando le toca pagar.

4 Es incapaz de limpiar la taza del váter por lo _____ que es.

5 Se pasa el día cotilleando sobre los famosos, me resulta demasiado _____ .

6 ¡Qué _____ me ha resultado esta conferencia: lo voy a aplicar a mis clases desde mañana mismo!

3 Completa los adjetivos de carácter con los adverbios en *–mente* que aparecen en el test de personalidad.

> verdaderamente tremendamente
> sumamente irremediablemente
> levemente ligeramente
> inmensamente manifiestamente

1	_____ responsable	5	_____ introvertido
2	_____ sensible	6	_____ emotivo
3	_____ independiente	7	_____ vulnerable
4	_____ prepotente	8	_____ orgulloso

VERBOS CON PREPOSICIÓN

Algunos verbos tienen complementos que obligatoriamente se construyen con preposición. Las más frecuentes son: *a, con, de, en.*

A continuación, ofrecemos algunos de estos verbos de uso más común. Observa que hay bastantes ejemplos de infinitivos con *–se* (son excepcionales los verbos pronominales que tienen complementos sin preposición).

Se construyen con *a* los verbos que expresan:

■ Destino de un movimiento o dirección: *ir, llegar, salir, venir, subir.*

■ Movimiento en sentido figurado: *aspirar, atreverse, decidirse, asistir.*

■ Principio de acción: *comenzar, disponerse, romper, arriesgarse, decidirse*

■ Otros: *abrirse, acostumbrarse, aficionarse, adaptarse, negarse, someterse, parecerse, detenerse, obligar, invitar.*

Se construyen con *con* los verbos que expresan:

■ Compañía, encuentro o relación entre varios elementos: *asociarse, encontrarse, tropezarse, reencontrarse, convivir, casarse, entenderse, compararse.*

■ Medio, modo o instrumento: *ayudar, amenazar.*

■ Idea de causa: *aburrirse, disfrutar, contentarse, entusiasmarse, conformarse.*

■ Otros: *soñar.*

Se construyen con *de* los verbos que expresan:

■ Origen de un movimiento o dirección: *ir, llegar, salir, venir, subir.*

■ Distanciamiento o procedencia: *alejarse, apartarse.*

■ Propiedad o responsabilidad: *adueñarse, apropiarse, encargarse, ocuparse.*

■ Final de acción: *acabar, cesar, dejar, terminar.*

■ Idea de medio o instrumento: *armarse, atiborrarse, cargarse, valerse.*

■ Otros: *abusar, acordarse, alimentarse, aprovecharse, cansarse, darse cuenta, depender, despedirse, disfrutar, divorciarse, enamorarse, enterarse, fiarse, olvidarse, quejarse.*

Se construyen con *en* los verbos que expresan:

■ Interiorización o participación: *colarse, entrar, infiltrarse, insertar.*

■ Sobre: *apoyarse, colocarse.*

■ Resultado final: *acabar, convertirse, quedar, tardar, transformarse, empeñarse.*

■ En relación a: *coincidir, insistir, dudar.*

■ Otros: *confiar, fijarse.*

Algunos verbos al cambiar de significado llevan una preposición diferente o prescinden de ella.

■ *Proceder a:* comenzar a realizar una acción después de un proceso: ***Procederemos a*** *efectuar el reembolso.*

■ *Proceder de:* tener origen o haber salido de un lugar: *El vuelo que* ***procede de*** *Canarias está aterrizando en este momento.*

■ *Constar de:* estar compuesto, tener determinadas partes: *El libro* ***consta de*** *dos partes bien diferenciadas.*

■ *Constar en:* quedar registrado: ***Conste en*** *acta que el acusado se niega a responder.*

■ *Aburrirse con:* sufrir aburrimiento debido a algo o a alguien: ***Me aburría con*** *sus historias de la guerra, siempre contaba lo mismo.*

■ *Aburrirse de:* cansarse de algo: ***Me aburría de*** *estudiar y decidí salir a la calle.*

■ *Colaborar con:* trabajar con más gente en la elaboración de algo: *Fue despedido porque no* ***colaboraba con*** *el resto del equipo.*

■ *Colaborar en:* realizar una determinada tarea en un trabajo de equipo: *Entre otros muchos artistas, Esteban* ***colaboró en*** *la realización de este nuevo disco.*

- *Colocarse:* ponerse *en* un lugar o posición: *Se **colocó** en primera posición para que se le viera mejor en la foto.*
- *Colocarse de*: conseguir un trabajo o cambiar de posición: *Ha conseguido **colocarse de** encargado en el banco.*
- *Reírse de:* burlarse de alguien o algo: *En el colegio siempre **se reían de** sus ocurrencias.*
- *Reírse con:* manifestar alegría y risa en compañía de alguien: ***Me reí** mucho **con** tus amigos, son muy simpáticos.*
- *Contar:* numerar, calcular o decir: *No **conté** el número de asistentes en la reunión, pero sé que faltaba gente.*
- *Contar con*: tener en cuenta a alguien: *No **contaba con** ella, pero no quiso perderse la fiesta.*

En otros casos, **un verbo admite el mismo complemento introducido por dos preposiciones** sin cambio de significado.

- *Alegrarse de / por*
- *Asustarse con / de / por*
- *Esforzarse en / por*
- *Sorprenderse con / de*
- *Tratar de / sobre*
- *Preocuparse de / por*
- *Pensar en / sobre*

Cuando **dos verbos coordinados** se construyen con la misma preposición, pueden compartirla: ***Se ocupó** y **se adueñó del** proyecto.*

Cuando seleccionan distintas preposiciones, aparece a veces solo la segunda en el habla coloquial: ***Llegó** y **salió de** casa corriendo.*

En los **registros formales** se prefiere evitar estas construcciones y desdoblar los grupos nominales: *Admiraba a sus compañeros y confiaba en ellos* en lugar de *Admiraba y confiaba en sus compañeros.*

ACTIVIDADES

4 Escribe la preposición adecuada en estas frases (en algunos casos hay más de una respuesta correcta).

1 Nunca confíes _____ la gente que no conoces.
2 Me alegro mucho _____ tu ascenso, te lo mereces.
3 Le declararon culpable y lo condenaron _____ tres años de cárcel.
4 La película trata _____ un grupo de ladrones que quiere robar un banco.
5 Piensa bien _____ lo que te he dicho.
6 Cuento _____ vosotros para que me ayudéis a organizar la fiesta del sábado.
7 Ya me he cansado _____ tus excusas.
8 Le obligaron _____ firmar ese documento.
9 No me he enterado _____ nada de lo que ha dicho.

5 Lee este diálogo, encuentra tres errores y corrígelos.

- Oye, ¿qué te pasa? Te noto preocupada.
- Sí, bueno, acabo de hablar con mi hermana y me ha contado que ella y Juan se están separando
- ¡No me digas!, no tenía ni idea. ¿Qué ha pasado?
- Bueno, no sé bien, al parecer ella dice que Juan siempre se quejaba en todas las cosas que ella hacía y estaba harta de su mal humor.
- ¿De verdad? No me lo puedo creer, parecían tan felices. Me acuerdo del viaje que hicimos con ellos a Sevilla, no se separaban ni un momento.
- Sí, bueno, eso fue al principio. Después, comenzaron a discutir cada vez más hasta que se dieron cuenta de que aquello no tenía solución.
- ¿Y no han pensado en asistir en una terapia de parejas? A unos amigos míos les fue muy bien.
- No sé, yo no les he comentado nada. De todos modos ya conoces a Juan, es un escéptico, seguro que se negaría de ir.
- Ya, pero quizás ahora vea las cosas de un modo diferente. Creo que al menos deberíamos comentárselo. Después, que ellos decidan.

EXPRESAR GUSTOS, HABILIDADES, AVERSIÓN O PREFERENCIAS

Ofrecemos a continuación una serie de posibilidades léxicas y gramaticales para expresar gustos, habilidades, aversión o preferencias.

Expresar gustos

- *Disfruto a lo grande de* + sustantivo (*mis hijos*).
- *No me canso de* + sustantivo o verbo en infinitivo (*jugar al tenis*).
- *Me siento atraído por* + sustantivo (*Amelia*).
- *Me pongo a dar saltos de alegría* + *cuando/si* + presente indicativo (*cuando veo a mi hermano*).
- *Disfruto a lo grande* + gerundio / *cuando/si* presente de indicativo:
  ***Disfruto a lo grande** yendo a toda velocidad con la bici / **cuando** / **si** voy en bici a toda velocidad.*

Expresar habilidades (o falta de estas)

- *No hay quien me gane a, soy muy patoso/a para, tengo buena mano para* + sustantivo.
- *Soy un hacha /as/ fenómeno con o en* + sustantivo.
- *No hay quien me gane, soy muy patoso/a, soy un hacha /fenómeno* + gerundio:
  ***Soy un fenómeno** jugando al ajedrez. / **No hay quien me** gane al fútbol.*

Expresar aversión

- *Me espanta, me repugna, me da náuseas, me saca de quicio, me pone de un humor de perros, aborrezco* + sustantivo / + infinitivo / + *que* + subjuntivo:
- *Me saca de quicio que me digan a todas horas lo que tengo que hacer.* / *Aborrezco la carne.* / ***Me pone de un humor** de perros levantarme antes de las 7h.*

Expresar preferencias

- *Si me dan a elegir* + verbo en presente o condicional:
  ***Si me dan a elegir**, iría de vacaciones a Brasil.*
- *Si me dieran a elegir* + verbo en condicional o imperfecto (en lengua hablada):
  ***Si me dieran a elegir**, me quedaría / quedaba con el grande.*
- *No cambiaría (de)* + sustantivo + *por nada del mundo*:
  ***No cambiaría** de país **por nada en el mundo**.*
- *Me quedo con* + sustantivo o infinitivo.
  ***Me quedo con** mis recuerdos.*

ACTIVIDADES

6 Elige la opción correcta.

1 *Le espanta / Le espantan* las arañas.
2 *Le ponen de humor de perros / Le ponen de un humor de perros* los días de frío.
3 *Le saca de quicio / Le sacan de quicio* la gente que habla mucho.
4 Disfruta a lo grande *aprendiendo español / de aprender español.*
5 Es un hacha *en los deportes / por los deportes.*
6 No cambiaría *para nada del mundo / por nada del mundo* su país.
7 *Me siento atracción por / Me siento atraído por* la literatura hispana.

7 Palabras en combinación: aunque las expresiones de la izquierda tienen un significado similar, no pueden usarse con cualquier habilidad. Elige la más adecuada en cada caso. Hay más de una opción.

1 Ser un fenómeno	del deporte
	al pimpón
2 Ser un as	en física
	con los niños
3 Tener buena mano	con las matemáticas
	para las plantas
	en clase
4 No hay quien me gane	a las cartas

UNIDAD 2

EXPRESAR FINALIDAD

Para expresar finalidad usamos los siguientes **conectores**:

- ***Para (que)***
Es el conector más habitual:
*Te llamé **para que** me contaras cómo estás.*
- ***Con miras a (que)***
Con el objeto / la finalidad /
la intención / la esperanza /
el propósito / la idea de (que)
A fin de (que)
Expresan la intencionalidad del sujeto.
Son más propios de un registro formal:
*Ampliaron el negocio **con miras a** mejorar sus ventas.*
*Se reunieron **con la intención de** encontrar una solución.*
- ***A (que)***
Se usa con verbos de movimiento en situaciones más coloquiales:
*Voy al médico **a que** me recete algo.*
- ***Que***
Cuando la oración principal es un mandato:
*Escóndete, **que** no te vean.*
- ***No sea que / no vaya a ser que***
Expresa un fin no deseado:
*Llevaré un paraguas, **no sea que** me moje.*

Posición: Las estructuras finales tienen siempre un valor futuro en relación con el verbo de la oración principal, por lo cual suelen aparecer al final de la oración (*Hice eso **con la esperanza de que** no me molestaran más*), pero a veces se antepone con una intención intensificadora (***A fin de que** no haya dudas, voy a aclarar esto*). En ocasiones aparecen elementos intercalados en la oración final (*Trabajé rápido **para así** terminar antes*) o la oración final se intercala entre la principal (*El final, **para ser sincero**, me decepcionó un poco*) como si se produjera un inciso en el discurso.

Estructura: las oraciones finales llevan el verbo en infinitivo, si el sujeto coincide con el de la oración principal, o en subjuntivo, cuando no coincide.
Mismo sujeto:

*Me quedé después de clase para **revisar** mis apuntes.*
$\qquad$ Yo $\qquad$ Yo

Distinto sujeto:

Me quedé después de clase...
$\qquad$ Yo

*...para que el profesor me **aclarara** una duda.*
$\qquad$ Él

Oración principal	Oración subordinada
pasado	pasado (imperfecto de subjuntivo)
Lo hice	*para que aprendiera.*
pasado	presente o futuro (presente de subjuntivo)
Lo hice	*para que aprendas.*
presente o futuro	presente o futuro (presente de subjuntivo)
Lo hago / Lo haré	*para que aprendas / tengas un futuro mejor.*

Otros valores: la oración encabezada por ***para (que)*** puede tener otros valores que no expresan finalidad:

■ Consecuencia:
*Te falta valor **para** decírselo* (= te falta valor, por eso no se lo dices).

■ Condición:
*Estás muy loco **para** hacer algo así* (= si haces algo así, estás loco).

■ Contraste concesivo:
*No conduces mal **para** ser la primera vez* (= no conduces mal, aunque es tu primera vez).

■ Sucesión cronológica:
*Dejaron la casa **para** ir al río* (= dejaron la casa y, a continuación, se fueron al río).

■ Contradecir al interlocutor:
*Fue él quien nos ayudó, **para** que luego digas* (fue él quien nos ayudó, en contra de lo que tú decías).

ACTIVIDADES

1 Crea una oración que exprese finalidad a partir de estas frases.

1 Se apuntó a clases de francés. Desde pequeña había tenido la ilusión de vivir en París.
2 La empresa compró un nuevo local. La directiva piensa ampliar el negocio durante el próximo año.
3 Ve al médico, necesitas que te recete algo para acabar con esa tos.
4 Voy a comprar las entradas del concierto, no quiero que nos lo perdamos.
5 Llevo toda la semana entrenando con mis compañeros de equipo, no quiero quedar en mal lugar el día de la competición.
6 Explícale lo que ha sucedido, así tu jefe sabrá que se trata de un simple malentendido.

2 Cambia estas frases por otras que contengan *para (que)*.

1 Si me tratas así, me marcho.
2 Aunque es muy mayor, tiene mucha agilidad.
3 Siempre dices que no hago nada, pero esta semana me he ocupado yo de limpiar toda la casa.
4 Se despidió de su trabajo y empezó una nueva vida.
5 No estoy de buen humor, por eso no voy a discutir este tema contigo.

3 Reacciona ante estas situaciones usando las estructuras que has aprendido.

1 El hijo de tu amiga tiene solo cinco años, pero está muy alto.
2 Tus amigos no creían que fueras a aprobar el examen, pero lo has conseguido.
3 En el trabajo estás siempre ordenando documentos y nunca te dan ningún trabajo de responsabilidad.
4 Tu compañero cree que has conseguido el trabajo porque tienes algún contacto en la empresa.

FUNCIONES COMUNICATIVAS

Para realizar estas funciones comunicativas podemos usar las siguientes fórmulas.

1 Invitar o proponer un plan

■ *No sé qué planes tendrás, pero…* / *Supongo que (ya) tendrás planes, pero…* + invitación. Cuando queremos invitar a alguien y tantear si estará ocupado/a o no: ***No sé qué planes tendrás** para el puente, **pero** podríamos apuntarnos al curso de percusión latina. / Supongo que ya tendrás planes, pero te comento que vamos a ir a un spa este domingo. ¿Te apuntas?*

■ *No puedes* + infinitivo. Para invitar u ofrecer algo o bien insistir en la invitación o el ofrecimiento: ***No puedes** perderte el concierto de Shakira. / **No puedes** decir que no a este postre.*

■ *¿Te apuntas / Te vienes a…?* Para proponer un plan: *¿**Te apuntas** a la excursión del domingo? / ¿**Te vienes** a tomar algo?* También se puede usar al final de una propuesta: *Voy a ir a un curso de cata de aceites, ¿**te apuntas**?*

■ *Si te parece + poder.* Para proponer un plan o hacer una sugerencia: ***Si te parece podríamos** hacer un circuito termal.*

■ *¿No ser mejor* + infinitivo / + *que* + subjuntivo. Sugerir otra alternativa: *¿**No sería mejor** elegir otra cosa más tranquila? / ¿**No es mejor que** reservemos todos juntos?*

■ *¿No estar mejor* + complemento de lugar o modo? Sugerir otra alternativa: *¿**No estaríamos mejor** en un balneario?*

- *Les sugiero* + sustantivo / infinitivo / *que* + subjuntivo. Sugerir en un registro formal: ***Les sugiero que*** *reserven con antelación las fechas.*
- *Me permito proponer / sugerir* + sustantivo / *que* + subjuntivo. Proponer o sugerir en un registro formal: ***Me permito proponerles*** *un masaje descontracturante para terminar el circuito termal.*

2 Solicitar confirmación de una propuesta

- *(Bueno, ¿qué?) ¿Ya sabes si…?*: *Bueno, ¿qué?* ***¿Ya sabes si*** *vas a poder venir este fin de semana?*
- *(Al final / Por fin) ¿Te vas a animar a… / ¿Te decides a… (o no)?*: ***Al final, ¿te vas a animar a*** *la cata de quesos o no?*
- *¿Podría confirmarme si…?* Registro formal: ***¿Podría confirmarme si*** *va a venir?*

3 Aceptar una propuesta u ofrecimiento sin reservas

- *No te voy a decir que no*: *Pues* ***no te voy a decir que no***, *después de lo bien que lo has organizado.*
- *No me puedo negar*: *Viniendo de ti la invitación,* ***no me puedo negar.***
- *¿A qué esperamos?*: *–¿Nos apuntamos al curso de parapente? –¡Qué buena idea!* ***¿A qué esperamos?***
- *(Eso está) hecho*: *–¿Una cerveza? –****Hecho***.

4 Aceptar una propuesta u ofrecimiento con reservas

Para ello podemos usar frases condicionales:
- *No, a no ser que* + subjuntivo: ***No, a no ser que*** *hagamos algo tranquilo.*
- *Bien, acepto, siempre que* + subjuntivo: ***Acepto, siempre que*** *no sea muy caro.*
- *Mientras no* + subjuntivo…: ***Mientras no*** *sea algo muy peligroso…*

5 Rechazar una propuesta u ofrecimiento

- *Siento perdérmelo, pero…* Rechazar de forma cortés y poner una excusa: ***Siento perdérmelo, pero*** *ya tengo planes para ese día, otra vez será.*
- *Precisamente / justamente… no puedo.* Rechazar poniendo énfasis en la excusa: *¡Vaya, hombre!* ***Precisamente*** *ese fin de semana no puedo, trabajo.*
- *Te voy a tener que decir que no*: *Lo siento mucho, pero* ***te voy a tener que decir que no***.
- *¡Qué dices! / ¡Que no! / Ni hablar. / Ni pensarlo. / Ni loco. / Ni atado.* Rechazar rotundamente:
  –¿Alquilamos un Ferrari?
  *–****¡Qué dices! Ni pensarlo****, eso tiene que ser carísimo, no cuentes conmigo.*

ACTIVIDADES

4 Relaciona el principio de cada frase con su final.

1 Supongo que ya tendrás planes para este fin de semana, ___
2 No puedes ___
3 ¿Te vienes a ___
4 Si te parece ___
5 ¿No estaríamos mejor ___
6 ¿Podría confirmarme si ___
7 Bien, acepto siempre que ___
8 Siento perdérmelo, ___

a mi casa?
b faltar a mi fiesta este sábado.
c podemos hacer la fiesta en el jardín.
d pero ya había quedado.
e va a asistir al curso?
f me prometas que vamos a volver pronto.
g en una cafetería en vez de aquí en la calle?
h pero, si puedes, estás invitado a mi cumpleaños.

5 Continúa las siguientes respuestas:

1 ▪ ¿Te apuntas al curso de salsa el viernes?
  ▪ Precisamente…
2 ▪ Bueno, ¿qué? ¿Ya sabes si vienes a la fiesta?
  ▪ Siento perdérmela, pero…
3 ▪ Si te parece, podemos apuntarnos a un curso de cocina mediterránea.
  ▪ Bueno, mientras no…
4 ▪ ¿Nos tomamos otra caña en la terraza?
  ▪ Vale, pero ¿no estaríamos mejor…
5 ▪ No sé qué planes tienes ahora pero ¿te apetece un café?
  ▪ Eso…
6 ▪ ¿Qué te parece si nos apuntamos al maratón?
  ▪ ¡Qué dices!...

6 Completa las siguientes invitaciones y propuestas y luego escribe una respuesta aceptando o rechazando según tus gustos y disponibilidad.

1 Estamos pensando alquilar un coche este fin de semana para recorrer los pueblos de alrededor, ¿te ___?
2 No sé qué ___ tienes para esta noche, pero ¿te apetece salir a cenar a un restaurante japonés?
3 Si te ___ podríamos organizar una fiesta de fin de curso.
4 Al final ¿te vas a ___ a cantar un villancico en español?
5 ¿Te ___ al cine con nosotros mañana por la noche?
6 Los compañeros quieren quedarse a comer en la cantina del colegio, ¿no ___ mejor ir a un restaurante por la zona?

UNIDAD 3

PARTÍCULAS RELATIVAS

Que, cual, quien

- Las partículas relativas **que**, **cual**, **quien** introducen oraciones subordinadas, y desempeñan una función en esa oración. Normalmente se refieren a un elemento anterior en el discurso (**antecedente**), que es explícito: *Cualquier español* (antecedente) **que** (relativo) *lo desee puede optar al puesto de trabajo.*

- Pero también puede no hacer referencia a un elemento anterior. En este caso decimos que el antecedente es implícito:
Los que pasan las primeras fases del proceso de selección…

- Actúan como nexo y pueden desempeñar diferentes funciones:
  - **sujeto**: *Los candidatos **que** solicitaron el puesto;*
  - **complemento directo**: *La entrevista **que** pasé fue muy larga;*
  - **complemento indirecto**: *Es el puesto **al que** me presenté por primera vez;*
  - **complemento circunstancial**: *La sala **en la que** nos hicieron las primeras pruebas estaba en la sede central.*

- Las oraciones de relativo pueden ser de **dos tipos**:
  - **Especificativas**: aportan información esencial para identificar al antecedente, implícito o explícito, y distinguirlo de otros posibles:
  *Los candidatos **que** pasaron el primer proceso de selección fueron llamados para una entrevista* (identifica al antecedente: de todos los candidatos posibles, solo interesan aquellos que pasaron el proceso de selección).
  Los que han firmado el contrato pueden venir a recogerlo (el antecedente es implícito, solo interesan las personas que han firmado el contrato, no todas las personas).
  - **Explicativas**: aportan información adicional sobre el antecedente pero no es necesaria para identificarlo. Siempre el antecedente es explícito. Van separadas por pausas en la expresión oral o por comas en la escrita:
  *La entrevista, **que** en un principio me asustaba, terminó siendo muy amena.*

- Las oraciones de relativo rigen **indicativo** cuando el antecedente es conocido:
*Las ofertas de empleo de esta semana, **que** no son pocas, **parecen** muy interesantes.*
También cuando hacen referencia a hechos que consideramos verdades universales o que queremos declarar:
*La empresa **que** cuida a sus empleados **consigue** más beneficios.*
Por ello, en las oraciones de relativo explicativas, el verbo va en indicativo, ya que normalmente dan información de algo ya conocido, o de lo que queremos informar.

- Las oraciones de relativo rigen **subjuntivo** cuando el antecedente no es conocido:
*Buscamos a una persona **que tenga** disponibilidad para viajar y coche propio* (no hablamos de una persona en concreto).

- En algunos casos, la misma oración de relativo puede regir **indicativo** o **subjuntivo**, dependerá del punto de vista del emisor:
*Los empleados **que tienen** / **tengan** hijos, pueden traerlos a la fiesta de Navidad* (con indicativo tenemos en mente al grupo de empleados que tienen hijos, con subjuntivo no sabemos qué empleados tienen hijos).

Que

- Es la partícula relativa más común y se emplea tanto en oraciones especificativas como explicativas.

El / la / los / las + que

- Cuando el antecedente es implícito va precedido del artículo, concordando en género y número con él:
Los que quieran solicitar el puesto tienen que ponerse en contacto con…
También, cuando el verbo de la oración relativa necesita una preposición:
*La sala de conferencias **en la que** nos hicieron la entrevista grupal…*

- Se emplea la partícula relativa **lo que** cuando el antecedente explícito o implícito no tiene género, porque es una oración o una idea:
*No me preguntaron **lo que** yo me esperaba.*
***Lo que** no me queda claro es el salario.*
También, en oraciones relativas comparativas, como segundo término de la comparación:
*Solicitar inicialmente un puesto de trabajo en el CNI es más fácil de **lo que** parece.*

- Se puede omitir el artículo cuando el antecedente es un sustantivo complemento circunstancial temporal y no necesita preposición en la oración sin relativo:
*Entré en esta empresa **el año** pasado.*
*El año **en (el) que** entré a trabajar en esta empresa…*

- No se puede suprimir la preposición del relativo cuando el antecedente lleva la misma preposición:
*Me voy de viaje **con** la empresa **con la que** trabajo actualmente.*

El cual / la cual / lo cual / los cuales / las cuales

- En muchas ocasiones es equivalente a la partícula relativa **que** en un registro más cuidado:
*Voy a trabajar en el edificio **en el que** / **en el cual** me convocaron en la primera entrevista de trabajo que hice cuando terminé el máster.*

- No se puede usar en oraciones especificativas sin preposición:

  *Las ofertas **que** he visto hoy no son interesantes.- Las ofertas ~~las cuales~~ he visto hoy no son interesantes.*

- Solo puede aparecer sin preposición en oraciones de relativo explicativas:

  *Las personas desempleadas, **las cuales** no reciben un salario, tendrán derecho al subsidio.*

- No se emplea cuando el antecedente es implícito:

  ~~*El cual*~~ *quiera presentar la solicitud que lo haga.-**El que** quiera presentar la solicitud que lo haga…*

Quien / quienes

- Es equivalente con la partícula relativa **el que / la que / los que / las que** con antecedente humano en un registro más culto.

- Necesita preposición en oraciones especificativas:

  *La compañera **con quien** trabajo está de baja maternal.*
  *La compañera **con la que** trabajo está de baja maternal.*

- Solamente puede aparecer sin preposición en función de sujeto:

  ***Quien** tenga un máster podrá solicitar la beca.*

- Equivalencia con la partícula relativa ***que*** en oraciones explicativas, aunque es menos común:

  *Mi compañero, **que** lleva menos tiempo en la empresa, ha sido ascendido.*
  *Mi compañero, **quien** lleva menos tiempo en la empresa, ha sido ascendido.*

ACTIVIDADES

1 Relaciona elementos de las columnas para formar frases relativas. Se pueden repetir las partículas de relativo.

1 Solo aquellos		• me sudaban mucho las manos.
2 El proceso de selección es más duro	el que	• trabajo.
3 Estaba tan nervioso	de lo que	• me imaginaba.
4 Realizo un trabajo	en la que	• me hizo la entrevista.
5 Fue mi jefe actual	del que	• rellenen el formulario serán tenidos en cuenta.
6 Ayer hice una entrevista	con el que	• me preguntaron si quería tener hijos.
7 Estoy muy contento con el equipo	que	• me siento muy orgulloso.

2 Marca si el uso de los conectores relativos es correcto en cada frase y corrígelo cuando sea necesario.

1 La agencia de viajes **con la que** reservé mis últimas vacaciones ha quebrado. ✓

2 Pregunté a María pero no me dijo **el que** yo quería.

3 **El cual** no haya estado en las playas de Cabo de Gata no sabe lo que se pierde.

4 ¿Conoces el nombre del actor **que** hace de padre de la chica en la película de *Ocho apellidos vascos*?

5 **Los que** quieran participar en el sorteo tienen que rellenar este cupón.

6 La habitación **en la que** me metieron el primer día no tenía ni ventana.

7 La obra de teatro **la cual** he visto este fin de semana es espectacular, os la recomiendo.

8 Voy a empezar a trabajar con la empresa **con que** hice las prácticas durante la carrera.

9 Vivir en el campo es más duro de **que** parece.

10 Solo los clientes **quienes** reclamaron obtuvieron una compensación.

CONECTORES DEL TEXTO

Llamamos conectores a palabras y locuciones que relacionan entre sí oraciones y sintagmas, dando sentido al texto y favoreciendo su cohesión.

Existen diferentes tipos de conectores:

1 Conectores que estructuran el texto · Sirven para organizar el discurso.

Iniciadores	Indican el comienzo.	*Para empezar, antes que nada, primero de todo, en primer lugar...*
Ordenadores	Marcan el orden de las diferentes partes.	*Primeramente, en primer lugar, en segundo lugar, posteriormente, a continuación, por último, finalmente...*
Introductores	Señalan un nuevo tema.	*Por otro lado, por su parte, en otro orden de cosas, otro aspecto es...*
Distributivos	Establecen una distinción entre dos aspectos.	*Por un lado... por otro, por una parte... por otra, estos... aquellos...*
De resumen	Resumen lo dicho hasta el momento.	*En resumen, brevemente, resumiendo, en pocas palabras...*
Espacio-temporales	Indican espacio o tiempo.	*Antes, ahora, hasta el momento, hasta aquí, en este momento, más arriba...*
Conclusivos	Cierran el texto o una parte.	*En conclusión, en resumen, por último, para terminar, en definitiva...*

2 Conectores que estructuran las ideas · Explican la estructura del texto.

De adición	Añaden nueva información.	*Además, encima, igualmente, asimismo, del mismo modo...*
De contraste	Contrastan o contraargumentan.	*Pero, en cambio, sin embargo, no obstante, por el contrario, en tanto que, a pesar de...*
Causales	Indican la causa.	*A causa de, porque, debido a, por ello, puesto que, ya que, dado (que)...*
Consecutivos	Señalan la consecuencia.	*En consecuencia, por consiguiente, por todo ello, de ahí que, así pues, por (lo) tanto...*
Condicionales	Presentan la condición necesaria para que se realice lo enunciado.	*A condición de, con tal de que, si, a menos que, excepto que, salvo que...*

3 Conectores de la información · Señalan objetividad o subjetividad de lo dicho.

De opinión	Expresan un punto de vista.	*En mi opinión, a mi juicio, según, a mi entender...*
De certeza	Señalan seguridad y certeza.	*Es evidente, es indudable, nadie ignora, es incuestionable, está claro que...*
De confirmación	Confirman lo expresado.	*En efecto, por supuesto, efectivamente, por descontado...*
De tematización	Anuncian aquello de lo que se va a hablar.	*Respecto a, por lo que respecta a, a propósito de, en lo que se refiere a...*
De aclaración	Explican lo dicho anteriormente.	*Esto es, es decir, o sea, dicho de otro modo, mejor dicho, en otras palabras...*
De ejemplificación	Ilustran el contenido del texto.	*Por ejemplo, en concreto, especialmente, en particular, de esta forma, así, pongamos por caso...*

ACTIVIDADES

3 A continuación, te mostramos las opiniones de distintos directores de empresas sobre la forma de dirigir un departamento. Completa los comentarios con uno de estos conectores (puede haber más de una solución).

> por el contrario   asimismo
> dado que   en otras palabras
> de esta forma   en mi opinión

1 Es importante que tengamos en cuenta las necesidades de los trabajadores. _____, las empresas que ofrecen mejores condiciones a sus empleados, obtienen un mayor rendimiento por parte de estos.

2 Para conseguir un mejor resultado, creo que los salarios de los empleados deberían estar condicionados por objetivos. Cada uno debe cobrar según lo que haga. _____ habría una mayor implicación y los sueldos serían más justos.

3 El ambiente laboral lo es todo en una empresa. Un equipo de trabajo que se lleva bien obtendrá un buen resultado. _____, si los compañeros se llevan mal, será prácticamente imposible poder realizar un proyecto común.

4 Es necesario fomentar cierta competitividad entre los propios trabajadores, _____, crear una sana rivalidad entre los compañeros que sirva para obtener su máximo esfuerzo.

5 Es importante prestar atención a las relaciones que mantienen el equipo directivo y el resto de trabajadores, _____ muchos de los problemas que surgen en el día a día tienen su origen en la falta de comunicación.

6 Ciertamente, el trabajador debe sentirse parte de la empresa y conocer su importancia, pero, _____, debe conocer cuáles son sus funciones y sus responsabilidades, tener claro hasta dónde llegan sus competencias y no sobrepasarlas.

4 Lee esta circular que ha enviado el director de Recursos Humanos de una empresa a sus trabajadores y, a continuación, cambia los conectores marcados en negrita por otro que se adapte a este mismo contexto.

Muy señor mío:

Es para mí un honor comunicarle que a partir del próximo lunes día 23 tendrá lugar la inauguración de la guardería de uso exclusivo para nuestros trabajadores.

Respecto al (1) precio de estos servicios, indicamos que es un servicio completamente gratuito para todos aquellos trabajadores que tengan hijos de cero a tres años. **En cambio (2),** los trabajadores con hijos de más de tres años que estén interesados en hacer uso de este servicio, deberán abonar la cantidad indicada en la tabla de precios que incluimos en este mismo correo. Con este nuevo servicio, creemos estar ayudando a todos los trabajadores que, siendo padres, encuentran dificultades para atender adecuadamente a sus hijos.

Por todo ello (3), queríamos hacerle llegar toda la documentación necesaria para solicitar una plaza. Para todos aquellos que estén interesados, les indicamos que deben, **primeramente (4),** rellenar los formularios adjuntos y, **posteriormente (5),** entregarlos en el departamento de personal.

Hasta el momento (6), hemos recibido ya más de cien preinscripciones, siendo la capacidad total de nuestra guardería de ciento cincuenta niños. **A causa del (7)** éxito que ha tenido este servicio durante los primeros días, le recomendamos que, en caso de estar interesado, solicite el servicio lo antes posible.

Por último (8), recordarle que si tiene cualquier duda puede consultarla mediante correo electrónico a esta misma dirección.

Confiando en que este servicio le pueda ser de interés, le envía un cordial saludo.

Javier Alonso Fernández
Departamento de Recursos Humanos

UNIDAD 4

HACER COMPARACIONES

Veamos a continuación cómo expresar comparaciones de superioridad, igualdad o inferioridad.

1 Superioridad e inferioridad

a *Más / menos* + adjetivo / sustantivo / adverbio + *que / de*

b Verbo + *más / menos que / de*

- El adverbio *más* puede acompañarse de cuantificadores indefinidos como *mucho, bastante, un poco*:
  Es mucho **más** *listo* **que** *su hermano.*
- El segundo término de la comparación puede omitirse:
  Juan es **más** *simpático;*
  o realizarse mediante una oración de relativo:
  Es **más** *listo* **que los que** *vinieron ayer.*
- El segundo término de la comparación comienza por *de*, si se trata de una oración de relativo sin antecedente expreso que denota, no una entidad distinta, sino grado o cantidad en relación con la magnitud que se compara:
  Es menos listo **de lo que** *parece*, cuando comparamos un sustantivo y esa comparación es cuantitativa:
  Tiene más dinero **del que** *podrá gastar en su vida*, o cuando aparece un adjetivo sustantivado: *Trabaja menos* **de lo** *necesario.*
- También se usa la preposición *de* cuando el término de referencia es un numeral o una expresión cuantitativa, que expresan el límite sobrepasado:
  La película duró **más de** *tres horas. / Me costó* **menos de** *20 euros.*

2 Igualdad

a *Tan* + adjetivo / adverbio + *como*

b Verbo + *tanto/a/os/as* + sustantivo + *como*

c *Igual de* + adjetivo / adverbio + *que*

d Verbo + *igual que / lo mismo que* + verbo / sustantivo

- Estos marcadores no pueden acompañarse de cuantificadores indefinidos como *mucho, bastante, un poco*:
  Es ~~mucho~~ tan listo como su hermano.
- Cuando el adverbio *tan* no lleva un segundo término de la comparación, tiene un valor intensificador marcado por la entonación:
  Es **tan** *alto = es altísimo.*
- El segundo término de la comparación puede realizarse mediante una oración de relativo:
  Es igual de bonito que el **que me compré el otro día.**

1 Completa estas oraciones con *de, que* o *como*.

 1 Estuvimos esperándole más _____ cuarenta minutos y al final nos fuimos.
 2 Sus hijos son igual _____ altos _____ ellos.
 3 Su última película ha tenido mucho menos éxito _____ la anterior.
 4 El presupuesto de la obra subió cien euros más _____ lo que nos habían dicho.
 5 No te enfades, me comporté igual _____ te comportaste tú.
 6 Su trabajo está igual _____ bien realizado _____ los vuestros.
 7 Ha perdido más _____ diez kilos en unas pocas semanas.
 8 Puedes poner tantas excusas _____ quieras, pero no te creeré.

2 Lee el texto y completa los espacios con las palabras que faltan (en algún caso puede haber más de una opción).

DIETAS MILAGROSAS

La obsesión por el cuerpo en nuestra sociedad es un hecho _____ (1) que demostrado. Cada día empleamos gran parte de nuestro tiempo libre en tratar de mejorar nuestro cuerpo, quizás con la triste esperanza de sentirnos menos insatisfechos con nosotros mismos _____ (2) lo que en realidad estamos. No es de extrañar por tanto que en los últimos años hayan proliferado de manera tan espectacular esas dietas milagrosas que prometen hacernos sentir como auténticas estrellas de la pasarela, igual _____ (3) bellas, pero con _____ (4) menos esfuerzo que el que realizaríamos yendo a un gimnasio. Sin embargo, hay que tener cuidado, son tantos los beneficios que prometen _____ (5) posibles los daños que nos pueden producir. Según las encuestas, hay más _____ (6) un millón de personas que anualmente recurren a estas dietas milagrosas en nuestro país, pero son muchos menos los _____ (7) consiguen ese aspecto tan deseado. Nuestro consejo es claro, si quieres mejorar tu aspecto físico, acude a un médico profesional, no conseguirás un resultado en menos _____ (8) un par de meses, pero sabrás que no estás poniendo en riesgo tu salud.

3 Transforma estas oraciones usando una estructura comparativa.

1 En la fiesta tus amigos fueron muy amables, no me lo esperaba.

Tus amigos fueron más amables de lo que esperaba.

2 La operación fue muy larga, duró cuatro horas y veinte minutos.

3 Los candidatos de hoy estaban muy bien preparados, los candidatos que vinieron ayer, no.

4 Miguel estaba muy enfadado con Fernando, pero Fernando también estaba enfadado con él.

5 Estaba pensando en un plan para este fin de semana y tú estabas pensando en lo mismo.

6 Pensaba que era muy trabajador, pero me equivoqué.

4 En español hay ciertas comparaciones que se han convertido en locuciones idiomáticas. Utiliza una de las palabras del recuadro para formar una de estas expresiones.

| listo | carretero | mula | Matusalén |
| mano | cuba | claro | cabra |

1 Estuvo toda la noche con sus amigos y llegó a casa borracho como una _____.

2 Cuando tiene una idea en la cabeza, no hay quien se la pueda cambiar. Es más terco que una _____.

3 Tiene tan solo tres años, pero tendríais que oírle razonar, es más _____ que el hambre.

4 Es normal que tuviera todos esos problemas de salud, fuma como un _____.

5 No tengo ninguna pregunta, está más _____ que el agua.

6 No le hagas caso, siempre dice cosas sin sentido. Está como una _____.

7 Viví en París durante más de tres años, conozco la ciudad como la palma de mi _____.

8 No sé qué edad tendrá exactamente, pero es más viejo que _____.

UNIDAD 5

ORACIONES CAUSALES

Expresan la causa o la razón por la que ocurre la acción de la oración principal. En general las oraciones subordinadas causales rigen indicativo, excepto en oraciones negativas, como veremos más abajo. Algunas conjunciones y locuciones que introducen la causa son:

■ **Las más habituales:**

● ***Porque*** + oración:

*Estudio idiomas **porque** me gusta viajar.*

En posición antepuesta tiene un matiz enfático:

***Porque** es listo consigue lo que quiere.*

Habitualmente aparece delante de la oración principal.

● ***Por*** + sustantivo / infinitivo:

*Estudio **por** placer. / Estudio **por** conocer otras culturas.*

● ***Como*** + oración:

***Como** hace tanto frío, nos quedamos en casa.*

■ Pueden ir delante o detrás de la oración principal:

● ***Ya que*** + oración:

***Ya que** vas a salir, podrías bajar la basura.*

● ***Puesto que / Dado que*** + oración. Más formal:

*La reunión se aplaza **dado que** no ha llegado todo el mundo. / **Puesto que** son fieles clientes, vamos a hacerles un buen descuento.*

● ***En vista de*** + sustantivo / + ***que*** + oración. Presentan la causa como algo evidente y comprobable:

***En vista de que** nadie se anima, suspendemos la acampada.*

● ***A causa de / Debido a*** + sustantivo / infinitivo / + ***que*** + oración. Registro más formal:

*Nos vimos obligados a desalojar el local **debido a** que hubo un escape de gas. / **A causa del** éxito de esta campaña, hemos podido recaudar suficiente dinero.*

● ***Gracias a / Por culpa de*** + sustantivo / + ***que*** + oración. Se emplean para expresar la causa como una circunstancia positiva o negativa respectivamente:

***Por culpa del** error, tenemos que repetir todo el trabajo. / Se salvó del naufragio **gracias a que** era un experto nadador.*

■ Se usan detrás de la oración principal:

● ***Es que*** + oración. Introduce una justificación o excusa. Usado con mayor frecuencia en contexto oral o informal:

*No puedo comer marisco, **es que** soy alérgica.*

● ***Que*** + oración. Se usa con mayor frecuencia en el habla cotidiana para dar una justificación, detrás de un consejo, orden o decisión:

*No me esperes para comer **que** voy a llegar tarde. / Ven aquí **que** te digo una cosa.*

■ Las oraciones de causa negativa se usan delante de la oración principal:

● **No es que** + subjuntivo + ***es que / sino*** + oración principal.

● **No (verbo) porque** + subjuntivo.

Ambas estructuras se utilizan para corregir información, al negar la causa dada por el interlocutor, y dar después la que consideramos verdadera:

*Prueba la tarta, ¿es que no te gusta? **No es que** no me guste, **es que** estoy lleno. / **No te llamo porque** necesite algo, solo quería saber qué tal estabas.*

● ***No por*** + infinitivo:

***No por** mucho madrugar, amanece más temprano.*

● **Oración negativa** + ***(solo) porque*** + subjuntivo. Para indicar que no es causa suficiente:

***No me voy solo porque** sea tarde, es que mañana tengo que madrugar.*

ACTIVIDAD

1 Une las frases para expresar la causa. Utiliza diferentes nexos causales en cada caso.

- Estar siendo amenazadas muchas zonas costeras – no poner freno al cambio climático.
  Están siendo amenazadas muchas zonas costeras porque no se pone freno al cambio climático.

- No colaborar con una organización ecologista – estar de moda – ser necesario denunciar los abusos contra la naturaleza.
  No colaboro con una organización ecologista porque esté de moda, sino porque es necesario denunciar los abusos contra la naturaleza.

1 Arruinarse la cosecha – las inundaciones sufridas en la zona.

2 Llegar tarde – la manifestación en contra de los ensayos nucleares.

3 No consumir estos productos – estar tratados con pesticidas.

4 Propagarse rápidamente el incendio – los fuertes vientos.

5 No comprar pescados pequeños – no estar buenos – ser pescados de forma ilegal.

6 Conseguir disminuir las emisiones de carbono – las nuevas leyes medioambientales.

7 No instalar paneles solares – ser más barato – ser más ecológico.

8 Evacuarnos de la zona – temblores de tierra.

9 No estar permitido el acceso al turismo – ser peligroso – preservar la zona.

10 Paralizar las obras de construcción de un hotel turístico en el parque natural – la denuncia reiterada de grupos ecologistas.

EXPRESAR SENTIMIENTOS

- Las principales dificultades que para los hablantes no nativos de español presentan los verbos de expresión de sentimientos y otros de funcionamiento semejante como los valorativos, de percepción…, se encuentran en la **construcción del sujeto** y el **orden de elementos.** Estos verbos se construyen en la mayoría de los casos igual que *gustar*, que vamos a usar aquí para ejemplificar su comportamiento.

1 Sujeto

- El **sujeto** en español puede ser: un sustantivo o sintagma nominal (*la música gusta*), un pronombre (*tú gustas a mis amigos*), un infinitivo (*nadar me gusta*) o una oración subordinada sustantiva (*me gusta que rías así*).

- La primera dificultad es si se utiliza **indicativo** o **subjuntivo** cuando el **sujeto** es una **oración sustantiva introducida por *que***. La gramática cognitiva explica que cuando el hablante tiene la intención de informar sobre un hecho o declararlo, elige la forma de indicativo. Cuando no le interesa hacerlo (por ser algo compartido, conocido, considerado poco relevante o pragmáticamente inadecuado) usa el subjuntivo:
  *Me gusta **que** siempre me **dices** la verdad.*
  *Me gusta **que** me **digan** la verdad.*

- La forma ***que* + subjuntivo** es la más habitual en estas construcciones porque lo que queremos declarar fundamentalmente es el sentimiento que nos produce algo (expresado siempre en indicativo: *me gusta, me emociona, me llena de felicidad…*) y no lo que decimos a continuación (*que me digan la verdad*).

- La construcción ***que* + indicativo** es enfática y mucho menos frecuente. Obedece a la intención de hacer una clara declaración de lo enunciado:
  *Me gusta **que eres** honesto.*

2 Orden de los elementos

- La segunda dificultad es el **orden de elementos**. Vamos a ejemplificarlo con los verbos de expresión de alegría, tristeza, enfado o miedo (otros verbos que no están aquí y que corresponden al mismo esquema). Hay tres construcciones básicas (aunque otras son posibles dependiendo de dónde pone el énfasis el hablante):

(sujeto) + (CI) + verbo + complementos	*Yo alegré la fiesta a todos los presentes / les alegré la fiesta.* *(Yo) me emociono si me abraza.* *Disfruto cuando tengo una buena conversación.*
(sujeto) + (CI) + verbo + (CI)	*Verte llorar entristece a tu familia.* *Su risa alegra las reuniones.*
CI + verbo + (sujeto)	*Me alegra tu felicidad. / Me alegra verte feliz. / Me alegra que te sientas feliz*.*

CI = complemento indirecto

*En esta construcción se anticipa la persona afectada (el CI).

3 Expresiones frecuentes de alegría, tristeza, miedo y enfado

■ El siguiente esquema resume las construcciones más habituales. Conviene subrayar que la elección de una u otra forma para expresar el mismo sentimiento, obedece a la intención de dar un mayor énfasis o implicación al sujeto con las formas primeras (*Me emociono con su voz. / Su-* *fro cuando lo veo llorar.* –donde el sentimiento del sujeto YO queda recalcado–) frente a las segundas, más neutras y con un matiz de cortesía gramatical (*Me llena de orgullo estar aquí con todos vosotros. / Me indignan esas conductas*).

Alegría

Me alegro... ***Me emociono...*** ***Disfruto...*** ***Me pongo a dar saltos de alegría...***	+ *cuando / si* + indicativo + gerundio + *al* + infinitivo + *con / por (lo de)* + sustantivo	*Me alegro cuando te veo feliz / si te veo feliz / viéndote feliz / al verte feliz / por tu felicidad.*
Me alegra/n... ***Me llena/n de alegría / felicidad / satisfacción / orgullo...*** ***Me emociona/n***	+ sustantivo + infinitivo (el sujeto del infinitivo se refiere al complemento personal del verbo principal) + *que* + subjuntivo (el sujeto del verbo en subjuntivo no se refiere al complemento personal del verbo principal)*	*Me emocionan las fiestas navideñas.* *Me alegra tu felicidad / verte feliz / que estés feliz.*

Hay que observar que en el primer caso el verbo que usamos es *alegrarse de algo* y en el segundo *alegrar (algo)*:
Me alegro de que hayas aprobado. / Me alegra que hayas aprobado.

Tristeza

Sufro... ***Me entristezco...*** ***Me deprimo...*** ***Siento pena / tristeza / pesar...*** ***(Se) me rompe / parte / encoge el corazón...***	+ *cuando / si* + indicativo + gerundio + *al* + infinitivo + *con / por (lo de)* + sustantivo	*Sufro cuando te veo llorar / si te veo llorar / viéndote llorar / al verte llorar / por tu llanto.*
Me afecta/n.... ***Me apena/n...*** ***Me entristece/n...*** ***Me llena/n de tristeza...***	+ sustantivo + infinitivo (el sujeto del infinitivo se refiere al complemento personal del verbo principal) + *que* + subjuntivo (el sujeto del verbo en subjuntivo no se refiere al complemento personal del verbo principal)*	*Me entristecen las injusticias.* *Me afecta verte llorar / que llores.*

Miedo

Me asusto... ***Se me pone la carne de gallina...*** ***Se me ponen los pelos de punta...***	+ *cuando / si* + indicativo + gerundio + *al* + infinitivo + *con / por (lo de)* + sustantivo	*Me asusto cuando veo películas de miedo / si veo películas de miedo / viendo películas de miedo / al ver películas de miedo / con las películas de miedo.*
Me asusta/n... ***Me horroriza/n...*** ***Me inquieta/n...*** ***Me agobia/n...***	+ sustantivo + infinitivo (el sujeto del infinitivo se refiere al complemento personal del verbo principal) + *que* + subjuntivo (el sujeto del verbo en subjuntivo no se refiere al complemento personal del verbo principal) *	*Me agobian las multitudes.* *Me asusta andar solo por la calle de noche / que andes solo por la calle.*

*El uso de indicativo sería menos frecuente que el de subjuntivo como hemos visto anteriormente.

Enfado

Me enfado... *Siento rabia / impotencia / indignación...* **Me pongo enfermo / de un humor de perros...**	+ *cuando / si* + indicativo + gerundio + *al* + infinitivo + *con / por (lo de)* + sustantivo	*Me enfado cuando veo una injusticia / si veo una injusticia / al ver una injusticia / por las injusticias.*
Me enfada/n... **Me irrita/n...** **Me llena/n de rabia / impotencia / indignación...** **Es indignante...** **Me pone/n enfermo / de un humor de perros....**	+ sustantivo + infinitivo (el sujeto del infinitivo se refiere al complemento personal del verbo principal) + *que* + subjuntivo (el sujeto del verbo en subjuntivo no se refiere al complemento personal del verbo principal)*	*Me irritan los atascos.* *Me enfada ver situaciones injustas / que seas injusto.*

*El uso de indicativo sería menos frecuente que el de subjuntivo como hemos visto anteriormente.

ACTIVIDADES

2 Lee la información y completa los comentarios.

1 En la actualidad, existen cerca de 2500 especies animales en peligro de extinción.
Me horroriza **pensar que hay / que haya / el hecho de que haya** *2500 especies animales en peligro de extinción.*

2 Un equipo de investigadores de Stanford afirma que dentro de cuarenta años el 90% de la energía usada procederá del viento y el sol.
Me alegra…

3 Los bosques amazónicos siguen destruyéndose a pesar de las nuevas leyes.
Me llena de rabia…

4 Durante los últimos 20 años ha aumentado un 50% la emisión de gases invernadero.
Siento impotencia…

5 Todavía existen muchas regiones en el mundo que no tienen agua potable.
Se me rompe el corazón…

6 Según los científicos, dentro de 20 años la temperatura habrá subido 0,2 °C más.
Se me ponen los pelos de punta…

7 Las empresas fabricantes de vehículos aseguran que, dentro de poco, todos los coches serán eléctricos.
Me llena de alegría….

8 La sobrepesca pone en peligro el futuro de algunas especies marinas como el atún rojo o la lubina chilena.
Me horroriza…

9 3,7 millones de personas mueren al año por enfermedades derivadas de la contaminación.
Sufro…

10 Animales emblemáticos como el lince ibérico, el oso pardo o el águila imperial ibérica ven mejorar sus poblaciones gracias a las labores de protección y conservación.
Me emociona…

3 ¿Cómo te sientes ante estas situaciones? Escribe una oración usando las estructuras que has aprendido.

1 Encuentras un atasco cuando vas a trabajar.

2 Alguien te dice un piropo.

3 Llegas tarde a tu trabajo y tu jefe quiere hablar contigo.

4 Tu equipo favorito gana un partido.

5 Han despedido del trabajo a tu compañero.

6 En la lavandería han estropeado tu camisa favorita.

7 Durante la noche, la alarma de tu casa empieza a sonar.

8 Tu ordenador se estropea y pierdes todos tus trabajos.

UNIDAD 6

LAS ORACIONES CONSECUTIVAS

- Las oraciones consecutivas expresan la consecuencia o el resultado de otra acción o situación. Suelen ir unidas a la oración que indica la causa: *Es tal la importancia de la educación, que debemos invertir todos los recursos necesarios para que nadie se quede sin ella.* (La educación es muy importante; por eso no hay que escatimar en recursos.)

- Los **nexos consecutivos más frecuentes** son: *luego, así (pues), así (es) que, por eso, o sea que, de ahí que, pues, por (lo) tanto, de manera que, de forma que, de tal manera, de tal modo, tan…que, en consecuencia, consecuentemente, consiguientemente, por consiguiente.*

- El verbo va en cualquier tiempo de <u>indicativo</u>:
  *Saca muy malas notas, **así es que** sus padres lo **cambiaron** de colegio. / El fracaso escolar ha aumentado, **de modo que deberían** invertir mucho más en educación.*

- Con indicativo, en ocasiones, introducen una deducción:
  – El examen fue muy difícil.
  *– **O sea, que vas** a suspender.* Aunque hay que tener en cuenta que **o sea**, es una partícula empleada habitualmente para reformular lo dicho: *– Ha enviado la matrícula fuera de plazo, se queda fuera. – **O sea, que no entra** este año, ¿no?*

- También es frecuente el uso del <u>imperativo</u> con todas las partículas consecutivas:
  *Se va a cerrar el plazo de matrícula, **así que avisa** a Juanma rápidamente.*

- ***Luego*** introduce una consecuencia lógica:
  *Hay un examen, **luego guardad** silencio. / Pienso, **luego** existo.* (Descartes) ⌐ so (then)

- ***Conque*** es más frecuente en el habla coloquial y se usa habitualmente para introducir una orden o una advertencia como consecuencia de lo que acaba de decirse:
  *Mañana tienes un examen, **conque ponte** a estudiar ahora mismo.*

- ***De ahí*** + indicativo: that's why
  *Muchos jóvenes no desean seguir estudiando, **de ahí vienen** los problemas.*

- ***De ahí que*** + suele preferir el uso de <u>subjuntivo</u>: hence
  *Muchos jóvenes no desean seguir estudiando, **de ahí que haya** que proporcionarles otras vías para continuar con su educación.*

- ***Tal*** + sustantivo. ***Tan*** + adjetivo o adverbio + ***que*** + indicativo:
  *Es **tal su desmotivación que deberíamos** cambiarle de colegio.*
  *Hicimos la matrícula **tan tarde que quedó** fuera de las listas de admisión.*

- ***Tan*** + adjetivo o adverbio. ***Tanto-Tanto/a/os/as*** + sustantivo + ***como para (que)*** + infinitivo o subjuntivo:
  *No se ha portado **tan mal como para tener** que irse. / No hay **tanta materia** en el examen **como para que tengamos** que empezar ya a prepararlo.*

Fíjate en que estas partículas ponen el énfasis en la intensidad de lo que se expresa.

ACTIVIDADES

1 Completa los espacios en blanco del texto con conectores consecutivos sin repetir ninguno (hay varias opciones).

La escuela mixta ha hecho posible la convivencia en el marco escolar de los dos sexos, _____(1) su gran importancia; _____(2), el tratamiento dispensado a ambos debe ser también igualitario. A pesar de ello, algunos estudios no dejan lugar a dudas: las niñas siguen estando discriminadas en la escuela mixta, _____(3) se hace necesario adoptar medidas que permitan cambiar estos hábitos inconscientes. Hay _____(4) sexismo en muchas sociedades que debe atajarse de raíz desde la escuela. _____ (5), creemos que, aunque son muchas las voces que reclaman la vuelta al aula diferenciada por sexos, se hace necesario mantener este sistema de educación mixto dado que las ventajas son evidentes.

2 Subraya la partícula más apropiada en cada una de las siguientes situaciones.

1 Dos amigos en un café: Vamos Manolo, que empieza el partido, *conque/consecuentemente* date prisa.
2 El médico al paciente: Elisa, está usted agotada, *porque/por consiguiente* debe tomarse un buen descanso.
3 El director del colegio: El niño no se concentra nada en clase, *de ahí/de ahí que* haya que acostarlo antes.
4 Descartes dijo: Pienso *de ahí que/luego* existo.
5 Una pareja hablando en casa: –He estado liadísimo todo el día. –*Por eso/o sea* que ni te has tomado el café.
6 Dos estudiantes de instituto: ¿Crees que el examen tendrá *tantas/tan* preguntas como para durar tres horas?

3 Hay una tipología de chistes basada en la estructura consecutiva *"tan... que..."*. Elige la palabra que falta para completarlos.

> yogures   policía   vacas   suspenso

1 Era un prado tan verde tan verde que solo podían pastar _____ mayores de 18 años.

2 Era un hombre tan bajo, tan bajo, que iba donde la _____ para que le dijeran: ¡alto!

3 Era un coche tan malo tan malo que en vez de llevar matrícula, llevaba _____.

4 Era un hombre tan alto, tan alto, que los _____ le llegaban al estómago caducados.

LAS ORACIONES CONDICIONALES

■ Son aquellas que expresan una condición para que se produzca lo dicho en la oración principal. En estas oraciones cuando anteponemos la oración principal, no es necesaria la coma.

Tendríamos mucho tiempo para revisarlo[1] **si** *ya hubiésemos terminado el proyecto.*[2]

[1] oración principal   [2] oración subordinada

■ La oración principal siempre lleva el verbo en indicativo o imperativo, pero la oración subordinada puede ir en modo indicativo o subjuntivo según la intención comunicativa del hablante.

■ La partícula condicional más común es **si**. Estos son sus usos prototípicos:

Tiempo de la acción principal	Condición (oración condicional subordinada)	Consecuencia (oración principal)	Significado
pasado	pluscuamperfecto de subjuntivo	condicional compuesto / pluscuamperfecto de subjuntivo *Si hubieses salido antes, no habrías / hubieras perdido el tren.*	Expresa una condición imposible porque el tiempo ha pasado.
presente	presente de indicativo	presente de indicativo *Si tienes ganas, trabajas.* imperativo *Si llegas, pásamelo.*	Expresa una condición posible.
	imperfecto de subjuntivo	condicional simple *Si tuvieras experiencia, encajarías en el perfil que buscamos.* *Si pudieras cambiarme el día, te lo agradecería.*	Expresa una condición imposible porque la realidad no se puede cambiar. uso de cortesía.
	pluscuamperfecto de subjuntivo	condicional simple *Si hubieses comido menos, ahora no te dolería el estómago.*	Expresa una condición imposible porque habla de un hecho pasado; la consecuencia está en el presente.
futuro	presente de indicativo	imperativo *Si llegas a casa antes, llámame.* futuro simple *Si estudias, aprobarás.*	Expresa una condición posible.
	imperfecto de subjuntivo	condicional simple *Si estudiaras, aprobarías.* imperfecto de indicativo. *Si tuviera un año sabático, me daba la vuelta al mundo.*	Expresa una condición que al hablante le parece poco probable. En la lengua coloquial, se utiliza con este mismo uso de poco probable.
	pluscuamperfecto de subjuntivo	condicional simple *Si hubiésemos terminado el proyecto en julio, tendríamos mucho tiempo para revisarlo.*	Expresa una condición cuya realización vemos muy difícil en un tiempo marcado en el futuro.

- Sin embargo, el presente de indicativo puede aparecer en sustitución del imperfecto y del pluscuamperfecto de subjuntivo:

  *Si mañana estuviera / **estoy** bien, te aviso. Si hubieras llegado / **llegas** un minuto antes, habrías visto a Antonio.*

- Los marcadores ***solo / excepto / únicamente + si*** restringen una condición:

  Únicamente si *la casa está perfectamente, os devolveré el depósito.*

- La oración subordinada condicional introducida con ***si*** <u>no</u> admite el futuro simple o compuesto de indicativo ni el presente ni pretérito perfecto de subjuntivo. Debe evitarse también el uso del condicional propio de hablantes del País Vasco en España y zonas limítrofes, así como de algunas partes de América:

  Si ~~sería~~ rico, me compraría un Ferrari. Si lo ~~habría~~ sabido, no habría metido la pata.

- Hay **otros marcadores condicionales.** Algunos de ellos al expresar matices, tienen un uso menor, pero no menos necesario. Siempre van con subjuntivo, salvo que sea una forma no personal del verbo (infinitivo, gerundio).

- ***De*** *+ infinitivo simple / compuesto:* expresa una condición general: ***De ser*** *invisible, me dedicaría al espionaje.* Usamos el infinitivo compuesto cuando hablamos de una condición del pasado que ya no se puede cambiar: ***De haber sabido*** *que era una fiesta formal, me hubiese arreglado más.*

- **Gerundio:** expresa una condición general: ***Teniendo*** *ese control mental, intentaría desarrollarlo para no sentir dolor.* unless

- ***A no ser que*** unless */ excepto que / a menos que / salvo que* + subjuntivo expresan la única condición que puede impedir que se cumpla lo expresado en la oración principal:

  A no ser que me pique una araña, no treparé por la fachada de un edificio.

- * ***En (el) caso de*** *+ sustantivo (formal) /* ***que*** *+ subjuntivo* expresa una previsión: in the event that...

  En el caso de qué *pudiera elegir una habilidad, elegiría ser invisible.* in the case of

  En caso de *duda plausible, habría que solicitar una nueva auditoría.*

- ***Siempre y cuando / siempre que / *a condición de que / mientras / *con tal de que / con que*** *+ subjuntivo* expresan el mínimo requisito para que ocurra lo dicho en la oración principal:

  Siempre y cuando *pagues la matrícula, te reservan la plaza.*

- ***A cambio de que*** *+ subjuntivo* implica un intercambio:

  A cambio de que *me acompañes a clases de baile, te ayudo con el inglés.*

- * ***En (el) caso de / a condición de / con tal de*** también pueden aparecer con **infinitivo.**

  En caso de poder elegir, elijo la montaña.

ACTIVIDADES

4 Elige la oración con el marcador adecuado para que signifique lo expresado en el enunciado (puede haber más de una opción).

1 En una discoteca, el portero le dice a una persona que parece menor de edad.
   - a A menos que tengas el carné de identidad, no puedes entrar.
   - b Salvo que tengas el carné, puedes entrar.
   - c Siempre y cuando tengas el carné, no puedes entrar.

2 Un entrevistador explica que deben rechazar al candidato por falta de experiencia.
   - a Excepto que tenga experiencia, sería perfecto para el puesto.
   - b De carecer de experiencia, sería perfecto para el puesto.
   - c Si hubiese trabajado en otra empresa, sería perfecto para el puesto.

3 Un amigo que te debe dinero te está pidiendo más pero no quieres hacerle un préstamo porque ves muy improbable que te lo devuelva.
   - a Si me hubieses devuelto lo que me debes, te habría dejado otros 1000€.
   - b A cambio de que me devolvieras lo que me debes, te dejaría otros 1000€.
   - c Únicamente si me devuelves lo que me debes, te dejaré otros 1000€.

5 Relaciona el principio y final de las frases para obtener una oración condicional con sentido. Fíjate en la correlación temporal.

1 A no ser que tengas mucha miopía, c
2 De no haber tenido miopía, _____
3 Si tuvieras miopía, _____
4 A cambio de que cuidaras el jardín, _____
5 Si cuidaras mejor el jardín, _____
6 Mientras cuides así mi jardín, _____
7 En el caso de que me despidan, _____
8 Salvo que me despidieran, _____
9 De haberme despedido, _____

a habría sido piloto.
b no podrías ser piloto.
c podrás ser piloto.
d seguiré disfrutando de estas preciosas flores.
e te dejaría hacer una fiesta y usar la piscina.
f no estaría tan seco.
g habría trabajado en el negocio de mi padre.
h trabajaré en el negocio de mi padre.
i no trabajaría en el negocio de mi padre.

UNIDAD 7

LAS PARTÍCULAS TEMPORALES

Las **partículas temporales** introducen oraciones subordinadas y ofrecen información sobre la relación temporal entre los momentos en que se realizan las acciones de la oración principal y la subordinada:

Oración principal   Oración subordinada

Apaga la luz antes de salir de casa

Partícula temporal

Si la oración subordinada va delante de la principal, se separan por una coma.

Con las siguientes partículas temporales, generalmente cuando el sujeto de la oración principal y subordinada es el mismo, usamos el **infinitivo** detrás de la partícula temporal para expresar algo general, pasado o futuro. Sin embargo, con diferentes sujetos, empleamos el subjuntivo para expresar una idea de futuro (presente de subjuntivo) o pasado (imperfecto de subjuntivo).

Antes de volver, hago la compra. /

Yo   =   Yo

Antes de que vuelvas, hago la compra.

Tú   ≠   Yo

- **Antes de** + infinitivo / **Antes de que** + subjuntivo: la acción de la oración principal ocurre antes que la de la subordinada.
  También puede expresar que la acción de la oración subordinada no se va a realizar:
  *Me callo **antes de** decir alguna tontería.*
  Entre dos acciones poco probables, presenta una menor probabilidad de que suceda la acción de la oración subordinada:
  Antes de conseguir un aumento de suelo, me habré jubilado.
- **Antes de / que** + infinitivo / **Antes (de) que** + subjuntivo: también puede expresar la preferencia por una acción en relación con otra siendo ambas acciones no deseadas por el emisor:
  Antes de / que casarme contigo, me hago monja. / Antes (de) que me desahucien, quemo la casa.
- **Después de** + infinitivo / **Después de que** + subjuntivo: la acción de la oración principal ocurre después que la de la subordinada:
  Después de trabajar voy al gimnasio. Nos vamos a tomar algo después de que termine la película. / Nos fuimos a casa después de que cerrara el bar.

En ambos casos, cuando las acciones se refieren a distintos sujetos, es posible el uso del infinitivo detrás de la partícula temporal, para ello es necesario indicar el sujeto en la oración subordinada. Es más propio de la lengua hablada: *Antes de venir <u>vosotros</u>, se acabó toda la comida. / Después de venir <u>vosotros</u>, se acabó toda la comida.*

- **Tras** + infinitivo simple o compuesto / sustantivo: la acción de la oración principal ocurre después que la de la subordinada pero es más usual en la lengua formal escrita: ***Tras** la tormenta, siempre llega la calma.*

Las siguientes partículas temporales se emplean con **indicativo** cuando hacen referencia a acciones pasadas o habituales en el presente, y con **subjuntivo** cuando se refieren a acciones futuras:

- **Cuando:** indica el momento en el que se realiza la acción de la oración principal con relación a la de la subordinada:
  ***Cuando** estoy de vacaciones, nunca madrugo.*
  ***Cuando** tenga más tiempo, retomaré mis clases de yoga.*
  En preguntas la partícula *cuando* siempre va seguida de indicativo:
  *¿**Cuándo** retomarás las clases de yoga? Cuando pueda.*
  ***Cuando** + sustantivo: sitúa la acción en un momento específico del pasado. Se emplea en la lengua hablada (= en el momento de / en la época de):
  ***Cuando** la dictadura, yo no había nacido.*
- **En cuanto** (más usado) / **en el momento en que / tan pronto como / apenas:** ponen el énfasis en la inmediatez de la realización de la acción principal con relación a la de la subordinada.
  ***En cuanto** sepas algo, me lo dices.*
- Con el mismo significado se pueden usar:
- **Nada más** + infinitivo:
  ***Nada más** oír la campana, salí corriendo.*
- **Al** + infinitivo:
  ***Al** comenzar a llover, me volví a casa.*
  También esta última partícula puede expresar una restricción:
  ***Al** no verte, me fui sin ti.*
- **Siempre que*, cada vez que:** pone el énfasis en la habitualidad de las acciones (= todas las veces).
  ***Siempre que** me ve, me saluda.*
- **Mientras*:** expresa simultaneidad entre la acción de la oración principal y la de la subordinada:
  *Habla por el móvil **mientras** conduce.*
  *Seguiré queriéndote **mientras** viva.*
- **A medida que** (más usado) / **conforme / según:** expresan la progresión simultánea de acciones. Normalmente van acompañadas de "ir + gerundio":
  ***Según** vas conociéndolo, te das cuenta de que es una buena persona. / **A medida que** vayan proliferando este tipo*

de construcciones, nos iremos familiarizando con la idea de vivir en ciudades verticales.

■ **Hasta que**: expresa un límite temporal que establece una acción con respecto a otra.

Le esperé **hasta que** *se hizo de noche. / Seguiré reclamando* **hasta que** *me hagan caso.*

También pueden expresar restricción: **Hasta que no… + no… / Solo cuando**:

Hasta que no *lo vea, no me lo creo. /* **Solo cuando** *atajemos este problema, podremos dar solución a la superpoblación en las grandes urbes.*

■ **Desde que** + indicativo: expresa el inicio de una acción. **Desde que** *te conocí, solo pienso en ti.*

Nota: Algunas partículas temporales como **mientras** o **siempre que** pueden utilizarse con valor condicional: **Mientras** *la población de las zonas rurales siga emigrando a las grandes ciudades, no habrá solución para el problema de la superpoblación.*

ACTIVIDADES

1 Rodea la expresión de tiempo más adecuada en cada frase.

1 **Antes que / Antes de /** *Antes de que* Penélope Cruz fuera famosa, vivía en mi barrio.

2 Te estuve llamando **hasta que / hasta que no / desde que** me quedé sin cobertura.

3 **Nada más / Después de que / Conforme** vaya pasando el tiempo, te irás olvidando de mí.

4 **Mientras / Cuando / En cuanto** el atentado, yo no vivía en España.

5 **Solo cuando / Hasta que no / Hasta que** me pidas disculpas, volveré a ser tu amigo.

6 **Antes de que / Antes que / Antes** robar, me muero de hambre.

7 No voy a dormir hasta que sepa que has llegado bien, por favor, **en cuanto / siempre que / nada más** llegues, me llamas, no te olvides.

8 No tengo intención de retirarme, **en cuanto / mientras / cuando** tenga salud, seguiré trabajando.

9 **Al / Cuando / A medida que** escuchar la explosión, me tiré al suelo.

10 **Hasta que / Hasta que no / Solo cuando** me devuelvas lo que me debes, no te voy a prestar ni un euro más.

2 Vuelve a escribir estas frases usando otra expresión temporal manteniendo el mismo sentido.

1 Según vayas aprendiendo, te sentirás más seguro.
Conforme vayas aprendiendo, te sentirás más seguro.

2 Avísame tan pronto como salgan las notas.

3 Hasta que no me suban el sueldo, no voy a meterme en ningún crédito.

4 La primera vez que fui a ponerme una vacuna, al ver la jeringuilla, me desmayé.

5 Tras la explosión quedó un gran silencio.

6 Antes nos veíamos con frecuencia, siempre que pasaba por mi barrio, me llamaba.

7 En el momento del terremoto yo estaba en la cama.

3 Piensa en un verbo apropiado para completar estas frases y conjúgalo en el tiempo correcto:

1 Te querré mientras _____.

2 Antes que mi pareja me _____, prefiero perdonarla.

3 Después de que la gente _____, llegó la policía.

4 A medida que _____ conociendo a todos, te sentirás como en casa.

5 Hasta que el niño no _____ algo, no va a parar.

6 Al no _____ idiomas no me dieron el trabajo.

7 Cuando _____ a Paloma le dices que la estoy buscando.

8 Siempre que _____ buen tiempo nos quedábamos en el parque.

9 Antes que _____ la casa, la vendo.

10 Seguiré insistiendo hasta que lo _____.

4 Completa las siguientes frases con tu opinión.

1 Cuando termine este curso,…

2 Mientras esté estudiando españo,…

3 En cuanto termine la clase,…

4 A medida que voy aprendiendo español,…

5 Antes de estudiar español,…

6 Antes que estudiar otra lengua,…

7 Solo cuando estoy en clase de español,…

8 Hasta que no hable un perfecto español,…

POSICIÓN DEL ADJETIVO

En español los adjetivos pueden ir antes o después del sustantivo.

1 Adjetivos pospuestos

Son los adjetivos diferenciativos, es decir, aquellos que distinguen algo separándolo del resto del grupo al que pertenece. Aunque, a veces, se anteponen por razones de estilo (lenguaje poético, literario, periodístico). Se refieren a:

- tipo: *un ordenador* **portátil**.
- carácter técnico o científico: *música* **clásica**, *física* **cuántica**.
- nacionalidad: *revolución* **francesa**.
- color: *casa* **blanca**.
- estado: *botella* **llena**.
- forma: *mesa* **redonda**.
- Los adjetivos que forman colocaciones que no se cambian por el uso:
  Semana **Santa**, *paraíso* **terrenal**.
- Los adjetivos precedidos de un adverbio:
  Sus diseños son increíblemente **originales**.

2 Adjetivos antepuestos

Cuando los adjetivos preceden al sustantivo suelen expresar una apreciación subjetiva para enfatizar cualidades del sustantivo: **fantástico** *mural*. Normalmente se anteponen al sustantivo:

- Los adjetivos que tienen un significado relativo (*oscuro / claro, largo / corto*) en el lenguaje formal (literario, periodístico, etc.):
  Los **largos** *cabellos brillaban como dulce oro.*
- Los adjetivos restrictivos que llevan envuelta una idea de cantidad: numerales, demostrativos, posesivos, los artículos y los indefinidos:
  los **cuatro últimos** *años,* **aquella** *casa,* **vuestros** *hijos,* **algunos** *estudiantes.*
- Exclamaciones introducidas con *Qué* cuando no se incluyen los intensificadores *más* o *tan*:
  ¡Qué **bonito** *vestido!*

En exclamaciones sin *Qué* en que se formula un juicio valorativo: *¡***Brillante** *intervención!*

- Los adjetivos que forman parte de colocaciones invariables por el uso: *Escuela de* **Bellas** *Artes*
- En la correspondencia, como fórmula fija: **Distinguida** *señora.*

3 Adjetivos antepuestos y pospuestos

- En adjetivos cuya cualidad del sustantivo está implícita, llamados epítetos, no cambia el significado con la posición: *accidente* **trágico-trágico** *accidente, blanca* **nieve-nieve** *blanca, etc.* En el lenguaje poético es más común antepuesto.
- Algunos adjetivos antepuestos, tienen sentido valorativo; pospuestos, tienen sentido determinativo u objetivo: **grandes** *intervenciones* (magníficas), *intervenciones* **grandes** (tamaño).

ACTIVIDADES

5 Completa el cuadro con uno de los siguientes significados.

No ficticios   Bastantes   Estupendo   Firme   Perteneciente al rey o a la realeza   ~~Anterior~~
Solitario   Excepcional, sin igual   Posterior   Extraño

	Antes del sustantivo	Después del sustantivo
Antiguo	*Antiguo novio* 1 Anterior	*Casa antigua* Vieja
Único	*Un único candidato* Solo uno	*Una persona única* 2 _____
Nuevo	*Un nuevo libro* 3 _____	*Un libro nuevo* Sin usar
Raro	*Raro fenómeno* Atípico, extraordinario	*Tipo raro* 4 _____
Varios	*Varios temas* 5 _____	*Temas varios* Diferentes

	Antes del sustantivo	Después del sustantivo
Alto	*Alta costura* Se refiere a importancia	*Chico alto* Estatura
Bueno	*Buen carácter* Persona de trato fácil	*Carácter bueno* Buena persona
Cierto	*Ciertos hechos* Algunos	*Hechos ciertos* 6 _____
Pobre	*Pobre maestro* Da lástima	*Maestro pobre* Sin dinero

	Antes del sustantivo	Después del sustantivo
grande	*Un gran tipo* 7 _____	*Un tipo grande* Complexión mayor de la media
menudo	*¡Menuda mujer!* Valoración positiva o negativa depende de la entonación	*Mujer menuda* De pequeño tamaño
serio	*Seria propuesta* 8 _____	*Una chica seria* Responsable y poco dada a las bromas
simple	*Un simple trabajo* Es solo un trabajo	*Un trabajo simple* Sin complicaciones
solo	*Un solo hombre* Solo hay uno	*Un hombre solo* 9 _____
viejo	*Un viejo conocido* Lo conoces de hace tiempo	*Un conocido viejo* De edad avanzada
real	*Real decreto* 10 _____	*Una persona real* Tiene existencia
dichoso	*Dichosa música* Molesta	*Una pareja dichosa* feliz

6 Selecciona la opción que se ajusta al significado

1 La verdad es que tengo un **buen** jefe.
   a Es una buena persona.
   b Sabe desempeñar sus funciones.

2 Normalmente, leo literatura **fantástica**.
   a Se refiere a un género de literatura.
   b Literatura de gran calidad.

3 **Ciertas** noticias provocan desasosiego en la población.
   a Las noticias reales.
   b Algunas noticias.

4 La **pobre** mujer deambulaba sin rumbo.
   a Indica que te da lástima.
   b Hace referencia a su situación económica.

5 Es un **hombre menudo** con gran carisma.
   a De constitución pequeña.
   b Un hombre excepcional.

6 **¡Dichosa profesora!**, siempre me está diciendo que me calle.
   a La profesora me riñe continuamente y estoy harto.
   b Está siempre sonriendo aunque me riña.

7 Escribe cuatro frases con dos opciones usando alguno de estos adjetivos en los que cambia el significado según su posición.

antiguo/-a	alto/-a	grande	simple
solo/-a	serio/-a	raro/-a	varios/-as
nuevo/-a	real	viejo/-a	único/-a

EXPRESAR RESIGNACIÓN, ALIVIO O ESPERANZA

A continuación se enumeran algunas fórmulas con las que se expresa resignación, alivio o esperanza.

Expresar resignación

- **Me resigno a** + sustantivo / infinitivo
  Me resigné a llevar una vida tranquila.
- **Me tendré que conformar / aguantar con**
  + sustantivo
  + infinitivo (si tiene el mismo sujeto que la principal)
  + *que* + subjuntivo (si se produce un cambio de sujeto)
  *No le puedo pedir nada más a la vida, **me tendré que conformar** <u>con</u> mi situación / seguir como estoy / que las cosas no empeoren.*
- **No hay más remedio / No nos queda más remedio / No nos queda otra que** + infinitivo
  *Los abogados no llegaron a un acuerdo, así que **no hay más remedio** que ir a juicio, **no nos queda otra** que aguantar.*

Expresiones coloquiales
¡Que sea lo que Dios quiera!

¡Hay que aguantarse / fastidiarse!
¡No hay otra! ¡Es lo que hay!
*Iremos a juicio y **¡que sea lo que Dios quiera!***

Expresar alivio

- **Me alivia saber que** + indicativo
- **Es reconfortante saber que** + indicativo
- **Me quedo más aliviado / tranquilo sabiendo que** + indicativo
  Me alivia saber que no va a haber ningún despido.
  ***Es reconfortante saber que** todavía queda buena gente en el mundo. / **Me quedo más tranquilo sabiendo que** no vais a coger el coche.*

Expresiones coloquiales

¡Al fin! / ¡Por fin! / ¡Ya era hora!
¡Me he quitado un buen peso de encima!
*¡Por fin! He aprobado el carné de conducir. ¡Ya era hora! **¡Me he quitado un buen peso de encima!***

- **Confío en** + infinitivo + *que* + subjuntivo

■ *Cruzo los dedos para*

+ infinitivo (si tiene el mismo sujeto que en principal)

+ *que* + subjuntivo (si se produce un cambio de sujeto)

Confío en encontrar una solución / que todo se solucione cuanto antes. / Cruzo los dedos para que tengas suerte en el examen.

Expresiones coloquiales

Toco madera / La esperanza es lo último que se pierde / No, nunca hay que perder la esperanza

Toco madera, a mí nunca me han robado. / A mí nunca me ha tocado la lotería, pero no hay que perder la esperanza.

ACTIVIDADES

8 Fíjate en estas situaciones de la columna izquierda y relaciónalas con un comentario de la otra columna.

1 Manuel ha suspendido tres asignaturas.	a ___ Me quedo más tranquilo sabiendo que se está recuperando.
2 Este año no nos han subido los sueldos.	b ___ Confío en que las pueda recuperar y no repita este curso.
3 El doctor ha dicho que evoluciona favorablemente.	c ___ Nos tendremos que conformar con quedarnos aquí.
4 Este año no podremos salir de vacaciones.	d ___ No hay más remedio que conformarse con lo que cobramos.
5 He hecho una entrevista de trabajo esta mañana.	e ___ Me alivia saber que estamos protegidos.
6 Han contratado a un guardia de seguridad para cuidar la urbanización.	f ___ Cruzo los dedos para que el puesto sea tuyo.

9 Lee estos titulares y escribe tu reacción mostrando resignación, alivio o esperanza.

Los impuestos vuelven a subir durante este año.

El ayuntamiento duplicará el número de agentes de seguridad en las calles.

Se prevé que a final de año el paro haya bajado un 2%.

La UE pide que se suba la edad de jubilación.

DESCUBREN NUEVOS TRATAMIENTOS PARA EL CÁNCER.

El gobierno asegura el futuro de las pensiones de jubilación.

UNIDAD 8

CORREGIR UNA INFORMACIÓN, PEDIR U OFRECER CONFIRMACIÓN

Para corregir una información podemos usar alguna de estas fórmulas:

■ *Yo no me atrevería a decir / Yo (no) diría que…*

-*¿Es la cordillera de los Andes la más grande del mundo?*

-*Yo no diría que es la más grande pero sí una de las más grandes.*

■ *Una cosa es que… y otra (muy diferente) es que…*

-*Una cosa es que sea el río más caudaloso y otra muy diferente es que sea el más largo.*

Para rebatir una información de forma rotunda, intensificando el desacuerdo de modo coloquial*:

■ *¿Cómo que* + enunciado previo? *(Pero) (si…)* –*El lugar más árido del planeta es la Antártida. –¡Cómo que la Antártida!, ¡pero si está llena de hielo!*

■ *¿Que* + enunciado previo? + nuevo enunciado. –*¿Que las más grandes son las Cataratas Victoria? Imposible.*

■ *Que no / sí…* [intensificado mediante apelativo y repetición] –*Que no es el Himalaya, hombre, que no.*

■ *¡Qué va! (Pero) si…*

■ *(Pero…) ¿qué dices, hombre? / ¿qué (tonterías) dices? / ¡¿qué me estás contando?!* (Señala que el resultado previo es improcedente).

■ *¡Venga ya! ¡Lo que hay que oír!*

*Se debe prestar atención al tono empleado para no resultar descortés.

Para pedir una confirmación sobre una información dada:

…, ¿me equivoco? En Noruega se halla la ciudad más septentrional, ¿me equivoco?

…, ¿estoy en lo cierto?

…, ¿(no) es eso?

…, ¿a que sí / no?

…, ¿verdad que sí / no?

Para confirmar una información previa:

■ *Así es / Efectivamente* (+ enunciado confirmativo).

■ *¡Y tanto (que…)!* –*El cañón del Colorado es el mayor desfiladero del mundo.–¡Y tanto que lo es!*

■ *Que sí, que…* -*¿Seguro que es el Vaticano el país más pequeño? –Qué sí, que tiene menos de un kilómetro cuadrado.*

■ *…, de hecho…* Para añadir alguna explicación. –*¿Entonces es la Antártida la zona más árida del planeta? –Así es, de hecho se estima que en algunas partes de la Antártida hace dos millones de años que no llueve.*

ACTIVIDADES

1 Completa las frases con las palabras del recuadro.

desemboca	diría	se halla	de hecho
equivoco	contando	tanto	caudaloso
	cierto	así es	

1. –Se puede decir Antártida o Antártica, ¿me (1) _____?

   –(2) _____, es preferible la primera opción, pero se dice Antártica porque está rodeado por el océano Antártico.

2. –El país más poblado del mundo es la India.

   –Yo no (3) _____ que la India es el más poblado aunque seguro que es uno de los más poblados.

3. –La capital más austral del planeta está en Australia.

   –Pero, ¿qué me estás (4) _____? Es Wellington seguro.

4. –El río Amazonas (5) _____ en Sudamérica, ¿estoy en lo (6) _____?

   –Efectivamente, (7) _____ nace en Perú y (8) _____ en el océano Atlántico por Brasil.

5. –El país más rico del mundo debe de ser Luxemburgo.

   –Y (9) _____, tiene el PIB por habitante más alto del mundo.

6. –El río Nilo es el más (10) _____ del mundo.

   –Que no, hombre, que es el Amazonas.

2 Sustituye las expresiones o palabras subrayadas por otras que tengan un significado parecido.

1. Bélgica no tiene salida al mar. – (1) **¿Cómo que Bélgica no tiene salida al mar?** Pero si una parte da al mar del Norte, hombre.

2. Un afluente es un río pequeño, (2) **¿estoy en lo cierto?** - Yo no diría que todos los afluentes son ríos pequeños, sino que desembocan en otro río en vez de en el mar.

3. Estambul es la única capital que (3) **se halla** entre dos continentes, (4) **¿me equivoco?** – (5) **Así es**, entre Europa y Asia.

4. –El río Congo tiene su desembocadura en el océano Índico.

   –(6) **Pero, ¿qué dices hombre?** Si desemboca en el Atlántico, por Angola.

5. La cordillera de los Andes alberga los volcanes más altos del planeta, (7) **¿a que sí?** – (8) **Y tanto**, de hecho Ojos Salado es el volcán más alto del mundo.

6. El Danubio es el río europeo más largo. – (9) **Que no es el Danubio, hombre, que no**, es el Volga.

7. Toledo no es una ciudad muy interesante. – (10) **Pero, ¿qué me estás contando?**

LAS PERÍFRASIS VERBALES

Son expresiones compuestas de un verbo conjugado seguido de un verbo en forma no personal (infinitivo, gerundio o participio) unidos o no por preposiciones cuyo significado es un todo y no se pueden interpretar por separado. Fíjate en estas conversaciones entre camarero y cliente:

1 –*¿Quiere un café?* –*Cuando acabe el postre, tomaré uno, gracias.*

2 –*¿Quiere un café?* –**Acabo de tomar** *uno, gracias.*

En el ejemplo 1 *acabar* mantiene el significado de terminar. Mientras que en el 2, la perífrasis **acabar de** + infinitivo hace referencia a una acción pasada reciente, es decir, como ya he tomado hace nada un café, no quiero otro. La perífrasis es un todo semántico. El verbo conjugado aporta un valor gramatical y la forma no personal aporta el contenido semántico.

Este es el valor de algunas perífrasis:

1 Expresan probabilidad

■ **Deber de** + infinitivo / **Tener que** + infinitivo: el hablante presenta una suposición suya, en el segundo caso, lo ve casi seguro.

   –*Nos hemos perdido.* –*Tranquilo,* **debe de haber** *un camino cerca.*

   –*No encuentro las gafas.* –**Tienen que estar** *en tu mochila, te las di y las guardaste al salir del albergue.*

■ No debe confundirse **deber de** + infinitivo con **deber** + infinitivo que expresa necesidad: *Debemos permanecer tranquilos.* Aunque, en la lengua coloquial, a menudo se confunde por una pronunciación descuidada de la "d".

■ Asimismo, no hay que confundir este uso de **tener que** + infinitivo con el uso de obligatoriedad:

   Para poder quedarte en el país más de tres meses, **tienes que tener** *un visado.*

2 Expresan la inminencia de una acción

■ **Estar a punto de** + infinitivo: el hablante expresa la idea de algo inminente:

   Estaba a punto de volverme *a España cuando encontré un trabajo y me quedé.*

■ **Estaba por** + infinitivo: también expresa inminencia, pero tiene el matiz de algo espontáneo que el hablante no puede o no quiere controlar:

   Cuando me dijo esa grosería, **estuve por** *darle una bofetada, pero eso hubiera sido ponerme a su altura.*

3 Expresan inicio incontrolado o repentino de una acción

■ **Romper a** + infinitivo: expresa algo que comienza de forma incontrolada. Normalmente se emplea con los verbos *llorar, reír y gritar*:

   Al ver mi pueblo tan cambiado después de tantos años, **rompí a llorar** *y no podía parar.*

- **Echar a** + infinitivo: acción que comienza con energía e ímpetu. Tiene un uso restringido con los verbos *correr, andar, volar y nadar*:

  *Estaba agotado y paró, pero en cuanto vio la línea de meta, **echó a correr** con toda la energía que le quedaba.*

- **Echarse a** + infinitivo: introduce aún más énfasis, uso restringido con los verbos *temblar, reír y llorar*.

- **Ponerse a** + infinitivo: expresa la idea de empezar algo, pero la posición del enunciador es menos neutra, se implica más en la acción marcada por la forma no personal:

  *Me sentía estancado, no sabía cómo terminar la novela, pero después de colaborar con vosotros, me di cuenta de que tenía que cambiar el enfoque y **me puse a trabajar**. En una semana, la terminé.*

4 Expresa el progreso de una acción

- **Ir** + gerundio: da la idea de una progresión gradual: *Cuando llegué a Kerala, me costaba la comida, pero **fui haciéndome** al picante y ahora no puedo vivir sin él.*

5 Expresan el fin de una acción

- **Llevar** + **cantidad (no de tiempo)** + participio: es similar a la perífrasis de duración *llevar* + gerundio; sin embargo, el énfasis está en la cantidad de lo que se ha hecho hasta ese momento, no del tiempo. El participio concuerda en género y número con esta cantidad:

  *Me contrataron porque el bajista tuvo un accidente. El día antes del concierto **llevaba solo cinco canciones aprendidas**, así que tuve que ensayar más de diez horas.*

- **Acabar por** + infinitivo: pone el énfasis en un resultado que no es el esperado:

  *Ya no quería tomar nada, quería irme, pero como me insistió tanto, **acabé por tomarme** un café.*

- **Acabar de** + infinitivo: expresa acción pasada muy reciente, se acerca al significado de los tiempos compuestos añadiendo el matiz de inmediatez:

  1–He tomado un café vs. *2–**Acabo de tomar** un café.*

Si alguien te pregunta "*¿Te apetece un café?*" y responses como en el ejemplo 1, puede preguntarte: "*Pero ¿quieres otro?*"; mientras que si responds como en 2, entiende que no quieres porque hace muy poco que has tomado uno.

No se puede emplear en todos los tiempos verbales, ya que pierde el sentido de perífrasis y recupera el significado de *terminar*. Normalmente se usa en presente o pretérito imperfecto, aunque pueda aparecer para hacer hipótesis que al enunciador le parezcan probables.

*- Nos **acabábamos de conocer**, aun así, decidimos irnos a vivir juntos. –¿Sabes que ya se han separado? –No me sorprende, **acabarían de conocerse**, cuando se fueron a vivir juntos.*

3 Relaciona las frases con su significado.

1 Estaba harta de sus idas y venidas y **acabé por romper** con él.

   a) Ha roto con él hace poco.

   b) Tomó la decisión de romper su relación.

2 En el concierto de los Rolling Stones **debía de haber** 100 000 personas.

   a) Aproximadamente había ese número de seguidores.

   b) No podía haber menos personas para que se celebrara.

3 Tenía el examen al día siguiente y **llevaba seis temas aprendidos** de los diez.

   a) Ya no podría aprobar, iba a suspender.

   b) Le quedaban cuatro temas por estudiar.

4 **Acabé de hablar** con él cuando llegó el taxi.

   a) Terminó la conversación cuando vio el taxi.

   b) Hacía muy poco que había hablado con él cuando llegó el taxi.

5 La casa no estaba amueblada, así que **fui comprando** muebles hasta tenerla a mi gusto.

   a) Se fue a comprar todo lo que necesitaba ese día.

   b) Compró lo que necesitaba poco a poco.

4 Completa el texto con las perífrasis de la tabla en el tiempo adecuado para que tenga sentido.

> *estar a punto de* + infinitivo
> *deber de* + infinitivo *ir* + gerundio
> *acabar de* + infinitivo *ponerse a* + infinitivo
> *acabar por* + infinitivo

No tenía muy claro qué hacer en mis vacaciones, quería hacer algo diferente y un amigo me habló de los viajes solidarios, él _____ **volver (1)** de Nicaragua y estaba entusiasmado. Cuando me comentó que estaban buscando ingenieros para crear infraestructuras, _____ **convencerme (2)**, era perfecto para mí. Yo estaba muy ilusionado con la idea de conocer su cultura y ayudar, pero cuando vi los recursos que teníamos, _____ **de echarme a llorar (3)**. Sin embargo, con la ayuda de un compañero de allá que me mostró los secretos del lugar, _____ **adaptándome (4)** y _____ **trabajar (5)** con ganas. Al final, cuando tenía que volver a casa, _____ **haber (6)** cuarenta personas de la comunidad implicadas en el proyecto y me alegré de haber puesto mi granito de arena.

UNIDAD 9

LAS ORACIONES CONCESIVAS I

Las oraciones concesivas presentan una circunstancia u obstáculo que no llega a impedir la realización de la acción de la oración principal.

Oración concesiva (obstáculo) Oración principal (se realiza)

Aunque no estoy en forma, *voy a correr el maratón.*

	Información que creemos y declaramos como una afirmación. La expresamos como un hecho.	Información que juzgamos porque no la creemos, dudamos de ella o queremos restarle importancia.
Información nueva para el interlocutor.	**Indicativo** –¿Sabes que me he apuntado a un gimnasio? –¿Sí? ¿A cuál? –Pues a uno que **aunque** está bastante lejos de mi casa, sale muy económico.	
Información ya compartida con el interlocutor.	**Indicativo** –Te has retirado de la competición, ¿verdad? –Sí, pero **aunque dejo** la competición profesional, voy a seguir vinculado al mundo del deporte.	**Subjuntivo** –Dicen que te vas a retirar de la competición profesional, ¿es verdad? –Bueno, no es todavía oficial, pero **aunque deje** de competir profesionalmente, seguiré vinculado al mundo del deporte. –No sé cómo puedes apuntarte a un gimnasio en la otra punta de la ciudad. –Porque es el más económico, y **aunque esté** lejos, merece la pena.

■ **Cuando va seguido de imperfecto de subjuntivo** tiene un valor concesivo en pasado. ***Aunque*** es el conector más frecuente:

–¡Qué difícil el ejercicio de anillas! Eso tuvo que doler.
–***Aunque*** estuviera sufriendo, no nos dimos cuenta y le salió de 10.

Pero también lo podemos usar para dar énfasis en la imposibilidad de que cambie una acción, para ello se propone una circunstancia irreal o muy poco probable:

*No jugaría con ellos **aunque** fuera el único equipo del mundo.*

(El emisor quiere resaltar que no va a jugar con ellos bajo ninguna circunstancia).

■ **Cuando va seguido de pluscuamperfecto de subjuntivo** expresamos una hipótesis sobre una circunstancia pasada que no afectó a la acción principal:

*Aunque **hubiéramos entrenado** más, no habríamos ganado la competición.*

■ ***A pesar de que* / *Pese a que*** + indicativo preferentemente. El emisor informa o tiene en cuenta una circunstancia que no llega a afectar a la acción principal:

A pesar de que *teníamos un jugador menos, ganamos el partido.*

Además de con un verbo, pueden ir con infinitivo (simple o compuesto) / sustantivo / pronombre:

A pesar de *hacer mucho deporte está un poco gordito /* ***Pese al*** *mal tiempo hicimos un buen partido / El torneo se tuvo que cancelar dos veces por la lluvia, **pese a** eso todo fue bien.*

■ ***Aun así* / *aun cuando* / *incluso cuando*** + indicativo. También pueden expresar un reproche.

*Le dije que yo no estaba en forma y **aun así** me apuntó a la carrera. / **Aun cuando** le pedí que me enseñara, no me hizo caso.*

■ Subjuntivo + ***lo que*** + mismo subjuntivo. Para expresar la determinación por realizar una acción independientemente de las opiniones o acciones de los demás: ***Digan lo que digan**, vamos a darlo todo en el partido. / **Cueste lo que cueste**, conseguiremos ganar.*

■ ***Si bien (es cierto que)*** + indicativo. Registro formal: ***Si bien** ya están cerradas las negociaciones, todavía se pueden hacer cambios en los fichajes.*

■ Futuro imperfecto + ***pero*** + indicativo. Valor concesivo que puede introducir una oposición o rechazo:

–Tienes que apuntarte a clases de zumba, es lo mejor.
–***Será*** *muy bueno **pero** conmigo no cuentes.*

■ En un registro informal, para intensificar el obstáculo para la realización de la acción de la oración principal podemos usar conjunciones concesivas como:

Con lo que
Con el / la / los / las + sustantivo + **que**
Con la de + sustantivo plural + **que**
Con lo + adjetivo o adverbio + **que**

⎤ + **indicativo**

Con lo que come y lo delgado que está.
No sé cómo te puede gustar **con la fama** de mujeriego **que tiene**.
Con la de chicas que hay en el mundo y te tienes que fijar en esta.
Con lo fea que es y lo mucho que liga.

Nota: cuando la oración subordinada va delante, se separa con una coma de la principal.

ACTIVIDADES

1 Relaciona cada ejemplo con la intención comunicativa del emisor.

1 Aunque Pedro juega muy bien al fútbol, no podemos meterle en el equipo, ya está completo.	a Restamos importancia al hecho de que Pedro juega bien al fútbol.
2 –Pedro juega muy bien al fútbol. –Pues aunque así sea, no podemos meterle en el equipo.	b Énfasis en la imposibilidad de meterle en el equipo.
3 Aunque fuera el mejor jugador del mundo, no podríamos meterle en el equipo.	c Informamos de que Pedro juega muy bien al fútbol.

2 Conjuga los verbos en el tiempo apropiado.

1 –Este año me toca ir a Eurodisney con la familia, tú te libras porque no tienes niños…
–Es que aunque (tener, yo)_____ hijos, no se me ocurriría ir de vacaciones a Eurodisney.

2 –Deberías haberlo llamado y darle una explicación.
–Aunque lo (llamar, yo) _____, no me habría cogido el teléfono.

3 Pese a (tener, ella) _____ el mejor currículum, no consiguió el puesto de trabajo.

4 Aun cuando (estar, yo) _____ todo el día explicándole cómo hacerlo, al final no ha hecho nada.

5 A pesar de (esforzarse, él) _____ al máximo, no llegó a meterse en la final.

6 Aunque (ser) _____ el único hombre del planeta, no saldría con él.

3 Completa los siguientes diálogos y frases utilizando las partículas concesivas del recuadro sin repetirlas.

> Se ponga como se ponga Pese a
> Aun cuando Piensen lo que piensen
> Aunque Si bien es cierto que

1 –No deberías salir así, ¡qué va a pensar la gente!
–_____ a mí me da igual, yo me visto como quiero.

2 –Pronostican mal tiempo para el fin de semana, igual deberíamos cancelar la excursión.
–Pues yo creo que no, _____ haga mal tiempo podemos pasarlo muy bien.

3 _____ gozar de una buena salud, Guille siempre se queja de todo, es muy hipocondriaco.

4 Estoy muy enfadada con la agencia de viajes, _____ les dije que me cambiaran las fechas del viaje, no lo hicieron y ahora no puedo cambiar los billetes.

5 –Si María se entera de que la echaron del equipo por tu culpa, te va a odiar para siempre.
–_____ tengo que decirle la verdad.

6 _____ se aprobó la subvención para la mejora de las instalaciones deportivas, todavía no se ha recibido.

SALUDAR, DESPEDIRSE, OFRECER AYUDA, ANIMAR Y CONSOLAR

Saludar en un registro informal

● Hola, ¿qué tal? / ¿Cómo va? / ¿Cómo estás?
● ¿Qué es de tu vida?
● ¿Qué hay? / ¿Qué pasa?
● ¿Cómo estamos / andamos?

Responder a un saludo

● Pues nada. Aquí (estoy / estamos*).
● No me puedo quejar, (la verdad).
● (Seguimos) tirando.
● Bien, parece que ha pasado la mala racha.
Respuesta que anticipa malas noticias
● Bueno, pues no demasiado bien.
● Bueno, qué quieres que te diga.
● Para qué te voy a contar.

* Se emplea en plural también aunque el interlocutor sea uno.

Despedirse

● Seguimos / Estamos en contacto.
● Nos vemos / llamamos / hablamos / escribimos.
● Ya sabes dónde estoy.

Ofrecer ayuda

- *Me tienes / Estoy a tu disposición (para lo que necesites).*
- *Si necesitas ayuda, no tienes más que / solo tienes que...*
- (Ya sabes que) *puedes contar con mi ayuda / conmigo.*
- *Ya sabes dónde encontrarme / estoy / me tienes.*
- *Cuenta conmigo.*
- *No dudes en* + infinitivo: *No dudes en llamarme si...*

Animar y consolar

Bueno, bueno...
- *Venga, venga... / Vamos, vamos...*
- *Venga, hombre / mujer (anímate)*
- *No te lo tomes así / tan en serio.*
- *Tómatelo con calma / con humor / con paciencia...*
- *Al menos / Por lo menos...*

CONCORDANCIA TEMPORAL CON VERBOS DE OPINIÓN

Los verbos de la oración subordinada deben seguir una **concordancia temporal** con los de la oración principal. En el caso de los verbos de opinión como *creer, pensar, opinar, afirmar, estimar, admitir, suponer...*, o expresiones como *me parece*, cuando van en **afirmativo** introducen una información nueva, y por lo tanto van seguidos de **indicativo**, mientras que en **negativo** presuponen una información, y por ello van habitualmente seguidos de **subjuntivo**. *Creo* que *va* a llover. / *No creo* que *vaya* a llover.

Las **oraciones interrogativas** se construyen siempre con **indicativo**: ¿*No crees* que *ha sido* muy amable con nosotros?

Es posible pero poco frecuente y tiene valor enfático, el uso del indicativo tras un verbo de creencia u opinión en forma negativa: *No cree* que le *he pedido* perdón, pero sí lo he hecho.

El verbo "suponer" se usa en indicativo, cuando queremos utilizarlo en negativo, ponemos la negación en la oración subordinada. *~~No supongo que voy~~. /–Supongo que no voy.*

	Afirmativo	Negativo
Presente	*Creo que* + presente simple o continuo de indicativo. *Creo que me ayuda / me está ayudando.*	*No creo que* + presente simple o continuo de subjuntivo. *No creo que me ayude / me esté ayudando.*
Futuro	*Creo que* + *ir a* + infinitivo / + futuro / condicional. Según se quiera mostrar mayor o menor probabilidad. *Pienso que me va a ayudar. Creo que me ayudará. Supongo que me ayudaría*	*No creo que* + presente / imperfecto de subjuntivo. Según se quiera mostrar mayor o menor probabilidad. *No pienso que me vaya a ayudar. No creo que me ayude. No creo que me fuera/-se a ayudar.*
	Con condicional expresa además una hipótesis en futuro. *Me gustaría que mi hijo entrara en el equipo de fútbol, supongo que eso le ayudaría a tener más amigos.*	
Pasado	*Creo que* + tiempos de pasado en indicativo. *Pienso que me ha ayudado / me ayudó.*	*No creo que* + tiempos de pasado en subjuntivo. *No pienso que me haya ayudado / me ayudara/-se.*
	Para hacer hipótesis en el pasado: *Yo creía / creí que* + imperfecto de indicativo / condicional. *Yo creía / creí que me iba a ayudar /me ayudaría.*	Para hacer hipótesis en el pasado: *Yo no creí / creía que* + imperfecto de subjuntivo. * *Yo no creí / creía que me fuera/-se a ayudar.*
	Para hacer hipótesis en el pasado no realizadas: *Hubiera creído que* + imperfecto de indicativo / condicional. *Yo hubiera creído que me ayudaría / me iba a ayudar.*	Para hacer hipótesis en el pasado no realizadas: *No hubiera/-se creído que* + imperfecto de subjuntivo.* *Yo no hubiera creído que me fuera/-se a ayudar.*
	En la lengua hablada se puede emplear el indicativo en la oración subordinada con verbos de opinión en pasado y en negativo. *Yo no creía que jugabas tan bien al tenis. Yo no hubiera pensado que me iba a gustar tanto.*	

ACTIVIDADES

4 Lee las frases y elige la opción correcta para completarlas. En algunos casos puede haber más de una.

1 Desde que voy al gimnasio me siento mucho mejor, creo que…	**a** me está ayudando mucho. **b** me ayudará mucho. **c** me ayude mucho.
2 No soy de gimnasio, pero me alegro mucho de haberme apuntado, no hubiera pensado que…	**a** me fuera a gustar tanto. **b** me guste tanto. **c** me iba a gustar tanto.
3 Estoy pensando en apuntarme al gimnasio aunque no creo que…	**a** pueda por mi horario de trabajo. **b** haya podido por mi horario de trabajo. **c** puedo por mi horario de trabajo.
4 Me apunté al gimnasio con mucho entusiasmo, pero después de un mes lo dejé, pensaba que…	**a** iba a ser más constante. **b** sería más constante. **c** fuera más constante.
5 Tenía ganas de apuntarme al gimnasio, pero al ver los precios tan caros no lo hice. No pensaba que…	**a** hubiera sido tan caro. **b** fuera a ser tan caro. **c** será tan caro.
6 Al final no he renovado el gimnasio porque me han subido la cuota anual. Pensé que…	**a** me hicieran algún descuento. **b** me iban a hacer algún descuento. **c** me harían algún descuento.
7 Me encuentro mucho más en forma, supongo que…	**a** el gimnasio tiene algo que ver. **b** el gimnasio tenga algo que ver. **c** el gimnasio tendrá algo que ver.
8 La primera vez que fui a un gimnasio me sorprendió la de actividades que hay para elegir. No hubiera pensado antes que…	**a** hubiera tanta oferta de clases. **b** iba a haber tanta oferta de clases. **c** habría tanta oferta de clases.

5 Piensa en el verbo y en el tiempo apropiado para completar estas frases.

1 No hubiera pensado nunca que _____ cincuenta años, con lo joven que pareces.

2 Yo pensaba que los niños _____ gratis en el metro, pero me acaban de decir que solamente los menores de seis años.

3 Inténtalo otra vez, no creo que _____ tan difícil.

4 Voy a una entrevista de trabajo, pero sinceramente no creo que _____ muchas posibilidades.

5 No me imaginaba que tu novio _____ tan guapo.

6 Me he tomado una manzanilla y creo que _____ el dolor de tripa.

7 Si hablaras con ella creo que _____ el problema.

8 No me he traído ni una chaqueta, no pensé que _____ tanto frío.

9 Me gustaría comprarme ese abrigo, pero no tengo mucho dinero, supongo que _____ muy caro.

10 Yo no hubiera pensado que _____ a divertirme tanto en las clases.

UNIDAD 10

ORACIONES CONCESIVAS II

■ Como ya se ha indicado en la unidad 9, los nexos concesivos indican la presencia de una circunstancia que dificulta la acción principal sin impedirla. Uno de sus usos seguidos de subjuntivo es **contraargumentar** quitando importancia al razonamiento previo de nuestro interlocutor para destacar la información nueva que aportamos en indicativo.

Por más / mucho que +
Por muy / más + adjetivo / adverbio + ***que*** + subjuntivo
Por más / mucho-a/s + sustantivo + ***que*** +

–Me parece un despropósito que se pague tanto a los futbolistas.

*–Mira, **por muy ilógico que** te parezca, generan muchas más ganancias a sus clubes.*

■ Estos nexos concesivos, al igual que el resto, pueden ir seguidos de verbo en indicativo si lo que queremos es dar información nueva o hacer una declaración: ***Por mucho / más que*** estudia, no aprueba. ***Por más que*** dice que lo va a hacer, nunca lo hace. Se afirma (incluso con rotundidad) que lo indicado en la oración subordinada concesiva es verdad, y sin embargo no cambia en absoluto la realización de la oración principal.

ACTIVIDADES

1 Reformula estas frases para desmontar el argumento de tu interlocutor. Usa los nexos *por más / mucho que, por muy* + adj. / adv. + *que* como en el ejemplo. Puede que necesites añadir o quitar palabras.

Conversación entre una pareja
–*El coche que tenemos tiene diez años, tenemos que cambiarlo.*
–*(Funciona. No importa los años, no vamos a cambiarlo.)*
–*Por muy viejo que sea, funciona.*

Conversación 1- con tu peluquero
–*Te lo he dicho mil veces, estarías más guapa si te cortas el pelo.*
(No me lo voy a cortar. Me da igual estar más guapa o no)

Conversación 2- con tu hijo
–*Hace una hora me dijiste que me ibas a llevar al parque.*
–*(Hasta que termine el trabajo, no vamos. No insistas)*

Conversación 3- con un dependiente
–*Comprando este teléfono, no se puede arrepentir. Es el más moderno del mercado con diferencia.*
–*(No estás dispuesto a pagar un precio tan alto. No te importa si es el mejor valorado, quieres uno más barato)*

ORACIONES DE RELATIVO

Las partículas relativas, como se vio en la unidad 3, se refieren a sustantivos que pueden cumplir diferentes funciones en la oración.

1 La partícula relativa *cuyo*

■ **Cuyo-a/s** tiene un carácter posesivo y tiene valor de: *de* + sustantivo. Indica que el antecedente es el poseedor, pero concuerda en género y número con el sustantivo que le sigue, no con el antecedente. Nunca lleva artículo:

■ Se denomina **quesuismo** cuando *cuyo* es suplido por el relativo *que* seguido de un determinante posesivo (casi siempre *su/s*) Es incorrecto, aunque hablantes nativos lo usan en el lenguaje hablado:
* *He visto al niño que su padre te llamó. / He visto al niño* **cuyo** *padre te llamó.*

Cuando precede a varios sustantivos coordinados, la exigencia normativa es que solo concuerde con el primero.
Película **cuya** *fotografía y efectos especiales recibieron sendos premios.*

La exposición **cuyo** *objetivo es dar a conocer la labor humanitaria de estos trabajadores estará abierta hasta final de mes.*

poseedor concordancia

ORACIONES DE RELATIVO				
	ESPECIFICATIVAS Dan una información que aclara y restringe.		**EXPLICATIVAS** Destacan una cualidad conocida de la oración principal, van entre comas.	
	SIN PREPOSICIÓN	**CON PREPOSICIÓN**	**SIN PREPOSICIÓN**	**CON PREPOSICIÓN**
que	*Los desempleados* **que** *cobren menos de 500€ recibirán una ayuda.*	*La desempleados* **con los que** *hablé cobraban menos de 500€.*	*Ana,* **que** *me cae bien, vive ahí.*	*Ana,* **con la que** *me llevo bien, vive ahí.*
el que / la que / los que / las que	*El* **que** *cobre menos de…(función de sujeto)*	*La chica* **con la que** *me llevo bien vive ahí.*	*Ana,* **la que** *me cae bien, vive ahí (de todas las Anas, esa).*	*Ana,* **con la que** *me llevo bien, vive ahí.*
el cual / la cual / los cuales / las cuales	X*	*La heredera* **con la cual** *se casó era inglesa.*	*La incubadora,* **la cual** *sirve para mantener una temperatura constante, es muy barata.*	*La mosquitera,* **con la cual** *se evitan que entren los mosquitos, dura muchos lavados.*
lo que / cual	**Lo que** *no entiendo es que tengamos que pagar por ir al baño.* ^	**Con lo que** *no estoy de acuerdo es con tener que pagar por ir al baño.* ^	*Tener que pagar por ir al baño,* **lo cual** *es absurdo, es un abuso.*	*Tener que pagar por ir al baño,* **con lo cual** *no estamos de acuerdo, es un abuso.*

quien / quienes	X*	La chica **con quien** vivo es francesa.	Ana, **quien** me cae bien, vive ahí.	Ana, **con quien** me llevo bien, vive ahí.
cuyo(s) / cuya(s)	La chica **cuya** abuela tenía un piso en Cádiz vive ahí.	La chica **de cuya** abuela heredó un piso en Cádiz vive ahí.	Ana, **cuya** notas son excelentes, recibirá un cum laude.	Ana, **con cuyos padres hablé ayer,** se casa en mayo.

* Se puede usar **quien / quienes** en una oración especificativa sin preposición <u>si</u> <u>funciona</u> <u>como</u> <u>sujeto</u>.
 Quienes quieran ayudar pueden acercarse.

^ **Lo cual**, no puede aparecer en oraciones especificativas. *Lo ~~cual~~ no entiendo es que…*

ACTIVIDADES

2 Completa con la partícula o partículas relativas correctas.

1 El virus del SIDA, _____ medidas preventivas han hecho disminuir notablemente el número de afectados, sigue causando estragos en África.

2 La reducción del uso de aerosoles, _____ ya había sido acordado por el G8 hace años, continúa sin cumplirse por parte de algunos países.

3 _____ dedican su vida a mejorar la de los demás, deberían tener un mayor reconocimiento social.

4 Las reservas submarinas, _____ están disminuyendo a pasos agigantados, necesitan leyes que las protejan.

5 Debido al calentamiento global, se han producido movimientos sísmicos _____ han ocasionado la muerte de miles de personas como en Haití.

6 Sin embargo, muchas ONG denunciaron que en Haití la extrema pobreza en _____ viven y las infraestructuras fueron las verdaderas razones del desastre.

UNIDAD 11

VALORES DE *SE*

La forma *se* puede tener distintos valores en español. Diferenciamos **dos grandes grupos:**

1 *Se paradigmático*

Cuando son posibles pronombres de otras personas (*me, te, nos…*) en construcciones similares. En este grupo incluimos:

a Sustituto del pronombre *le*: usamos *se* cuando el pronombre aparece acompañado de *lo / la / los / las*: *Le contó a todo el mundo la historia = **Se la** contó a todo el mundo.*

b Reflexivo: cuando la persona a la que se refiere coincide con el sujeto: *Julia **se** peinaba.*

c Recíproco: cuando el sujeto es múltiple o plural y se entiende que cada individuo del sujeto realiza la acción del verbo hacia el otro o los otros: ***Se** miraron atentamente (ella miraba al chico y el chico la miraba a ella).*

d Pronominal: el verbo exige la presencia del pronombre *se* y no pueden funcionar sin él: ***Se** quejó por el trato recibido.*
En algunos casos, el verbo puede aparecer con pronombre y sin él, cambiando su significado: *acordar* (llegar a un acuerdo) / *acordarse* (recordar), *fijar* (establecer) / *fijarse* (prestar atención).

e *Se* dativo: tiene una función intensificadora del significado del verbo: ***Se** comió todo.*

2 *Se no paradigmático*

Cuando en las construcciones solo admiten verbos en tercera persona y el pronombre *se*: construcciones impersonales, de pasiva refleja y voz media.

a Impersonal: el verbo está en tercera persona de singular y no hay sujeto: *Desde ese edificio **se** ve toda la ciudad. Aquí no se habla de política.*

b Pasiva refleja: indica que el sujeto de la oración no realiza la acción verbal, sino que la recibe. El verbo tiene que concordar en número con el sujeto: *Los resultados **se** conocerán pronto. / No se solucionan los problemas sin hacer nada.*

c Voz media: indica un proceso que se produce en el interior del sujeto, sin que este realice la acción: *La camisa **se** arruga fácilmente.*
Suelen ser construcciones intransitivas (sin complemento directo) de verbos transitivos con sujeto agente. La función de sujeto la realiza lo que en la construcción transitiva haría función de complemento directo y se interpreta como una acción o cambio de estado sin intervención voluntaria o de un sujeto agente: *–¿Has roto tú el cristal. –No, **se** ha roto solo.*

ACTIVIDADES

1 Transforma estas oraciones usando el pronombre *se*.

1 Todo el mundo ayudó a los más necesitados durante la catástrofe.

Durante la catástrofe, se ayudó a los más necesitados.

2 La noticia fue divulgada por los medios de comunicación a primera hora de la mañana.

3 La agencia inmobiliaria vendió los dos últimos pisos de ese bloque.

4 Juan abrazó a su hermano al oír la noticia.

5 Los trabajadores creen que el próximo año habrá una reducción de la plantilla.

6 Fue a la peluquería para que le cortaran el pelo como a ese famoso futbolista.

7 Ten cuidado con esa caja, que al final vas a romperlo todo.

8 Como no le gustaba lo que oía, nos dejó con la palabra en la boca y fue a ver a Luis.

2 Completa los espacios con la palabra en singular o plural.

a Se _____ (alquilar) motos de agua durante media hora.

b Se _____ (informar) a los familiares de la tragedia sucedida.

c Se _____ (necesitar) que comiencen las investigaciones.

d Se _____ (considerar) muy importantes estas negociaciones.

e Se _____ (comentar) que vuelven a subir los precios del gasoil.

f Se _____ (aclarar) a los detenidos que tenían derecho a un abogado.

3 En estas oraciones aparece el verbo con y sin pronombre. ¿Qué cambio de significado se ha producido?

1 **Acordaron** que tendrían el trabajo terminado para esta semana. / No **se acordó** de la fecha de su cumpleaños.

2 Aunque buscó por toda la casa, no **encontraba** las llaves de casa. / Iba al trabajo y **me encontré** con Luis.

3 Los asistentes **ocuparon** sus sitios antes de empezar la función. / Ella **se ocupó** de los preparativos y todo salió a la perfección.

4 Los chicos se reunieron en casa para **jugar** a las cartas. / Ellos **se jugaron** más de 100 euros en la partida.

5 **Aprovechó** su suerte para hacer unas inversiones. / **Se aprovechó** de sus amigos y ahora no le hablan.

EL GÉNERO DE LOS SUSTANTIVOS

En español, el sustantivo tiene dos géneros gramaticales: **masculino** y **femenino**. El género gramatical puede estar motivado, es decir, depende del sexo de la persona o animal a que se refiere el sustantivo (*el niño, la niña*) o no motivado, no depende del sexo (*el árbol, la hierba*).

1 Género motivado

En el sustantivo, la oposición masculino / femenino puede manifestarse:

a En una forma con dos terminaciones diferentes: normalmente –*o* para el masculino y –*a* para el femenino; son posibles terminaciones distintas de –*o* para el masculino:

el hijo / la hija, un alemán / una alemana, el ganador / la ganadora

Hay algunas terminaciones cultas para el femenino como -*esa, -isa, -ina, -triz*:

alcaldesa, tigresa, sacerdotisa, emperatriz.

b En una forma igual para el masculino y el femenino, el sexo se diferencia por la concordancia con artículos y adjetivos:

el/la periodista, el/la estudiante, el/la testigo

c En formas distintas para el masculino y el femenino:

el hombre / la mujer, el toro / la vaca.

En ocasiones no se distingue sexo y hay una única forma: *la ardilla* (para distinguir el sexo: *la ardilla macho, la ardilla hembra*).

2 Género no motivado

Hay algunas reglas para el género no motivado de los sustantivos, por su contenido o por la morfología:

a Tienen **género masculino**:

Ríos, mares, océanos, árboles, días de la semana, colores: *el Amazonas, el Mediterráneo, el olivo, el martes, el naranja.* La mayoría de los sustantivos que acaban en -*o, -or, -aje, -ta,-ma*: *el sonido, el olor, el oleaje, el poeta, el poema.* Hay algunas excepciones: *la flor* y los acabados en -*o*: *la foto, la moto* y *la radio*.

b Tienen **género femenino**:

Frutas, verduras, flores, letras: *la naranja, la lechuga, la margarita, la efe.* Suelen ir en femenino los sustantivos que acaban en -*dad, -tad, -ión,-ez, -ud, -is*: *la caridad, la voluntad, la reacción, la pequeñez, la multitud, la crisis.*

3 El género neutro

El género neutro se emplea en adjetivos que se han tomado la función de un sustantivo:

lo bueno, lo malo, lo original…

4 Peculiaridades y dificultades

- Algunas profesiones femeninas admiten dos formas: con terminación masculina y con terminación femenina: *la juez / jueza, la médico / médica.*
- Algunas palabras terminadas en –*nte* tienen femenino en –*nta*, que puede convivir con la forma en –*nte* y resultar coloquial: *la clienta, la dependienta, la presidenta.*
- Los sustantivos femeninos que empiezan por *a-/ha-* tónica, se usan con el artículo *el*: *el águila, el hada madrina.*
- Hay palabras que admiten los dos géneros sin cambio de significado. Son palabras de género ambiguo: *el / la azúcar, el / la mar, el / la armazón.*
- Hay palabras que tienen significados distintos en masculino y en femenino; hay que considerarlas palabras distintas (como *olivo* 'árbol' y *oliva* 'fruto'). Algunas de estas palabras frecuentes son:
  - *El frente* (= primera línea del ejército en una guerra)/ *La frente* (= parte superior de la cara).
  - *El orden* (= disciplina, disposición) / *La orden* (= mandamiento, ley).
  - *El cura* (= sacerdote) / *La cura* (= curación, sanación).
  - *El mañana* (día que sigue al de hoy) / *La mañana* (= primeras horas después de amanecer).
  - *El guía* (= instructor) / *la guía* (= manual, folleto).
  - *El parte* (= comunicado, aviso) / *La parte* (= tozo, fragmento, porción).
  - *El cólera* (= enfermedad) / *La cólera* (= ira, enfado).
  - *El editorial* (= artículo periodístico de opinión) / *La editorial* (casa editora).
  - *El coma* (= estado de pérdida de conciencia y movimiento) / *La coma* (signo ortográfico).
  - *El capital* (= dinero) / *La capital* (población principal de un estado)

ACTIVIDADES

4 Elige la forma correcta.

1 Los soldados en *el/la* frente, esperaban la llegada de refuerzos para comenzar la ofensiva.
2 Coge *ese/esa* parte de la tarta que tiene más chocolate.
3 Deja de pensar todo el rato en *el/la* mañana y dedícate a disfrutar del momento.
4 El médico dijo que la enfermedad tenía *un/una* posible cura.
5 Los papeles están todos revueltos y sin *ningún/ninguna* orden.
6 Tras el accidente tuvieron que dar *un/una* parte al seguro.
7 El mejor momento del día es *el/la* mañana.
8 Antes de irse de la oficina, dio *varios/varias* órdenes a sus empleados.
9 Me tocó *el/la* frente y dijo que tenía mucha fiebre.

UNIDAD 12

EL FUTURO COMPUESTO

El futuro compuesto se forma con el **futuro del verbo *haber*** y el **participio del verbo principal**: *habré ido, habrás ido...*

Usos del futuro compuesto

1 Se usa para hablar de acciones o situaciones futuras respecto al momento en el que se habla, pero anteriores a otra acción o momento futuros: ***Habré desconectado*** ya cuando vuelvas a casa (desconectaré antes de que tú vuelvas). *Dentro de una semana ya se **habrá olvidado** de este mal trago.*

2 Expresa diversas funciones sobre hechos pasados:
  a Expresar probabilidad o suposición sobre un hecho anterior a otro hecho pasado: –*Le duele mucho la espalda.* –***Habrá estado encorvado*** *durante horas con el móvil.*

  El futuro y el futuro compuesto expresan probabilidad: el futuro se corresponde con los tiempos de presente y futuro y el futuro compuesto con los tiempos de pasado y el pretérito perfecto.
  –*¿Dónde está Maribel?*
  –*Estará en su oficina.*
  –*No, ahí no está.*
  –***Habrá salido*** *antes.*

  b Valor de objeción o contraste en el pasado: ***Habrá llamado*** *muchas veces, pero no me he enterado.*

  c Sustituye a *espero que, no creo que, confío en que...,* y otras expresiones de sentimientos de sorpresa, extrañeza, reprobación, temor, precedido de ***no*** referidas al pasado: *¿No me **habré dejado** el móvil? / ¿No **habrás tenido el valor** de pedirle su contraseña?*

  d Hacer una afirmación tajante sobre una realidad pasada, con frecuencia con *si* o *no*: *¿Qué no te acuerdas de tu contraseña?, ¡**si** la habrás tecleado más de mil veces!*

ACTIVIDADES

1 Escribe una posible reacción ante estas situaciones usando el futuro compuesto.

1 Mamá, no encuentro el libro de matemáticas.

2 Manuel estuvo aquí y ahora no veo el cojín de rayas.

3 El niño se ha vuelto a caer.

4 Dice que te ha llamado un montón de veces y que no has cogido el móvil.

5 Le duele mucho el cuello.

2 Relaciona el principio y el final de estas frases.

1 ¿Habrá visto el mensaje?,
2 Verás muchas webs sobre el tema,
3 ¿Que no has visitado aún su blog?,
4 Si un usuario promedio consulta 34 veces al día su móvil,
5 Habrá visitado al psicólogo,
6 Habrá estado encorvado usando sus dispositivos móviles,
7 ¿No me habré dejado el móvil?,

a ¿cuántas veces no lo habrá mirado quien padece nomofobia?
b pues ese dolor en el cuello viene por una mala postura.
c pero no habrás conseguido nada nuevo, todas repiten lo mismo.
d ¡si habrás leído ochenta veces sus opiniones en el periódico digital!
e porque está en línea y no me contesta.
f pero sigue teniendo pánico a estar sin wifi.
g porque espero unas llamadas urgentes.

EXPRESAR POSIBILIDAD, DUDA, PROBABILIDAD O FALTA DE CERTEZA

Para **expresar posibilidad o falta de certeza** podemos usar distintas partículas o expresiones, unas seguidas de indicativo (*Lo mismo llegamos a medir dos metros*) y otras de subjuntivo (*Pudiera ser que lleguemos a tener hijos a la carta*). Algunas pueden ir con ambos modos: en estos casos, aunque se sigue expresando falta de certeza, la elección de indicativo obedece a una intención del hablante de informar, afirmar o declarar lo que se dice, valores propios de este modo verbal (*Seguramente vamos a ser más morenos/Seguramente lleguemos a ser más morenos*).

Indicativo

A lo mejor… Seguro que…
A lo mejor vamos a Sicilia de vacaciones o a Malta.
Lo mismo… Igual…
Son de uso más coloquial y expresan sorpresa: *Lo mismo llegamos a medir dos metros o más.*
Se ve que…
En lengua coloquial indica una posibilidad bastante clara: *Se ve que vamos a ser más altos, solo hay que mirar cómo son los jóvenes de ahora.*
Para mí que…
Expresamos probabilidad mostrando una opinión.
Para mí que no van a ganar las elecciones.
Sospecho/intuyo/supongo que…
Sospecho/intuyo que… seremos más inteligentes.

Subjuntivo

- **Pudiera / podría ser que…**
  Puede (ser) que…
  Cabe la posibilidad de que…
  Cabe la posibilidad de que perdamos la memoria por completo.
- **Es probable que… / Es posible que… / Dudo que…**
  Dudo que dejemos de trabajar.
- **No sea / vaya / fuera a ser que…**
  Cógelo, no vaya a ser que nos quedemos sin ello.

Indicativo y subjuntivo

- **No tengo tan claro que… / Probablemente… / Posiblemente…**
  Probablemente seamos / seremos más altos, ¡quién sabe!
- **Quizá(s)… / Tal vez… / Acaso…**
  Cuando se colocan detrás del verbo van con indicativo.
  ¿Seremos tal vez más inteligentes?
- **Seguramente…**
  Seguramente lo ha cogido él. / Seguramente haya sido él quien lo ha cogido.

ACTIVIDADES

3 ¿Qué pasará en el año 2085? Escribe tus hipótesis sobre los siguientes temas.

1 ¿Qué ropa llevaremos?
2 ¿Cómo viajaremos?
3 ¿Qué comeremos?
4 ¿Dónde viviremos?
5 Otras.

4 Decide si las siguientes frases sobre el futuro son correctas (C) o no (I). Corrige las incorrectas.

1 A lo mejor desaparece la figura del profesor.
2 Es posible que hay mucha más contaminación.
3 Intuyo que la gente sea mucho más inteligente.
4 Igual tomaremos cerveza con los habitantes de Marte.
5 Dudo que vamos a vivir en la Luna.

LOS ARTÍCULOS

El sintagma nominal (SN) en español está obligatoriamente determinado (*el / un…*) en posición anterior al verbo –salvo en contadas excepciones que veremos después–, pero en posición posverbal se admite la ausencia de determinante en algunos contextos en los que se hace una designación genérica (*Está estudiando robótica. / Está estudiando la medicina del norte de China*).

Usos del artículo

El **artículo definido** (*el, la, los, las*) indica que el sustantivo es identificable para los interlocutores como único entre todos los de su misma clase por varios motivos:	El **artículo indefinido** (*un, una, unos, unas*) no permite identificar el sustantivo entre otros de su misma clase porque:
1 Porque ya hemos hablado antes de él (*¿Se fueron tarde **los** chicos?*) o porque se señala (*Pásame **la** botella*). Esto sucede con los sintagmas nominales que llevan una expresión modificadora (sin sustantivo explícito): ***el** del traje blanco, **la** de la izquierda, el rojo*.	Hablamos por primera vez de él (*Llegaron **un** chico y **una** chica. El chico empezó a hablar con entusiasmo mientras la chica callaba*).
2 Porque menciona seres, personas u objetos únicos (*Mira, es Roberto, **el** hermano de Irene* –solo tiene uno–) o consabidos como océanos (***el** Atlántico*), ríos (***el** Rin*), montañas (***los** Pirineos*) o algunas entidades (***la** ONU*).	Hay varios seres, personas u objetos del mismo tipo (*Mira, es Roberto, **un** hermano de Irene o **uno** de sus hermanos* –esta tiene más hermanos–).
3 Porque el sustantivo lleva un modificador que lo identifica claramente (*¿Has visto **el** robot que se ha comprado Elena?*). En este contexto podemos incluir frases con el verbo "haber" (*En España hay **la** costumbre de tomar postres dulces en prácticamente todas las celebraciones*).	Alude a un tipo o clase (***Un** robot agilizaría la tarea* –aquí robot es representativo de su clase–), a un ejemplar cualquiera de ese tipo o clase (*Quiero **un** robot que me ayude en la cocina*) o a un ejemplar específico pero no identificable (*Mira, **un** robot con sombrero*).
4 Con valor genérico: *el hombre es un lobo para el hombre* donde el artículo definido representa a toda la clase (*el hombre, los hombres*). Las construcciones valorativas tienen este uso: *Me gusta el pescado, me interesan los negocios, es el mejor domingo de mi vida*.	Con valor genérico: En la mayoría de estos contextos podemos intercambiar *los* + sustantivo y *un* + sustantivo (*Los robots son máquinas. / Un robot es **una** máquina*). El indefinido representaría toda la clase o un grupo (en especial si va modificado): ***un** hombre enamorado/armado* (= los hombres enamorados / armados)
5 Con valor intensificador o de cantidad: en exclamaciones (*¡**El** frío que hace!, ¡**El** hambre que pasé ayer!, ¡**La** de discos que tiene en el salón!, ¡Lo bueno que es!, ¡Lo que vale esa chica!*) o como parte de una frase (*No sabes el dolor que ha pasado, ¿Has visto lo bien que dibuja?, Hay que ver lo mal que vistes*).	Con valor intensificador o enfático: para valorar personas (*Es **una** santa, es **un** golfo, es **una** señora de los pies a la cabeza, es toda **una** mujer / todo **un** hombre, es **una** calamidad*) o situaciones (*fue **un** aburrimiento la película, es **una** maravilla de ciudad*). O para indicar cantidad normalmente en exclamaciones: *¡Hace **un** frío!, ¡tengo **un** hambre!, ¡tengo **una** de trabajo! (= mucho/a…)*
6 A veces con apellidos de famosos (*¿No has oído hablar de **la** Jurado?*), familias históricas (*Siguen gobernando **los** Borbones*) o para apodos y seudónimos (*¿Por qué te llaman **la** Rubia si eres morena?*).	Con apellidos o nombres de personas, usamos *un / una* + *tal* + nombre cuando queremos indicar que no conocemos a la persona: *Lo dijo un (tal) García / Antonio* o cuando nombramos a un único miembro de una familia: *Felipe VI es un Borbón*.
	Recuerda: No puede ir con otros determinantes (demostrativos, posesivos, indefinidos…) excepto *todo/a* y *cierto*: *Hay un cierto olor a podrido. / *Es un otro asunto*.

Ausencia de artículo

■ Con el objeto directo cuando nos referimos a algo general. En tal caso, con un sustantivo contable va en plural *(¿Tienes hermanos? / He comprado fresas / Necesitamos huevos)* y con uno no contable, en singular *(Quiero agua / He comprado azúcar / Comeremos paella).*

■ En algunas situaciones estereotipadas en las que no queremos señalar ningún ejemplar concreto:
tener novio / coche / móvil, quedarse en casa…

■ Con nombres propios de personas, países, ciudades *(Isabel, Francia, Berlín)*, salvo algunas excepciones como *la India, el Perú, los Estados Unidos.*
Una excepción sería cuando queremos diferenciar a personas del mismo nombre o para hacer una generalización:
La Marta que te digo no vive en Lisboa. / Los González abundan en España.

■ En las enumeraciones si queremos indicar el conjunto y no individualidades:
Damas y caballeros, tengo el gusto de presentarles a…

■ Con sustantivos que expresan circunstancia de causa o modo:
Habló con inteligencia, se miraron con esperanza.
En locuciones verbales:
dar permiso, tener cuidado, hacer falta, poner interés…
A menudo, en titulares de periódicos:
Nueva ley contra violencia de género, Tropas norteamericanas…, a excepción de sustantivos abstractos:
El Amor triunfa frente a la Belleza.
Para hablar de la profesión, el cargo o la relación de una persona con verbos copulativos: *Adela es profesora.* Sin embargo, en estos casos se usa el artículo cuando valoramos: *Es una profesora maravillosa* (construcción valorativa) o cuando queremos destacar el sujeto dentro de un grupo: *Adela es una profesora de primaria.*
Con verbos como *declarar, nombrar, designar, hacer…* + sustantivos que designan cargo o categoría en función de objeto directo:
Lo hicieron embajador en poco tiempo. / Ha sido declarada zona de paso.
En saludos y en vocativos:
¿Cómo está, señora? / ¿Qué miras, cotilla?
Para decir qué día de la semana es: *Hoy es sábado.*
Y hay que tener en cuenta que pueden aparecer sin artículo los sustantivos que tengan otros determinantes:
Cientos de ballenas quedan varadas…, algunos políticos…

ACTIVIDADES

5 Relaciona estas frases y fíjate cómo funciona el artículo en cada una.

1 Señor García,	a nueva, las tienes todas rotas.
2 ¿Ha salido ya	b ¡menuda lista está hecha!
3 Vaya con la Luisa,	c en el metro?
4 Pásame una galleta	d le han llamado del despacho.
5 Pásame la galleta	e ¿es el Pedro del que tanto hablas?
6 ¿Cómo vas a clase?	f insoportable!
7 ¿No os habéis dejado nada	g es insoportable.
8 El calor de Sevilla en verano	h el señor García?
9 ¡Hace un calor	i de lo más entusiasta.
10 Carla es profesora	j Siempre en bici.
11 Paula es una profesora	k de esa caja, que quedan un montón aún.
12 Voy a comprarte una camisa	l de literatura en un colegio.
13 Voy a comprarte la camisa	m que queda
14 Ese chico	n que viste en el escaparate.
15 ¿Qué ha pasado	o en la clase, verdad?

6 Elige el artículo necesario en esta entrevista a una de las grandes eminencias en robótica de España.

1 –¿Qué te fascina de *una/la* robótica?
–Comencé en este campo en *los/Ø* años 80 y desde entonces me fascina *Ø/el* reto de crear, por un lado, sistemas artificiales que sean lo más parecido a nosotros, y, por otro, dispositivos robóticos que nos hagan la vida más fácil y más alegre.

2 –¿Qué es el *Robotic Lab*?
–Se trata de *una/Ø* pequeña "ciudad robot", en la universidad Carlos III, formada por *Ø/unos* doctores de una docena de países. Somos capaces de desarrollar cualquier robot desde cero.

3 –¿Cuándo veremos en *unas/las* calles los robots que salen en *las/unas* películas?
–*La/Ø* ciencia-ficción siempre ha ido por delante de los sueños científicos y ha supuesto una ayuda a la divulgación de la ciencia. *Ø/el* "pero" es que muestra el mundo de la robótica como si todo estuviera ya hecho, cuando en realidad estamos muy lejos del robot con *unas/Ø* capacidades humanas.

Extraído de *One Magazine*, n.º 13

7 Di si estas frases son correctas (C) o incorrectas (I) por el uso de los artículos.

1 ¿Drones serán un juguete letal?

2 La evolución robótica debe estar siempre bajo control, ¡es necesidad!

3 Un científico Stephen Hawking se muestra pesimista sobre el futuro de la Inteligencia Artificial.

4 En el mundo de la seguridad, lo que hoy es seguro podría dejar de serlo.

5 En menos de una década, androides harán lo que diez combatientes actuales.

6 Ya existen los vehículos no tripulados que se usan en guerras.

7 El reto es conseguir que humanoides hagan lo mismo que personas.

ORACIONES DE LUGAR

Este tipo de oraciones indica el lugar donde se realiza la acción del verbo. Siempre van introducidas por el adverbio relativo **donde**, que puede ir precedido, o no, de preposiciones (**de donde, por donde**...) y **adonde**. Pueden indicar dirección, destino, procedencia, estancia…

- **Dirección del desplazamiento:** se indica con verbos de movimiento y las preposiciones **para, hacia, a** y **por,** sin antecedente expreso: *Cuando llegues a la plaza ve para* **donde** *te indique el cartel.*

- **Estancia, situación o permanencia:** con verbos que no son de movimiento, sin antecedente expreso: *Juegan*

¿Adónde vas? Que es por la derecha.

Pues adonde me has dicho, ¿no es por aquí?

donde / en donde pueden. En este caso **donde** alterna con **en donde.**

- Atención: para indicar situación debe evitarse el uso arcaico de *adonde* o *a donde*: **Ese bar* **adonde** *nos encontramos* o **¿A dónde* *está el director?*

- Para indicar estancia también podemos usar **donde +** **sustantivo** (*Te esperamos* **donde** *Paco*) o **al + infinitivo** (*El bar está* **al** *salir a la derecha*).

- **Destino:** introducidas por **adonde** o **a donde** (es correcto el empleo indistinto de ambas formas)**, hasta donde** con verbos de movimiento, con o sin antecedente expreso: *¿Vamos* **adonde** *nos han mandado?* En estos casos puede usarse también **dónde** aunque es más frecuente el uso con preposición: *¿Adónde / Dónde vas?*

- **Punto de partida:** con **de donde, desde donde**: –*¿Desde dónde me llamas?* –**De donde** *he encontrado conexión.*

- **Van seguidas de indicativo o subjuntivo,** como las oraciones de relativo:

- Con indicativo: nos referimos a un lugar conocido o específico: *Fui* **adonde** *me dijeron* (a un lugar concreto y conocido).

- Con subjuntivo: hablamos de un lugar no conocido o no específico: *Voy* **donde** *me llamen* (a cualquier lugar). En este tipo de oraciones usamos el subjuntivo con frecuencia para dejar la elección al otro: *Vamos* **adonde** *quiera* / *Cenamos* **donde** *digas.*

ACTIVIDADES

8 Completa los espacios con el verbo en el modo adecuado.

1 ¿Dónde quedamos a comer? Donde _____ (querer, tú).

2 No sé si habrá farmacias cerca, donde_____ (ver, tú) una me paras, por favor.

3 ¿Vamos por donde _____ (ir, nosotros) la última vez?

4 Siempre compro la fruta en donde la _____ (comprar, él) Miguel.

5 ¿No conoces el camino? Pues, sigue recto hasta donde _____ (encontrar, tú) un paso de peatones y por donde _____ (poder, tú) aparca.

9 Completa los espacios con *donde* o *adónde* y las preposiciones necesarias.

1 Lo trajo _____ (1) veranean.

2 _____ (2) estás, puedes ver perfectamente mi casa.

3 Qué raro verte por aquí, ¿_____ (3) vas?

4 Habrá que sacar ideas _____ (4) podamos.

5 Intenta aparcar _____ (5) puedas.

UNIDAD 1

Pista 1

–Hola. Y ahora, estoy aquí recibiendo el Premio Donostia y el sentimiento es básicamente supersurreal. Cuando uno ve la lista, los nombres que han recibido este premio, me llena la cabeza de preguntas: por qué, cómo… Y recuerdo la primera vez que vine al festival Donostia, una noche, con unas amistades, salimos a un restaurante, no recuerdo el nombre, pero la comida era exquisita como en todas las esquinas aquí, en esta ciudad, y en la pared, al lado de la mesa donde estábamos había una foto, y en esa foto, habían (había), aparecían unos pescadores, estaban en un barquito, pero uno de ellos estaba ido, estaba fundido, tal vez herido, y la foto me llamó mucho la atención y yo le pregunté a la camarera: "y a ese, ¿qué le pasó?", ella miró la foto, me miró a mí y me contestó: "el esfuerzo", ¡el esfuerzo! Y ahora yo miro esto, este premio tan importante y me pregunto a mí mismo: ¿y esto?, y me contesto a mí mismo: ¡el esfuerzo!

(Aplausos)

Pero… ese esfuerzo que hace todo una carrera no ha sido solitario, no lo he hecho yo solo, han habido (ha habido) mucha gente que han, me han ayudado, empezando por aquellos que me conocían antes de nacer: mi familia, maestros, maestras, cuando jugaba a basket los dirigentes, directores, representantes, escritores, actores, productores, editores muy importantes para un actor de cine–. Y ahora, pues yo quiero compartir esto, este premio, con todos aquellos que me han ayudado porque la lista sería muy larga y estaríamos hasta mañana nombrando nombres.

Y si me permiten, yo quisiera dedicarle este premio al pedacito de tierra de donde yo vengo, donde yo nací, donde yo aprendí a jugar y a compartir, donde yo tiré mi primera piedra, donde yo recibí mi primer pedrazo y aprendí a no tirar más piedras…, donde yo fui al cine por primera vez, donde yo aprendí a amar, yo aprendí a llorar, yo aprendí a reír, yo aprendí a atreverme, yo aprendí, o intento, no hacer las cosas por solo hacerlas, y aprendí a respetarme a mí mismo como respetar a los demás, donde aprendí a recordar a aquellos que han hecho antes o que lo han intentado antes, donde aprendí a soñar, donde aprendí a nunca perder la fe. Se lo dedico a Boquen-Puerto Rico.

Discurso de Benicio del Toro en la Ceremonia de entrega del Premio Donostia del Festival de San Sebastián. Extraído de Youtube.

Pista 2

–¿Qué tal? Bienvenido un nuevo miércoles a *Para todos la 2*, Rafael.

–Muy buenas tardes, bueno, vienes hoy para hablarnos de la aceptación incondicional a los demás ¿no?, un término que utilizáis mucho en psicología, importante para la felicidad, para reforzarnos personalmente hablando. ¿Qué es exactamente esto de la aceptación incondicional?

–Sí, como bien decías es un concepto básico si quieres tener una salud mental buena y relacionarte bien con los demás. Es un concepto filosófico, psicológico, humano, si quieres de valores, pero ya te digo, fundamental. Se trata de la idea de que hemos de aceptar a todo el mundo, sea bueno, sea malo, sea guapo sea feo, sea rico sea pobre, sea habilidoso, no lo sea. Y aceptarlos significa un poco también amarlos, quererlos, porque forman parte de esta familia de seres humanos que somos todos, que somos amables, que somos personas a las que amar, quiero decir, y pasarlo bien juntos. Entonces, tener esa aceptación incondicional de los demás es muy importante, porque si no tienes una aceptación incondicional y entras en una deriva de rechazar a la gente con mucha facilidad y es un concepto muy importante.

–Es una idea religiosa, ¿no?, un poco religiosa, un poco cristiana…

–Bueno, yo creo que en realidad sí y no. ¿No? Es una idea que el cristianismo le da mucho hincapié, ¿no? Dicen… todos somos hermanos ¿no? La idea de la hermandad…, fijaos en la Biblia también dice por ahí… o Jesucristo decía ¿no?: amaos los unos a los otros ¿no?, amaos a todos ¿no? Es una idea cristiana, pero es que mucho antes era una idea filosófica, los griegos también la empleaban, Aristóteles, etc… Y antes seguramente algunas civilizaciones sumerias. Bueno…, las tribus del Amazonas, que no tienen ninguna religión concreta, también se aman entre ellos de una manera muy notoria, ¿no? Por lo tanto, bueno sí, es un concepto que utilizan las religiones pero no es exclusivo de las religiones, ¿no?

–¿Entonces qué es lo que implica la aceptación incondicional de los demás? ¿Poner un poco la otra mejilla, quizá?

–No, no exactamente, no. Eso quizá sería otro concepto que es un poco diferente, que puedes emplear o no. Se trata, es algo mental, ¿no? Se trata de que si por ejemplo hay gente que hace cosas que están mal, vale, que nos perjudican incluso, ¿no?, pero nosotros nos esforzamos por pensar que estas personas cuando hacen algo mal es porque están muy equivocadas o directamente enfermas, se les ha ido la pelota, viven en un mundo en el que se imaginan que esto es una competencia total y se equivocan, porque además esa actitud va a hacer que sean infelices, primero ellos, andan un poco locuelos, como decimos nosotros, yo digo muchas veces ¿no? Pero en realidad esa persona, el niño que lleva dentro, es una persona maravillosa. Y todo el mundo lo que quiere es ser feliz y hacer felices a los demás, lo que pasa es que no nos damos cuenta. Pensamos que a lo mejor arrebatando cosas a otros vamos a ser más felices, ¡qué va! Te vas a entrar en una paranoia materialista que no te va a servir para nada, pero no nos damos cuenta, estamos muy equivocados o enfermos. Esto ya te digo es muy importante porque de esta forma, cuando te encuentres con alguien que te quita algo, que se comporte injustamente contigo, que hace cosas mal, no lo odiarás a él como persona, a lo mejor si quieres odia lo que hacen, pero no a ellos, porque los ves como personas que están muy confundidas o personas que están directamente locas. Eso aparta de ti el odio y hace que tú puedas estar mucho más calmado en tu día a día, eso es fundamental.

Extraído del programa *Para todos la 2* de RTVE.

UNIDAD 2

Pista 3

1

–Javier, ¿puedes venir aquí y echarme una mano con esto?

–Sí, claro, ¿qué quieres que haga?

–Quería poner esta lámpara ahí, pero ten cuidado y no toques esos cables, no te vaya a dar corriente. Deja, deja, échate a un lado, que eso de ahí puede ser peligroso

–Papá, ¿para qué me pides que te ayude si luego no me dejas hacer nada?

2

–¡Ah, sí! Fui el otro día a ver esa película con Marco.

–¡Ah! Con Marco, ¿eh? ¡Qué calladito te lo tenías!

–Mira, para que lo sepas, Marco y yo somos solo amigos. ¿Qué pasa, que no puedo ir al cine con un amigo, o qué?

–No, no… si yo no digo nada. Tú sabrás lo que sois.

3

–¡Anda! ¿Esa es la bici que le habéis regalado a Carla?

–Sí. Mira, qué bien se le da.

–Oye, sí, la verdad, se le da estupendamente, ¡para ser tan pequeña!

4

–¿Qué?… ¿Que Fernando pagó el otro día la cena?

–Sí, no nos dejó pagar a ninguno. Para que luego digas que es un tacaño.

–Pues a mí nunca me ha invitado a nada. Siempre que quedo con él, me toca pagar a mí.

Pista 4

1 Papá, ¿para qué me pides que te ayude si luego no me dejas hacer nada?

2 Mira, para que lo sepas, Marco y yo somos solo amigos.

3 Oye, sí, la verdad, se le da estupendamente, ¡para ser tan pequeña!

4 Sí, no nos dejó pagar a ninguno. Para que luego digas que es un tacaño.

Pista 5

Atrápalo es una agencia de viajes y actividades para el tiempo libre. Atrapar significa coger algo que no puedes dejar escapar, y eso es lo que proponemos: los mejores planes de ocio al mejor precio, entradas, restaurantes, actividades, vuelos, hoteles, escapadas… No somos los únicos, pero sí diferentes. Tal vez sea porque en el año dos mil, cuando todos decían que el mundo se iba a acabar, nosotros empezábamos. Entre sorbos de café, unos amigos pensábamos en las butacas vacías de los teatros, y se nos ocurrió que quizás podríamos vender esas entradas sobrantes mucho más baratas. Un acuerdo beneficioso para los espectadores y las propias salas. Comenzamos a aplicar esa idea a viajes, vuelos, hoteles, restaurantes… y no nos fue nada mal.

Extraído de www.atrapalo.com

Pista 6

¿Podría la ropa barata poner en riesgo el negocio de la moda tradicional? Preguntamos en la reunión más importante del sector en España: *La semana de la moda de Cibeles.*

–Hola, Mar. Estamos haciendo un reportaje centrado en el fenómeno "low cost". ¿Supone una amenaza para la moda?

–Está bien. Yo, de hecho, combino muchas veces prendas "low cost" con prendas…

–Eso le iba a preguntar, ¿Se puede combinar ropa cara, barata?

–Se puede combinar perfectamente prendas caras con "low cost", no por ello significa que vayas mal vestida.

–Pues, muchísimas gracias, Mar.

–Gracias a ti.

Hasta los que antes se permitían estrenar a diario, ahora, echan mano de la ropa barata.

–¿Te puedo hacer una pregunta?, ¿qué supone este fenómeno, estas marcas de bajo coste para el sector de la moda?

–Pues, yo creo que es muy bueno ¿no?, porque no todo el mundo tiene la misma facilidad económica para comprar prendas más caras, de mejor calidad…

–Pero usted, por ejemplo, ¿viste este tipo de ropa también de bajo coste?

–Sí, claro, por supuesto, de tiendas económicas como todo el mundo.

Los desfiles de alta costura siguen marcando el ritmo de la moda. Pero en los últimos años, tres firmas españolas de alta costura, han entrado en concurso de acreedores. La ropa barata, ¿es más rentable que los vestidos a 25 000 euros?

–Aquí es… el vestuario de Hanníbal Laguna. Buenas tardes, ¿nos puede enseñar la colección?

–Este es un tejido que ha sido cortado totalmente a láser y luego bordado a mano con un pequeño cordón de seda para poder hacer estos dibujos, ¿no? Esto hay que trabajarlo sobre maniquí y hacerlo uno a uno por manos artesanas.

Cada uno de estos vestidos es una obra de arte.

–Nos interesa mucho el fenómeno de las marcas de bajo coste. Nos gustaría saber s a ustedes, los diseñadores, eso les está suponiendo una amenaza.

–Evidentemente sí supone. Debajo de esto hay cien mil marcas que son empresas mu cho más pequeñas que para mí son las más peligrosas porque verdaderamente no tienen una capacidad quizás económica lo suficientemente fuerte como para montar un equipo de diseño desde cero, y creando desde el principio. Por eso venden a costes muy bajos porque si no tienes que tener el coste de un diseñador, un equipo creativo, un departamento gráfico etc., etc., todo este coste te lo has ahorrado. Las copias siempre han supuesto una amenaza para cualquier tipo de mente creativa y para cualquier tipo de creación y para cualquier tipo de colección

–Gracias, muy amable. Hasta luego.

El sector de la moda tiembla ante el fenómeno de la moda a bajo precio, pero, ¿cuál es s dimensión? Se lo preguntamos al president de los empresarios textiles de España.

–¿Tienen ustedes datos de cómo este fenó meno ha ido en aumento?

–No tenemos datos, es una realidad que s está produciendo en el mercado, ¿cómo l consiguen? Se tendrá que preocupar el qu consume ese producto, yo no lo consum no me tengo que preocupar ni ocupar.

Todavía no existe ni un solo estudio del im pacto de este gran fenómeno. ¿Cuáles so las claves del negocio de la ropa barata?

Extraído de *La moda tradicional tiemb ante el fenómeno "low cost" del progra ma Equipo de investigación* La Sexta.

Pista 7

Entrevistadora (Cayetana Guillén Cuervo Aitana Sánchez Gijón, bienvenida a "Ate ción obras".

Aitana: Muchísimas gracias.

C: Que nadie se asuste, pero Aitana, es aquí, en este programa, porque "la peste" h llegado al Teatro Español de Madrid.

A: En efecto.

C: Inspirándose en *El Decamerón*, de B caccio, Mario Vargas Llosa, en primic mundial, ha estrenado una pieza teatral el Teatro Español: *Los cuentos de la pes* Pero la peste que nos puede parecer alg lejano y algo extraño y de otro tiempo solo una excusa para hablar de qué.

A: Pues un poco del poder de la imaginación, de ese límite impreciso entre la realidad, la ficción y cómo con la creación, a creatividad, la imaginación, la ficción, podemos parapetarnos un poco de las distintas pestes que nos rodean en nuestra vida diaria.

C: Los personajes de la obra inventan historias para protegerse del exterior, lo cual es muy humano. ¿Tú crees que las historias nos protegen de lo que nos asusta y de lo que nos hace sufrir?

A: Bueno, yo creo que hay una capacidad innata del ser humano de fugarse a través de la imaginación. Están las fugas que en un momento dado no está mal fugarse, ¿no? de vez en cuando, pero no creo que eso sea la solución definitiva, y más que nada, yo creo que es un espacio de libertad, ¿no? Porque nos pueden secuestrar la vida, nos pueden meter el miedo en el cuerpo, nos pueden manipular, pero hay un espacio absolutamente intocable que es el más profundo, el más íntimo de cada uno y que conecta absolutamente con la libertad de tu mente, y de tu capacidad para viajar a donde quieras y ahí nadie puede meterse, ¿no?

C: Quizá por eso el teatro vive ahora mismo ese momento tan maravilloso, ¿no?, en una etapa tan de confusión y de manipulación, en general, el contacto, ¿no?, entre el espectador y el actor entre la verdad del texto y lo que tú recibes sin intermediarios está siendo…

A: Exacto.

[…]

C: Dice Daniel Andújar que vivimos aplastados bajo la sobreestimulación continua, ¿te identificas? ¿Crees que estamos conectados por encima de nuestras posibilidades?

A: Totalmente, y además creo que es una época de mucha confusión para los padres recientes, ¿no?, los que tenemos hijos… bueno, que empiezan a utilizar toda la cuestión digital y están enganchados a las pantallas. Yo estoy muy desconcertada y no sé muy bien cómo manejar todo esto porque siento que hay un bombardeo, una sobreestimulación de imágenes constante que crea además una adicción rarísima y que eso va en detrimento de muchas otras cosas. En primer lugar, la comunicación tú a tú y también una pérdida de interés en la lectura, una falta de… una

capacidad de concentración muy limitada porque, claro, son imágenes… es un bombardeo… como que duran segundos y están acostumbrados a estímulos muy fuertes. Entonces, de repente, el concentrarse en la palabra o en la lectura es algo que, eh…como si fuera ya algo de otra era y a mí eso me inquieta pero terriblemente. Luego, me ha llamado mucho la atención, que yo no había reflexionado sobre eso, ya el nivel de manipulación de las imágenes que incluso estamos dando por ciertas cosas que pueden estar perfectamente manipuladas… que el mundo de lo virtual ya no sabemos hasta qué punto refleja la realidad, ¿no?

C: Es incontrolable y muy subjetivo.

A: Totalmente.

Extraído del programa Atención Obras *de RTVE.*

UNIDAD 3

Pista 8

Si le preocupa el futuro de España y la comunidad internacional, si desea servir a su país, está de suerte, el CNI es la institución capaz de canalizar sus aspiraciones y ofrecerle un futuro laboral. Y es que cualquier español, mayor de edad, con la titulación adecuada, sin enfermedades incapacitantes y con el informe de seguridad inmaculado podría acabar perteneciendo al CNI. Eso sí, olvídese del esmoquin, los Martinis agitados y de decir su apellido antes que su nombre. "Bond, James Bond". Para estar en la primera línea de la seguridad nacional hay que ser discreto, leal y subordinarse al equipo. Pero ¿cómo se recluta a los espías españoles? El primer paso no parece complicado, basta entrar en la página web y rellenar este formulario. El candidato puede optar a diferentes puestos: agente de inteligencia, operativo, de seguridad, técnico de información u otros trabajos como traductor o médico. La primera cita será una prueba masiva, posiblemente en la sala de conferencias del CNI, ahí le examinarán de cultura general, actualidad o materias específicas vinculadas al puesto al que opta. Si usted pasa ese primer corte, recibirá la llamada de un reclutador citándole para la segunda. Quizá sea en un centro de enseñanza no muy diferente a este, donde le someterán a un exigente test psicotécni-

co, también le pedirán sus informes: vida laboral, declaración de hacienda, contratos y propiedades a su nombre, balance y movimientos bancarios de los últimos seis meses. Superada la tercera prueba la cosa se complica. Tendrá que firmar un documento que le exige no revelar nada a nadie sobre estas pruebas regidas por la ley de secretos oficiales. "La casa" como se llama coloquialmente al CNI exige que el candidato desnude al completo su intimidad. Durante horas le interrogarán sobre los detalles más escabrosos de su vida: aspectos sexuales, consumo de alcohol o drogas. En ese momento se dará cuenta (de) que ellos también le han investigado y que saben más de usted de lo que imagina. Le apretarán hasta estar seguros de que en su vida no hay puntos débiles o vulnerables.

Extraído del programa Espejo público *de Antena 3 Televisión.*

Pista 9

Esto es *¿Sabes qué…?* En solo dos minutos te voy a explicar qué es un *happyshifter*.

¿Sabes qué? Los *happyshifters* son personas que consideran al trabajo como un complemento para alcanzar la felicidad, por lo tanto, buscan realizar tareas que les den una sensación de bienestar en un ámbito favorable. El objetivo es sentirse plenos. El término fue acuñado por dos españoles para definir a aquellas personas que se niegan a pasar ocho horas al día en una oficina realizando una tarea que no los motiva y a la que no le encuentran ningún sentido.

¿Sabes qué? Hay ciertas características que definen a un *happyshifter*: son optimistas, proactivos y la mayoría pertenece a la *generación Y*. Además buscan encontrar un equilibrio entre su vida emocional, física y espiritual, y consideran que la autorrealización no tiene que ver con la estabilidad económica.

Los *happyshifters* son variados, pueden tener su trabajo independiente, su propio emprendimiento o trabajar en una compañía.

¿Sabes qué? Hay muchas empresas que se han sumado a esta tendencia, quieren que sus empleados se sientan útiles, felices, solidarios y, por sobre todas las cosas, que sean parte de un proyecto. Para esto, las oficinas han cambiado, se han modificado los diseños en función al trabajo y también se flexibilizan los horarios laborales.

Cuando un *happyshifter* empieza a dudar de su contexto, enfrenta la situación y modifica aquello que le produce insatisfacción. Puede cambiar de trabajo, crear su emprendimiento o independizarse.

¿Sabes qué? Ser un *happyshifter* es posible. Se puede empezar por hacer lo que a uno le gusta, asumir responsabilidades, ser positivo, hacer amigos y elegir ser feliz.

¿Y vos? ¿Te animás a ser un *happyshifter*?

Extraído del videoblog *SabesQ* en YouTube.

UNIDAD 4

Pista 10

Son las doce y tres minutos, hoy en *En su punto*, la cocina de diseño, y para empezar el tema de la cocina de diseño me gustaría comentar que la cocina tradicional y la cocina de diseño, ambas, comparten un mismo objetivo que es que la persona que la consume pues disfrute de ella. Sin embargo, la cocina moderna tiene siempre presente el factor sorpresa, pretende que los consumidores experimenten un descubrimiento de sabores y texturas, busca lo novedoso, con el fin de que su público, además de comer, deguste.

Por su parte, la cocina tradicional presenta sabores y texturas ya conocidas, no busca la sorpresa, sino que centra todos sus esfuerzos en el disfrute de los platos. Cuando vamos a un restaurante de este tipo, ya sabemos qué platos de entre la carta podemos elegir, acudimos a ellos para encontrarnos con los de toda la vida, y no caigan en el vanidoso error de que la comida vanguardista no es aquella que te deja con hambre, sino aquella que opta por saciarte mediante una sucesión de más de diez platos que por supuesto son de pequeño tamaño. ¿Qué prefieres?

Seguramente la respuesta no sea una u otra, sino ambas. Lo que te hace elegir entre una comida tradicional o una de diseño depende más bien de los gustos de uno mismo, de la ocasión, de la compañía y, sobre todo, las ganas que uno tenga de explorar y de dejarse sorprender, pero una cosa es cierta, si quieres saber más sobre el tema de hoy, quédate con nosotros.

Extraído del podcast *En su punto 019 -Cocina tradicional vs cocina de diseño* de www.ivoox.com

Pista 11

–Bueno Jordi, ¿cómo estáis?, porque debéis estar pletóricos, imagino que esto ha ido subiendo como la espuma, ¿no? Hablando un poquito de gastronomía.

–Contentos y tristes porque el martes, pues, hacemos la final y, bueno, nos hemos cogido cariño, le hemos cogido mucho rollo a *MasterChef* y esperemos pues que no se quede aquí.

–¿Cómo que no se quede aquí? Me parece a mí que aquí no se va a quedar, habrá una segunda edición e incluso tengo entendido, no sé si tú me lo puedes adelantar, que a lo mejor hay un *MasterChef* de niños.

–Unos mini chefs, veremos lo que hacen.

–¿Sí? Pero tú en ese no vas a estar, ¿o sí? o ¿te apetece estar con los niños?

–Pues si nos quieren para estar con los niños, estaremos. Estamos a la disposición entera de *MasterChef* porque nos encanta y porque lo queremos mucho.

[…]

–Oye, ¿qué significa tener una estrella Michelin? Tú ya llevas tres pero la primera ¿qué significa?

–La primera es el top, es lo que no te esperas, yo nunca esperé tener una estrella Michelin, solo esperé pues poder hacer mi oficio, poder cocinar y hacerlo con los productos que me gustan, con el equipo que me gusta. Y la primera es el despegar, despegar y poner los pies en el suelo rápido porque tampoco es mucho, lo que te dicen es que lo estás haciendo bien y que tienes, que no tienes que volverte loco, tienes que seguir haciendo lo mismo con cordura, con serenidad y es lo que me…, con lo que me he quedado.

–Bueno, te has quedado con eso y con muchos premios a lo largo de tu carrera aunque tú eres muy joven, pero es que claro, empezaste muy tempranito, ¿no? Empezaste muy joven.

–Como profesional a los catorce años.

–¿A los catorce años como profesional? ¿Y qué hacías en la cocina con catorce años? Porque me imagino que estarías aprendiendo de los grandes que para ti en ese momento serían pues los que te estaban

mostrando las cosas de las que tú tendría[s] que aprender y tener muchísimo cuidado[.]

–Claro, yo lo que tengo ahora de sereno l[o] tenía antes de morro y de meterle ganas, [o] sea yo le dije al propietario del restaurant[e] donde estaba, buscaba un cocinero, y me dijo: "Busco un cocinero". Dije: pues yo so[y] cocinero, y fantástico, y era mentira per[o] tenía las ganas y tenía la motivación. Y co[n] esa actitud se llega donde quieras. Y a es[a] edad pues no tienes miedo escénico, qu[e] a los veintipocos ya te entra un poquito d[e] miedo escénico. A esa edad pues pruebas[,] interpretas, copias y no hay problema, e[s] lógico, es lo que se tiene que hacer.

[…]

–Pero Jordi, ¿cuál es la lógica de la cocina[?]

–Pues mira, yo tengo un libro de cocin[a] que se llama *Cocina con lógica*.

–Ya lo sé.

–Precisamente, y es por eso, porque es qu[e] ahí sí que hay parte de intuición pero tam[-] bién hay mucha parte de reflexión, de co[-] nocer y de saber el porqué un ingredient[e] casa con otro y muy a menudo la lógica e[s] lo que prima. Cuando cocinas algo pues l[o] que está sucediendo durante esa cocció[n] siempre tiene lógica.

–¿Y la cocina inquieta? Porque en algun[a] ocasiones tú haces mención a eso. ¿Qu[é] es una cocina inquieta? Porque claro, s[a]bemos quién es una persona inquieta per[o] una cocina inquieta…

–Totalmente, una cocina inquieta es un[a] cocina viva, como la carta que yo teng[o] que siempre está evolucionando. ¿Y po[r] qué evoluciona? Muy fácil, porque apre[n]des, porque cuando haces un plato yo m[e] canso enseguida de ese plato y tengo qu[e] hacer otro y porque la misma estaciona[li]dad, los mismos productos pues te marca[n] cambiar y te obligan a cambiar, porq[ue] guisante hay ahora, colmenillas hay ah[o]ra, trufa vendrá, y siempre tienes que est[ar] pensando en ese reinventarte constant[e]mente porque es hacer platos nuevos, [el] plato que hiciste anterior ya no vale, tie[ne] que ser nuevo.

Extraído de la entrevista de Yolanda Fl[o]res a Jordi Cruz en el programa *Nunca [es] tarde* de los audios de RTVE a la carta[.]

UNIDAD 5

Pista 12

Las encinas nos marcan el camino hasta una de las comunidades alternativas más antiguas de España y también una de las más numerosas. Jaime lleva aquí casi treinta años viviendo en paralelo a la sociedad convencional, reside con su familia y una treintena de antiguos urbanitas más, en unas instalaciones construidas por ellos mismos donde han ido desarrollando un modelo de vida atípico. Se autoabastecen en algunos ámbitos y se financian con lo que producen, forman parte de la Red Ibérica de Ecoaldeas.

–Jaime, ¿qué es una ecoaldea?

–Bueno, yo te puedo decir lo que para mí es una ecoaldea. Yo creo que una ecoaldea es un grupo de personas que deciden vivir en armonía con la naturaleza, en el campo, con respeto al medio ambiente, y tienen un poco el compromiso de, también, vivir en armonía con ellos mismos, es decir, que es la sensación un poco de comunidad en un entorno natural.

–Y, ¿cuál es la filosofía o el objetivo de vivir aquí en esta especie de burbuja?, porque esto sería como una burbuja.

–Yo no pienso que sea una burbuja. Si tú te pones a pensar, esto es lo que ha hecho el hombre toda su vida, quiero decir, la gente siempre ha vivido en el campo, del campo y con el campo, y luego el espíritu que tiene la comunidad es un espíritu cooperativo, es decir, que la gente lo que intenta es unir esfuerzos para conseguir un objetivo común.

–Sin embargo, aquí da la sensación de que estáis aislados del entorno.

–Es una sensación, pero yo creo que no. Nosotros consideramos que formamos parte de la sociedad. Nosotros somos simplemente un ejemplo más de…, la sociedad está evolucionando, y somos un ejemplo más de una cantidad de tendencias de otra forma de funcionar que están surgiendo hoy en día. Precisamente por una insatisfacción, pero nosotros nos consideramos dentro del sistema. De hecho, tenemos interacción con un montón de cosas. Nuestros hijos van a un colegio público, tenemos mucha interacción con el pueblo y nos gusta ser útiles, consideramos que podemos ser útiles.

Extraído del programa *El escarabajo verde* de La 2 de RTVE.

Pista 13

En Guatemala uno de cada dos niños menores de cinco años padece desnutrición crónica. Eso es alarmante. Se ponen a pensar eso, el 50% de los niños menores de cinco años padece desnutrición crónica. Me parece que es algo increíble. Perdón, click.

Hace varios años, yo, gracias a mi novia, me involucré en una actividad de "Un techo para mi país" y fuimos a construir en Santa Rosa y posteriormente yo seguí, me involucré, a partir de ese momento, mi sentido social despertó. Y pues yo decidí seguir involucrándome en este movimiento y yo empecé a palpar de primera mano el índice de desnutrición que realmente hay en las comunidades. ¡Es increíble! Los niños son canchitos, no porque sean de esa capa o porque ¡ay, qué bonitos, tienen, son canchitos!, son canchos porque tienen un alto índice de desnutrición y eso es realmente alarmante, realmente alarmante.

Entonces, yo decido después de eso juntarme con mi tío que lleva más o menos cuarenta años dedicándose al servicio social y yo dije: "Me tengo que abocar con él, me tengo que juntar con él para por lo menos hacer una lluvia de ideas y ver qué sale de eso". Y me cuenta de una planta: esta planta que por cada cien gramos tiene tres veces más proteína que el huevo, tiene cuatro veces más calcio que la leche, siete veces más vitamina C que la naranja, tres veces más potasio que el banano y dos veces más hierro que la espinaca. ¿Cómo así? ¡Increíble! Además de eso, me dice que es una de las plantas con más rápido crecimiento a nivel mundial, creciendo 3.5 metros cada 9 meses. Genial. Ok. Entonces me dice: "Fíjate, que qué interesante, las semillas si vos las pasás por un proceso de destrucción en frío, es decir, una "extrusora" sencilla, manual, se extruyen todas las semillas y se puede sacar un recurso, el aceite. Ese aceite tiene las mismas cualidades que un aceite vegetal. ¿Qué quiere decir eso? Yo puedo cocinar con ese aceite. ¿Y qué es lo bueno? Que esos nutrientes se trasladan a la comida que yo estoy cocinando con ese aceite. Entonces, ¡No puede ser! Otra, otra cualidad buena de la planta.

Después me dice: "Pero eso no es todo, después de que extruís las semillas y sacás el aceite, te va a quedar la cáscara y esa cáscara, en medio de la cáscara, tiene una fina capa, muy, muy pegajosa que al momento de extruir, se quiebra la cáscara y esa capa queda expuesta". Me dice que yo puedo darle un balde de aguas negras de río, de laguna, de lago, de lo que sea que esté cerca de la comunidad, y yo puedo meter todas esas cáscaras al balde y lo revuelvo por un período de diez minutos y esa sustancia pegajosa hace que las partículas pequeñas de impurezas, el 14% de las bacterias y la tierra se les adhiera y cuando yo saco las cáscaras se viene con todo de impurezas. Entonces, no queda un balde de agua potable para tomar, pero sí queda un balde de agua para lavar trastos, para lavar ropa, para muchos otros usos que han desarrollado en la comunidad. ¡Pero esta planta es increíble! ¡No puede ser!

Pero me dice, no, pero eso no es todo. Baboseando pues, va. Y me dice esta planta se utiliza en varios países, es nativa de la India, se utiliza en varios países para el intercalado de sembrado. ¿Qué quiere decir eso? Bueno, es redundante va, pero si yo estoy cosechando chile pimiento, por ejemplo, yo puedo sembrar árboles de moringa oleífera entre los chiles pimientos que durante la época de sequía sus raíces tienen tanta capacidad para almacenar agua que es capaz de alimentar a las cosechas en épocas de sequía. Fíjense que no solo es una planta que se consume, sino una planta que ayuda a las demás cosechas. Impresionante, me pareció impresionante.

A partir de ahí, nosotros decidimos desarrollar el proyecto, me dije, yo tengo que hacer con esta planta ya. La implementamos en Greenpack y ha sido una manera de hacer mercadeo social, con responsabilidad social. ¿Por qué? Porque la gente se interesa en darnos cobertura. Porque es algo realmente innovador, de bajo costo y aquí les voy a dejar la palabra clave, sostenible, es sostenible. Esta planta en época de sequía sigue dando follaje, sigue dando semilla, sigue creciendo y los resultados en la comunidad han sido maravillosos.

Extraído del TED *Cosechando el futuro: Gabriel Salazar* en TEDXGuatemalaCity.

UNIDAD 6

Pista 14

Siempre recuerdo una clase de filosofía donde el profesor nos relató esta historia.

En una caverna se encontraban un grupo de hombres, prisioneros de nacimiento, encadenados de forma tal que solo podían mirar hacia el fondo de la cueva. Una hoguera y figuras manipuladas por otros hombres, proyectaban en esa pared todo tipo de sombras. Para los prisioneros, las sombras eran la única referencia del mundo exterior. Esas sombras eran su mundo, su realidad. Uno de los prisioneros era liberado y se le permitía ver la realidad entera fuera de la caverna. ¿Qué tanto tiempo le tomaría acostumbrarse al exterior después de toda una vida de encierro? Posiblemente su reacción sería un profundo temor a la realidad. ¿Podría entender lo que era un árbol, el mar, el sol? Asumamos que este hombre pudo ver la realidad tal cual es, y entender el gran engaño que era la caverna. El profesor nos explicó brevemente las interpretaciones del mito, en relación al conocimiento, la ilusión, la realidad, y cómo posiblemente estemos dentro de una gran caverna que, a su vez, está dentro de otra. Pero no cabe duda de la necesidad de ese hombre libre de regresar y compartirle al mundo lo que había visto.

Fragmento extraído de la página web www.educacionprohibida.com

Pista 15

Su nombre es César Bona y es maestro de un colegio público de Zaragoza. Era un completo desconocido hasta que se ha convertido en el único español seleccionado para el premio Global Teacher Prize, considerado el nobel de la enseñanza y dotado con un millón de euros. Este profesor ha consolidado su carrera en escuelas de pueblo con alumnos de entre 9 y 11 años a los que ha convertido en protagonistas de su propuesta educativa. Ante la insistencia de un amigo, se presentó a la candidatura como los 5000 docentes más de 26 países. Ha sido preseleccionado entre los 50 maestros que optan al galardón.

–Y presenté lo que yo he hecho en la escuela pública en los últimos seis años. Pues empezando por un cole, digamos con alumnos conflictivos o, digamos, con ciertas dificultades. Luego estuve también en un pequeño pueblo, en Bureta, hicimos una película de cine mudo con los niños. Y luego hicimos un cortometraje con los abuelos para unir al pueblo y los niños, ¿no? Luego fui a Muel y allí pues estuve…,

creamos una protectora virtual de animales dirigida por los niños que se llamaba el Cuarto Hocico. Eso revirtió luego en algo que se llama *Children for animals* que trataba de que todos los niños del mundo hicieran en red, pues consiguieran trabajar juntos para cambiar las cosas.

–Su fórmula se centra en los propios niños.

–Primero me gusta que participen, sobre todo que participen, que ellos tengan la posibilidad de hablar, de opinar, me gusta enseñarles a expresarse oralmente…

–Este premio valora el trabajo de los docentes que abren las mentes de los alumnos y favorece el estímulo para que otros se conviertan en profesores.

Extraído de *Un maestro español opta al Nobel de la enseñanza* de Agencia EFE en YouTube.

Pista 16

Bienvenidos a otro episodio de *Los enigmas del cerebro*. Hoy evaluaremos cómo el cerebro se desarrolla desde el útero de la madre hasta la edad adulta. Es un proceso maravilloso en donde se conjuga la genética y la interacción con el entorno.

¿Qué pasa en el cerebro de un bebé en el primer día de su vida? Bueno, ese bebé si mira una cara directamente puede reconocerla, también reacciona por ejemplo a la aspiración de las secreciones o de los líquidos cuando lo limpian. En los próximos meses, el cerebro de ese bebé va a experimentar un crecimiento masivo de neuronas. En realidad durante toda la infancia el crecimiento de las neuronas es muy rápido y masivo, y eso es crítico porque la experiencia luego va a guiar qué conexiones se van a preservar y qué conexiones neuronales se van a eliminar. Este es un juego maravilloso entre la genética, la naturaleza y el entorno ambiental.

El entorno ambiental es clave. Hay muchos estudios que demuestran que un cerebro estimulado genera más conexiones, más plasticidad cerebral, capacidad de adaptarse de las neuronas. Un ejemplo, si por alguna enfermedad se ocluye un ojo de un bebé o un recién nacido, el área occipital posterior que representa la información visual no se va a desarrollar. Las neuronas son células en el sistema nervioso que constituyen su unidad anatómica y funcional, en el cerebro adulto hay cien

billones de neuronas y hay muchísimos trillones de conexiones. Cada neurona puede tener hasta diez mil conexiones con otras neuronas. Las conexiones neuronales y el cerebro no maduran hasta la segunda o tercera década de vida. Las primeras áreas cerebrales en madurar son las áreas más básicas, relacionadas con la información visual o con el movimiento o con el control motor de los movimientos. Mucho del potencial y de la vulnerabilidad del cerebro humano ocurre en las dos primeras décadas de vida. Luego, otras áreas toman importancia y se desarrollan como el lenguaje, la orientación espacial. Y las últimas áreas del cerebro que se desarrollan son las encargadas de la toma de decisiones, de la planificación, las zonas encargadas de inhibir el impulso, esto es la zona frontal del cerebro. Esta zona es la última área del cerebro que se desarrolla, inclusive hay evidencias que esta área frontal se desarrolla recién entre la segunda y la tercera década de vida.

Extraído del programa *Los enigmas del cerebro* de C5N.

UNIDAD 7

Pista 17

PERIODISTA: *Boa Mistura* es un colectivo de arte urbano español que conoceréis seguro entre otras cosas por uno de los últimos proyectos que han hecho en Madrid, pintar en las calles mensajes de amor a la ciudad. Pero, lo cierto, es que una de las partes más importantes de su trabajo lo han hecho fuera de España. El último irse a México y rehabilitar la imagen de Cuemanco, un barrio de edificios de protección oficial que se construyeron para alojar a los campesinos que llegaban a la ciudad en busca de trabajo, pero que con el tiempo se habían convertido en un cementerio de hormigón. Ahora, Boa Mistura y sus vecinos lo han vuelto a la vida.

PABLO FERREIRO: Fuimos allí a hacer intervenciones en las fachadas de los grandes bloques que componen esta comunidad como viviendas de protección, ¿no?, de gobierno. Forman parte de un proyecto integral de remodelación de lo que es la comunidad, del barrio y bueno, pues, el equipo de arquitectos confió en nosotros para bueno, pues para pintar murales y decorar todas las fachadas que pudiéramos.

PERIODISTA: Pablo Ferreiro es uno de los miembros de este colectivo. Llevan haciendo este tipo de proyectos sociales desde 2011. Siempre van al mismo tipo de barrios, barrios marginales, descuidados, con edificios construidos con materiales muy modestos. Ellos llegan, muchas veces porque son los propios gobiernos de los países los que los buscan y actualizan el aspecto de estos edificios. Lo han hecho en muchos países, en Sudamérica o, por ejemplo, pues en Sudáfrica.

PABLO FERREIRO: Este tipo de áreas, pues, hay mucho más, mucha más receptividad, ¿no?, para este tipo de acciones porque tienen poco y saben que vas a ir a hacer algo bueno, a hacer algo positivo por la comunidad y a mejorar, ¿no?, a mejorar su calidad de vida.

PERIODISTA: Cuando le preguntamos dónde prefieren trabajar si dentro de España o fuera, Pablo Ferreiro lo tiene claro.

Pablo Ferreiro: Sinceramente, nos sentimos más a gusto trabajando fuera. Bueno, no es que nos sintamos más a gusto, es que hay simplemente más oportunidades de trabajo ahora mismo fuera de España que en España.

PERIODISTA: Hay más oportunidades porque aquí es ilegal pintar en la calle. Han conseguido hacer proyectos, sí, pero menos de los que han propuesto.

PABLO FERREIRO: Ha habido muchos casos en los que sí has intentado, pues, gestionar un permiso y, bueno pues por h o por b al final no sale adelante, bueno, pues es una pena porque en realidad al final es una oportunidad perdida para nosotros de expresarnos en la calle, ¿no?, y de dejar un regalo a la ciudad, ¿no? que al final es un poco de lo que se trata el arte urbano.

PERIODISTA: Durante la conversación destaca que ojalá que las autoridades escuchen esto y se den cuenta de que el arte urbano no es vandalismo, que muchas veces lo consideran así, sino un bien para la comunidad. En otras partes del mundo ya se han dado cuenta. A ver si aquí, pues también lo hacen.

Extraído de la entrevista a Boa Mistura en M80 RADIO.

Pista 18

En el momento en que estamos, para empezar, yo creo que podemos aprender a cuestionar las cosas, incluso nuestro conocimiento, nuestra idea de ciudad. Podemos aprender a desaprender cosas que dábamos por válidas y dábamos por evolutivas. Podemos aprender cuán importante es la intervención del ciudadano, del usuario, en el lugar donde vive; y podemos aprender que la imperfección muchas veces es necesaria para llegar a una cierta perfección. Podemos aprender valores de los usos temporales, por ejemplo. Podemos aprender lo que sirve implicar al ciudadano en el diseño de su propia ciudad, escucharle, atender a sus necesidades, hacerle partícipe… y podemos recuperar el ingenio, por ejemplo, que se asocia a las situaciones de mayor necesidad.

Diseño, y necesario, hay muy poco, muy poco, ¿no? porque te puedes sentar en el suelo y puedes hacer un cuenco con tu mano; y, la tendencia a cambiar de tendencia cada equis tiempo, o sea, una cuestión de mercado heredada del mundo de la moda, aunque para poder vivir va a tener que seguir existiendo, da espacio a muy pocos diseñadores, a muy poca gente. Por lo tanto, yo creo que en un futuro, una vía de diseño es trabajar en los medios para conseguir diseño. Este año por ejemplo, el premio nacional de diseño lo ha recibido Cricursa, que es una empresa que produce vidrios curvados; con esos vidrios curvados se han construido algunos de los edificios más famosos del mundo… Es una empresa pequeña, catalana, que trabaja para Herzog y de Meuron, Kazuyo Sejima, Koolhaas, quien quieras, y está diseñando un medio para construir otros medios. Por otro lado, es cierto que todo está diseñado, pero a lo mejor hay que desdiseñarlo, ¿no? En estas últimas tres décadas de diseño hemos visto cómo el mundo se convertía en un espacio estéticamente global y hemos perdido completamente la diversidad, de hecho, muchas empresas de diseño encaminan sus diseños a recuperar la diversidad, a romper ese mundo visualmente homogéneo, que es difícil de hacer visualmente, perdón, industrialmente, pero que lo están intentando tanto industrialmente como artesanalmente. En ese sentido eso daría paso a una recuperación de la artesanía como motor para un nuevo diseño.

Bueno, diseñar procesos más que objetos es un poco el caso de Cricursa, diseñar vías para conseguir resultados finales. En cualquier caso, el diseño del que estamos tú y yo anunciando el fin aquí, el diseño industrial, es una asignatura pendiente para España todavía. Hay muchos diseñadores y muy pocas empresas que hayan creído en el diseño. Muchas de las empresas que han creído en el diseño, incluso ahora en una época de crisis, se mantienen gracias al diseño. Ahora, por fin, podemos hablar de un país en el que se ha pasado de empresas, como Andreu World, que es premio nacional, y en las que se repartían las sillas en carros y se trabajaba sin agua y sin electricidad, con una atención cero al diseño, a empresas que viven y exportan diseño. Entonces, con esa asignatura pendiente, queda todo el mundo empresarial por convencerse de que el diseño puede cambiar su suerte y hay modelos, además de en España, hay modelos paradigmáticos, por ejemplo, el caso de la empresa Braun, la empresa Braun que no solo producía productos mejores, sino que, además, creía en la capacidad de sus empleados para producir mejores productos.

Extraído de la entrevista a Anatxu Zabalbeascoa en el IED Madrid / Observatorio Cultural 2012 en YouTube.

UNIDAD 8

Pista 19

–Hola chicos, oye, mira, he preparado un cuestionario de geografía para mis alumnos y me gustaría pilotarlo, solo va a ser un ratito, ¿tenéis un momento?

–Bueno, geografía no es mi punto fuerte pero, venga, vamos a intentarlo.

–Pues a mí no se me da mal. Vamos a ver, ¿cuál es la primera pregunta?

–Venga, muchas gracias. Mira, la primera: ¿Cuál es la cadena montañosa más larga de la tierra?

–¡Hombre! Esa está chupada, el Himalaya.

–Bueno, bueno, tenéis tres opciones, vamos a ver… la a) La cordillera del Himalaya, la b) la de los Andes y la c) la Dorsal Mesoatlántica.

–Está clara, la cordillera del Himalaya, como decía.

–Pues debe ser el Himalaya o los Andes porque la otra ni me suena.

–Pues lo siento chicos pero la respuesta correcta es la cordillera Dorsal Mesoatlántica.

–¡Pero qué me estás contando!

–¿En serio?

–Como lo oís. Mira, es que esta cordillera como va por debajo del océano Atlántico, pues… no se ve, pero es la más grande en extensión.

–Pues me dejas de piedra… Venga, vamos a ver la siguiente.

–Venga, a ver… ¿Cuál es el único río de Europa que desemboca en el mar formando una cascada?

–A ver las opciones…

–A ver la a), bueno chicos, ya veis, el río Xallas, en Galicia, la b) el Loira en Francia y c) el Vístula, en Polonia.

–Uf, no tengo ni idea, ¿y tú?

–Yo tampoco, ah, contestamos a boleo, venga, ¿la C?

–Pues no, no ha habido suerte, es el río Xallas en Galicia, de hecho es una de las desembocaduras más bonitas de Europa, oye, que os recomiendo una visita. Es un río con mucho potencial hidráulico, se construyó un embalse al final del río formando esa maravillosa cascada. Bueno, en fin, no os voy a negar que la pregunta era un poco difícil…

–¿Un poco solo? Anda que empezamos bien…, pasa a otra, anda.

–Venga, a ver esta: ¿Qué ciudad se halla en dos continentes?

–Me parece que la sé, pero a ver las opciones.

–a) Estambul, b) Melilla y c) Tiflis.

–A mí me suena que es Estambul, ¿no?, ¿estoy en lo cierto?

–Efectivamente, Estambul se encuentra entre Europa y Asia. Muy bien.

–Bueno, ya hemos acertado una, vamos a por otra.

–Venga, venga, que se está poniendo… ya estáis entrando, ¿eh?… A ver, la siguiente, ¿cuál es el lugar más árido del mundo?

–Seguro que es en algún desierto.

–Bueno, las opciones son: a) el desierto de Atacama en Chile, b) el desierto del Sáhara y c) la Antártida.

–Pues el de Atacama, ¿no?

–Es posible aunque el del Sáhara también podría ser.

–Pues no habéis acertado ninguno de los dos. Es la Antártida.

–Pero, ¡cómo que la Antártida!, ¡pero si eso es todo hielo!

–Que sí, porque dentro de la Antártida, aunque no lo parezca, hay zonas sin hielo de extrema sequedad, de hecho se estima que hace dos millones de años que no llueve.

–Esta era para pillar, ¿no?

–Venga, venga, no os desaniméis, a ver si acertáis esta: ¿Qué peculiaridad se le atribuye al río Nilo? Las opciones ¿eh? a) es uno de los pocos ríos del planeta que fluye de sur a norte, b) es el río con mayor número de afluentes y c) es el río más caudaloso del planeta.

–Uf, quizás el más caudaloso pero no lo tengo claro, ¿y tú?

–Yo no diría que el Nilo es el más caudaloso aunque sí puede ser uno de los más caudalosos del mundo, parece la respuesta obvia pero yo creo que es la a), me suena eso de que fluye de sur a norte.

–¿Sí?… Pues sí, muy bien, muy bien, la respuesta correcta es esa. Venga, la 6. ¿Cuál es el mayor desfiladero del mundo?

–Ay, espera, espera, yo esta la tengo clara, no necesito ni las opciones, sin duda, el Cañón del Colorado, ¿a que sí?

–Así es, correcto, muy bien, el Cañón del Colorado en EE. UU.

–Es que vi un documental… A ver si podemos remontar, ¿cuántas quedan?

–Venga, solo dos más. Esta igual no os va a resultar tan fácil ¿eh?: ¿En qué río está situada la presa de las Tres Gargantas, que es el mayor embalse del mundo?

–¡Madre mía! Venga, danos las opciones.

–a) Orinoco, en Colombia, b) Grijalva, en México, o c) Yangtse, en China.

–Esta la vamos a contestar a boleo también, ¿no?

–Sí porque ni idea, venga, la c).

–Bueno, pues estáis de suerte, pues sí, es la c, muy bien, muy bien.

–¡Madre mía!, acertamos más a boleo que otra cosa.

–Venga, y atención, la última pregunta del cuestionario, chicos. ¿En qué país se encuentra la ciudad más austral del mundo? Las opciones, ¿eh? Las opciones, ¿eh? a) Nueva Zelanda, b) Argentina o c) Chile.

–Es Puerto Williams en Chile, sin duda.

–Ummm, si tú lo dices…

–Pues lo siento, pero está en Argentina y es Ushuaia.

–Pero ¿qué dices, hombre? Si el Puerto Williams está más al sur, al otro lado del canal Beagle, te lo busco ahora mismo en internet.

–A ver, a ver, a ver… Una cosa es que esté más al sur, ¿vale? Que sí, es verdad, y otra que sea la ciudad más austral, porque Puerto Williams no tiene el número suficiente de habitantes para ser ciudad, así que técnicamente el puesto se lo lleva Ushuaia.

–¡Venga ya!

–Bueno, bueno, venga, no os pongáis así, oye, que habéis acertado 5 de 8 y sin estudiar, no está nada mal.

–Eso es un aprobado, ¿no?

–Sí, por los pelos, ja, ja…

Pista 20

El viaje es uno de los grandes temas literarios, como el amor o la muerte. Por eso los estudiosos no acaban de ver claro lo de etiquetarla y dudan si otorgarle o no el rango de género literario. Porque a lo largo de la historia, raro era el novelista que no escribía sobre sus experiencias viajeras; como hicieron Dickens, Stevenson, Conrad, Mark Twain, Henry James, Melville, Emilia Pardo Bazán o Pérez Galdós. En la actualidad, debido al turismo masivo, la globalización y el acceso a la información, hay quien opina que estamos ante el fin de este género.

[…]

Es arriesgado ser tan contundente, pero tengo la impresión de que con el fin del siglo xx se acabó el filón de los grandes libros de viajes. ¡Si es que ya no queda nada por descubrir! En la pasada centuria los autores viajeros aprovecharon el filón para sacarle el máximo rendimiento a su carrera literaria y, en algunos casos, disfrutando, además, de unas buenas vacaciones pagadas. André Gide viajó al Congo enviado por el gobierno y acabó publicando un libro anticolonialista; Evelyn Waughn escribió sobre el Mediterráneo a bordo de un crucero; Graham Greene narró su estancia en Liberia y Pearl S. Buck sus viajes por Japón. También son muy recomendables las lecturas de clásicos como Steinbeck, que recogió en un libro su experiencia de conducir por Norteamérica o los hermanos Durrell, que describieron la magia de las islas griegas.

[...]

A finales del siglo xx los libros de viajes tomaron caminos menos transitados gracias a la aparición del periodismo literario. Con *En la Patagonia*, Bruce Chatwin fusionó ficción y periodismo para lograr una narración híbrida, mitad viaje mitad novela autobiográfica que marcó a otros autores. Junto a él, otros periodistas publicaron libros que elevaron a los altares el viaje. Kapuscinski mostró la realidad de otras culturas en obras como *Ébano*; Cees Nooteboom introdujo su talento como poeta en *Desvío a Santiago* y Paul Theroux nos regaló sus viajes en ferrocarril en *En el gallo de hierro*. Pero hay más, como esos libros "nómadas" que jamás serían etiquetados como libros de viajes por sus autores. Como la autobiográfica y derrotada *El pez escorpión* de Nicolas Bouvier o gran parte de la obra del escritor argentino Martín Caparrós.

[...]

No caeré en la socorrida y algo "naif" afirmación de que la lectura te permite viajar sin moverte del sillón, aunque en el fondo me la crea, pero sí reivindicaré, sin imposturas, la necesidad de estos viajes literarios que nos transportan a lugares conocidos o que creíamos conocer, sin haber puesto nunca el pie. Y eso no tiene precio. Bueno sí, El de comprar un libro.

Extraído del programa *Página 2* de RTVE.

UNIDAD 9

Pista 21

Vamos a hablar ahora de *spiribol*, y diréis: *¿Qué es el spiribol?* Seguro que lo habéis visto alguna vez, lo que pasa es que el nombre es más complicado. Es un deporte alternativo de raqueta o pala y que se caracteriza por su alto grado de adaptación al terreno, es decir, que se puede jugar en asfalto, en playa, en nieve, montaña, donde quieras. Y el número de jugadores, pues depende, de uno a cuatro. Y se basa, y ahora es donde vais a relacionarlo con algo que habéis visto alguna vez seguro, en hacer girar la pelota alrededor del mástil para enrollar la cuerda. Gana aquel que

logra enrollar por completo la pelota en el mástil. Y al teléfono está el promotor, por decirlo de alguna manera, el hombre que está pendiente y dirigiendo la Fundación de *Spiribol*, que es Jesús Candel, más conocido como Spiriman.

–Buenos días.

–Buenos días, ¿qué tal?

–¿Lo he explicado más o menos bien?

–Lo has explicado perfectamente.

–Muy bien, lo de Spiriman está claro porque es el hombre del Spiri, del deporte.

–Así es como me llamaron los niños hace años y así se ha quedado el nombre.

–Y así te has quedado. Oye, estás al frente de la Fundación *Spiribol*, que, si no me equivoco, nació en el año 2012 con el objetivo de promocionar el deporte base escolar para ayudar a los niños más desfavorecidos, ¿no?

–Ahí efectivamente, se creó, pues bueno, nació así el *spiribol*. Nació aquí en Granada como un sueño que empecé a mover con niños... pues con graves dificultades sociales, de ahí surgió mi apodo, y bueno, y se cumplió un sueño que ya es una realidad y bueno, que con la ayuda de Carles Pujol, Fernando Hierro y Andrés Iniesta, pues se creó esta fundación para poder llevar este deporte a todos los rincones del mundo para ayudar a estos niños.

–Ahora, si quieres, hablamos un poquito más de la fundación, pero ¿cómo nace este deporte?, o sea ¿a quién se le ocurre inventar esto?

–Bueno, es que eso fue mi abuelo. Él vivía en Lanjarón, tenía once hijos, y yo creo que aburrido de que tiraran pelotas por los parajes de allí, que es una zona muy abrupta, pues dijo, ato una pelota a la cuerda y así dicen mis tíos que nació aquello, hace ya más de un siglo. Yo desde que nací, recuerdo jugar allí en un terrenillo que tenía mi abuelo, y bueno, yo le puse el nombre, me inventé las reglas, y bueno yo he dedicado, en la época en que estudiaba medicina, un poco para salir de ese ámbito de tanto estudio y tal, pues bueno, se me ocurrió empezar a mover, a crear un nuevo deporte, ¿no?, para ayudar a estos niños. Y así nace este deporte, ¿no?, de mi abuelo.

–Digamos que tú, Jesús, digamos que tú lo has profesionalizado un poco más. ¿En España hay alguna competición de *spiribol?*

–Pues ahora mismo las competiciones se hacen en los colegios, y bueno, yo quise que esto no se federara para que nunca pierda su objeto social, y todo lo reglamentara la fundación *spiribol* en un futuro. La idea es que dentro de unos años empiece ya a profesionalizarse digamos, a que haya campeonatos y ahora mismo estamos en la expansión y adentrando el deporte sobre todo en la base, en los niños, que son realmente los futuros jugadores de *spiribol*, ¿no?

–Pero como has dicho que no, hace unos años querías que no se federara, ¿no te apetece verlo dentro de no sé cuántos años o dentro de poco, en unos Juegos Olímpicos, el *spiribol?*

–Hombre, si se ve en unos Juegos Olímpicos... yo, mi deseo, más que, fíjate, que los Juegos Olímpicos, es que la labor que se está realizando con este deporte, pues siga, y la ayuda que se está haciendo a chavales que no pueden hacer deporte, sobre todo aquí en mi ciudad de Granada, y que sea el *spiribol* su deporte rey, para mí es mucho más gratificación que cualquier otra cosa.

Extraído del programa de radio *Partido a partido* de Radioset.

Pista 22

1

Rocío: Hombre, Dani, ¿cómo andamos?

Dani: Ya ves... Tirando.

Rocío: Oye, pues tienes muy buena cara, ¿ya estás recuperado del accidente?

Dani: Ah no, no te creas, todavía estoy yendo a rehabilitación y, mira, voy con muletas.

Rocío: Claro, hombre, es que estas cosas ya sabes que llevan su tiempo. Oye, pero que si necesitas ayuda o cualquier cosa, ya sabes, ¿eh?

Dani: No, gracias, no, si ha venido mi hermana a echarme una mano, pero es que se me está haciendo muy largo... No veo el fin.

Rocío: Venga, hombre, tómatelo con paciencia, ya verás como dentro de unos meses estás como nuevo.

Dani: Ya, bueno, eso espero...

Rocío: Venga, pues nada, oye, que tengo mucha prisa y me tengo que ir pero ya sabes, cualquier cosa ¿eh? tú me avisas, ¿vale?

Dani: Gracias, ¿eh?, gracias, de verdad. Muchas gracias.

Rocío: Nada, venga, adiós. Un besito.

Dani: Venga, un beso, chao.

2

Berta: Anda Mónica, ¿qué tal? Oye, ¿cómo sigue tu madre?

Mónica: Pues qué quieres que te diga, sigue con sus achaques, cuando no es la operación es la depresión, estamos todo el día de hospital en hospital liadísimas con los médicos, ya sabes.

Berta: Jo, si es que está claro que es la edad, ¿eh? Oye, no dudes en llamarme si necesitas algo, te lo digo de verdad, que tengo las mañanas libres ahora.

Mónica: Muchas gracias, Berta, no te preocupes, por ahora nos apañamos bien.

Berta: Venga mujer, pues nada, ánimo, ¿eh? Y hablamos, ¿vale?

Mónica: Sí, a ver si hago un hueco y quedamos y nos ponemos al día ¿no?

3

Esther: Jorge, ¿qué pasa, hombre?

Jorge: Pues aquí estoy, de baja…

Esther: ¿Y eso?

Jorge: Nada, que jugando al pádel me caí y me hice daño en la columna y desde entonces estoy que no puedo moverme.

Esther: Anda, no sabía nada, ¿y llevas mucho tiempo así?

Jorge: Dos semanas ya, estoy a base de calmantes, y claro, así no puedo ir a trabajar.

Esther: Claro, claro, las cosas de la espalda son así. ¿Y no has ido al médico?

Jorge: Sí, ya me han dado cita para el traumatólogo la semana que viene. Pero estoy desesperado, porque pasan los días y sigo igual.

Esther: Tómatelo con calma, verás como vas a mejorar poco a poco. Cuenta conmigo para lo que necesites.

Jorge: Hombre, muchas gracias.

Esther Venga, pues te llamo la semana que viene y me cuentas a ver qué te dice el traumatólogo.

Jorge: Sí, ya te contaré.

Pista 23

1

–¿Qué pasa, hombre?

–Pues aquí estamos, como siempre, ¿y tú?

2

–Hola María, ¿cómo andamos?

–Tirando.

3

–Anda Gonzalo, ¿qué es de tu vida?

–Pues no me puedo quejar, la verdad.

4

–¡Hombre! ¿Qué hay?

–Uff, para qué te voy a contar…

5

–Bueno, bueno, al menos no estás solo, hombre, cuenta conmigo para lo que necesites.

–Muchas gracias, hombre.

6

–Vamos, vamos, no te lo tomes tan en serio.

–¿Y cómo quieres que me lo tome?

7

–Venga mujer, tómatelo con calma.

–Sí, claro, si pudiera…

8

–¡Venga, hombre! ¡Anímate! No dudes en llamarme si necesitas algo.

–Muchas gracias, de verdad.

UNIDAD 10

Pista 24

GRUPO A

La gestión empresarial desde la espiritualidad, los valores y la meditación se afianza como tendencia. Solo necesitas diez minutos de entrenamiento antes de ir a una reunión.

Tres minutos. Entretente con algo insignificante.

Pierde el tiempo con alguna tontería. Para activar nuestra mente creativa, necesitamos mandar el cerebro al patio de recreo.

Dos minutos. Relájate hasta llegar a un nivel Alfa.

Estado de menor conexión con el entorno. Así las decisiones que vayas a tomar en la reunión serán más completas porque atenderás a la información de todo tu cerebro y no solo de la parte consciente y condicionada.

Tres minutos. Céntrate en tu respiración.

Aumentarás las reservas ocultas de tu cerebro y el campo magnético de tu cuerpo.

Dos minutos. Provócate la sonrisa.

Los 32 músculos faciales que se accionan producen endorfinas, que harán que tu comunicación sea mucho más fluida.

GRUPO B

Si ahora pudieras tirarte a una piscina repleta de bolas de colores como las que tanto te gustaban de pequeño, ¿lo harías? Pues esto mismo habrán pensado en la agencia de diseño londinense Pearlfisher al instalar en su edificio un "área de juego"

Sus responsables consideran que el recreo ayuda a relajarse, disfrutar e incrementar la creatividad, a la vez que genera interacciones positivas que permiten, por ejemplo crear lazos de confianza entre las personas

De hecho, la idea de relacionar el trabajo con el juego es algo que ya están explorando y explotando empresas punteras en relaciones y comunicación interna, especialmente del mundo anglosajón. Mientras Ticketmaster tiene un tobogán a través del cual se llega al bar, Yahoo, por su parte pone a disposición de sus empleados tablas de pimpón y tablas de billar.

GRUPO C

Morning Gloryville propone ponerse en marcha desatándose en una pista de baile es un movimiento internacional que reinventa el *clubbing* y las fiestas rave con el objetivo de arrancar el día con positivismo y energía. Se celebran entre semana y antes de ir a trabajar.

El centro neurálgico de estas *before parties* es la pista de baile. Pues sus responsables consideran que "bailar es el ejercicio más completo" y el que mejor activa el cuerpo, la mente, la creatividad y las endorfinas positivas, para afrontar la jornada laboral de una manera pletórica.

Evidentemente, no se sirven bebidas alcohólicas. En su lugar los asistentes pueden tomar café, té, zumos o ricos desayunos. Así pues, están abiertas a todo el mundo, incluso familias completas (los menores de seis años con cascos para proteger los oídos). Y esto no es todo, porque esta flamante propuesta mañanera también resulta una actividad ideal para generar *team building*.

Pista 25

Esto es *Negocios* en Tele Medellín y saludo a Sandra Patricia Sierra, es la Directora Ejecutiva de Fenalco Solidario. ¡Qué bueno tenerla por acá, Sandra! ¿Cómo está?

–Hola, Juan. Muy bien, muchas gracias.

–Bueno, hablar de un tema que es de mucha trascendencia para el país: Responsabilidad Social Empresarial, ¿qué es?

–Bueno, la responsabilidad social básicamente son todas aquellas acciones voluntarias que hacen las empresas y entidades con sus áreas de interés y que básicamente buscan contribuir con la sostenibilidad social y ambiental de nuestro planeta.

[...]

–¿Por qué es importante desarrollar este tipo de acciones de Responsabilidad Social Empresarial?

–La responsabilidad social tiene múltiples beneficios. Uno bien interesante y con ese grupo interno es la fidelización, mejora la cultura y el clima laboral, nada mejor que trabajar en una empresa socialmente responsable; hay una mayor valoración de marca, porque, pues, definitivamente los clientes y consumidores ya no solamente prefieren productos o servicios con buenos precios y buena calidad, sino que adicional a eso contribuyan con esa parte social y ambiental; se generan mejores mercados, más competitivos, está identificado que para tener acceso a ciertos mercados y en ciertos países tener un balance de responsabilidad social es parte fundamental dentro de la estrategia comercial que tiene la organización.

[...]

–Ubiquémonos en una empresa pequeñita, entre pequeña y mediana en la ciudad de Medellín, dice, bueno, a partir de hoy quiero hacer Responsabilidad Social Empresaria, quiero impactar en mi entorno, ¿qué tiene que hacer?

–Ahí lo principal es identificar responsabilidad social y filantropía. Cierto que la filantropía es una acción bien interesante, pero no está orientada a la estrategia de la organización. Si nos vamos a enmarcar en responsabilidad social, bueno, hacemos un diagnóstico, es decir, en qué zona se encuentra, cuál es su público de interés, cuál es su producto, porque dependiendo del sector en el que se encuentre hay un impacto mayor o menor en la parte ambiental, en la parte social. Entonces, se hace un diagnóstico preliminar, ¿cierto?, cuál es, digamos, el interés de la organización y a cuáles* grupos de interés se debe trabajar. Seguramente esa organización y esa pyme ya viene desarrollando algo, entonces hay que rescatar lo que la empresa viene haciendo, potencializarlo e identificar otras

acciones, quizás en esos grupos de interés que la organización pues no ha emprendido esos procesos.

[...]

–Sandra, ¿qué relación existe entre Responsabilidad Social Empresaria y *Marketing* Social?

–El *Marketing* Social es la forma como se comunican las prácticas de responsabilidad social. Digámoslo, hoy vemos con más frecuencia que las empresas no solamente muestran sus productos o servicios, sino que comunican a sus públicos de interés lo que se está haciendo en responsabilidad social. A nuestro modo de ver, es una manera bien interesante de hacer esa divulgación. Siempre y cuando no solamente se quede en una publicidad, sino que busquemos también educar e informar a los públicos de interés sobre esas prácticas de responsabilidad social. Quizás entonces es un área donde se puede impactar a nivel de mercadeo y comunicar esas experiencias socialmente responsables.

Extraído del programa *Negocios* de Tele Medellín.

Pista 26

Entrevistador: Jürgen, a ver, nos parece muy interesante, sobre todo, que hagamos mucha pedagogía sobre el tema de lo que se ha aprendido del cerebro y cómo eso se aplica en las empresas porque sabemos que el *neuromarketing* tiene aplicación en procesos internos, pero también externos. Yo puedo aplicarlo perfectamente en el mercadeo, pero también para buscar la colaboración entre grupos de trabajo. ¿Qué aplicaciones tiene el *neuromarketing*?

Jürgen: Pues, hoy en día el *neuromarketing* lo que está enseñándonos a todos es realmente a entender cómo funciona la mente humana del consumidor y a través de entender la mente humana del consumidor, realmente entender por qué la gente dice lo que dice y hace lo que hace. En el pasado, en realidad, como no teníamos este tipo de herramientas, estábamos totalmente sujetos a creer que lo que los consumidores nos decían era lo que querían. Y la verdad es que, independientemente que seas un experto o no, no sabemos por qué hacemos las cosas. Por ejemplo, yo llevo muchos años en este negocio y si tú me preguntas por qué compré el último carro

que compré, yo te voy a dar una respuesta pero dentro de mi mente se está elaborando una respuesta diferente, la cual yo no conozco en muchas ocasiones.

[...]

E: Algo que se aprende del *neuromarketing* es que el cerebro trabaja mejor con metáforas que con mensajes directos. ¿Cómo funciona eso?

J.: Sí, el cerebro humano, en realidad, es un mecanismo en realidad metafórico. Uno podría creer que a veces navegan por ahí palabras, pero en realidad lo que navegan son imágenes. Entonces, las metáforas muchas veces son mucho más fuertes en la medida que tú sueltas imágenes. Por ejemplo, un ejemplo muy interesante es que si tú vendes mantequilla es más importante a*-decirle al cerebro o al consumidor decirle "Come la deliciosa mantequilla para que te sepa rico el pan" ¿sí? Entonces, en realidad, decirle, mostrarle unas imágenes al cerebro donde el pan está caliente y llega la mañana, ¿sí?, y la mantequilla se derrite. Entonces, en ese momento el cerebro se abre y obviamente vas a sentir ese sabor dentro de tu lengua y dentro de tu cerebro y eso va ayudar muchísimo a que la gente se conecte con la metáfora del pan y la mantequilla.

[...]

J.: Pues, definitivamente lo que ha vivido en nosotros 50, 60, 80, 100 mil años en ese cerebro primitivo es lo que rige al día de hoy, lo que llamamos el cerebro reptiliano que es el cerebro instintivo que tenemos nosotros. Entonces si ese cerebro está acostumbrado a ver formas orgánicas naturales que salen de nuestros contextos naturales que pueden ser la selva, las montañas, la naturaleza, la fauna, todo eso, te das cuenta que no hay aristas, ¿sí?, a noventa grados, es muy raro encontrar una arista a noventa grados dentro de la naturaleza. Entonces, lo que pasa es que hemos demostrado a través de estos aparatos que cuando tú le pones un elemento muy cuadrado, ¿sí?, el cerebro tiende a desconocerlo y a cerrarse sin formación. Sin embargo, el producto si lo redondeas, el cerebro es mucho más noble y se seduce mucho más a las formas orgánicas naturales redondeadas.

[...]

E.: Jürgen, finalmente, denos algunos tips, algunas claves que los empresarios de todo el país puedan aplicar de lo que se ha aprendido en neuroinnovación, en *neuro-marketing* para ser muy exitosos en el día a día empresarial.

[...]

J.: Algo que a mí me gusta muchísimo porque es algo muy, muy básico que da muchos resultados para la gente que hace publicidad o pone carteles en su restaurant o va a poner una valla o va a hacer un anuncio de revista, es que hemos podido probar a través de estos aparatos que, en realidad, de las cosas que más te fijas cuando entras en contacto con una imagen de otro ser humano, ¿sí? Sea un bebé, un niño, un joven, o un adulto o un anciano es que le miras los ojos, los ojos llaman la atención del cerebro entonces el cerebro está acostumbrado por miles de años de* fijarse a* los ojos. ¿Por qué se fija en los ojos? Porque quiere leer las intenciones o quiere ver si está agresivo si debes correr o debes acercarte. Entonces, miras a los ojos para ver las intenciones. Lo que se ha demostrado es que en el mundo de la publicidad y de la comunicación el cerebro está más interesado en lo que él ve. Y este es un hallazgo bien importante porque normalmente toda la publicidad la mujer hermosa, ¿no?, por ejemplo, la mujer hermosa en un anuncio de televisión de una cola, por ejemplo. Entonces, te está mirando de frente, pero en realidad lo que tú quieres es que la gente no mire a la mujer, tú quieres que la gente mire el envase, digamos, de la cola, ¿no? Entonces, lo que haces es que a la mujer en vez de ponerla que mira al consumidor, lo* pones a que mire el producto y el precio y la promoción y lo que hace el cerebro detecta los ojos de ella, se fija dónde están mirando los ojos y desvía la mirada del consumidor hacia el producto, hacia la promoción, hacia el precio. Y esa es una forma muy fácil y muy efectiva de lograr que la gente realmente vea lo que a ti te conviene que vea.

E.: Jürgen, muchísimas gracias por haber compartido con nosotros aquí con los televidentes de Negocios en Tele Medellín.

J.: Gracias, Juan Carlos, por la invitación.

Extraído del programa *Negocios* de Tele Medellín.

UNIDAD 11

Pista 27

Chucho Valdés

–Imagínate tú, cuando yo tenía uso de razón nada más que oía música y mi madre, que le gustaba mucho cantar…

–Pilar.

–Pilar, que todavía canta, y le gustaba tocar el piano, aunque no era pianista y mis tíos cantaban… entonces fue todo música. Fue increíble.

–Y ahí esta esa anécdota famosa de los tres años, ¿no?

–Esa anécdota la hace, la hacen ambos, mi padre y mi madre, pero yo no puedo recodar eso. Tres años, no recuerdo. Él dice… él era ya el arreglista de Tropicana, él era el pianista y a veces dirigía la orquesta, a veces, de suplente, ¿no? Y en una de las partituras que escribió para la coreografías del *show* de Tropicana, cuando él salió de la casa se dio cuenta (de) que se le había quedado una partitura en el piano y regresa y cuando regresa oye que alguien estaba tocando. Eso cuenta Bebo. Dice: quién está tocando el piano, pero además está armonizando, ¿no? No es posando un dedito tin… tintin. Está poniendo acordes y tocando una melodía y abrió la puerta y entonces me pilló, como dicen los españoles, me pilló. Y entonces llamó a mi abuela y a mi mamá, y dijo: "Bueno, ¿quién lo enseñó, cómo es posible?". "No, que ve lo que tú haces y después que tú te vas se sienta y trata de hacerlo y hace tiempo que ya lo hace".

–Tres años.

–Tres.

–Impresionante.

–Pero realmente yo no me acuerdo de eso.

Extraído del programa *¿Qué fue de tu vida? Chucho Valdés* de TV Pública Argentina.

Julieta Venegas

Me gustaba antes escribir de otra manera. Escribía como… de una manera mucho más intuitiva, a lo mejor contaba una historia y la historia me iba llevando y la letra… no sé. Me dejaba llevar por cosas distintas, pero ahora es como buscar la sencillez, en cómo digo las cosas. Casi parecer como que estoy platicando con alguien, que es una cosa como muy coloquial. Estamos platicando y cómo le diría yo lo que quiero decir en esa canción, ¿no? O sea, y un poco como que trabajo mucho así, como para mí son cosas como bien sencillas. Es lo más difícil. Siempre lo dice todo el mundo y suena como un cliché, pero realmente es difícil contar una historia que tenga que ver conmigo, porque siempre mis canciones tienen que ver conmigo de alguna manera, este, sin dejarme enrollar demasiado como por mis prejuicios, ¿sabes? Como en esa canción "suena a" o "esto a". No, es como dejarte llevar y que un poco, que el cuerpo te deje, cómo escribes, que escribas lo que sea y yo eso, eso es lo que hago ahora cuando escribo. Escribo, escribo y escribo canciones, o sea, tengo un montón de canciones. Algunas, pues, me da pena, así, digo ¡Uy!, o la escucha alguien y me dice: "Julieta no, esta no". Pero me gusta como dejarme llevar y como dejar que surja, ¿no?… y a ver qué pasa, ¿no?, o sea, como un poco… Y sí hay una personalidad en mi manera de escribir, pero yo no sé cuál es, por suerte.

Extraído del programa *¿Qué fue de tu vida? Julieta Venegas* de TV Pública Argentina.

Leonardo Sbaraglia

PERIODISTA: A ver, ¿vos actúas desde qué edad?

LEONARDO SBARAGLIA: Eh, yo empecé a actuar, a estudiar teatro a los trece años, actuar a los quince, ¿no?

P.: Claro, ¿y cuándo descubriste qué era lo tuyo, qué era lo que te interesaba realmente? ¿Apenas empezaste o un tiempo después? Porque al principio habrá sido como un paseo por Disneylandia.

L.S.: Sí, exacto, exacto, era exactamente eso. Era un remanso, o sea, era tener una identidad que a mí me hacía más feliz que, por ejemplo, la del colegio, ¿no? Yo tenía una cosa medio esquizofrénica, porque en el colegio, ¿no? yo era muy tímido, en cambio en las clases de teatro era muy extrovertido y me gustaba y tenía como mucha comodidad y, bueno, empezó de esa manera el gusto. El tema es que después empecé a trabajar profesionalmente, ya primero con *La noche de los lápices*, después con Claudia Soto. Bueno, lo que se intuía como algo que, bueno, que podía ser pasajero, se terminó quedando,

¿no? En esa época, yo me había anotado en diseño gráfico, en la UBA, me habían dado los horarios y todo, pero finalmente nunca fui. Entonces, bueno, este…, así fue la cosa.

Extraído del programa *Esta noche libros* de C5N.

Pista 28

Pau Gasol (jugador de baloncesto)
Mi palabra favorita en español es belleza. La belleza es una cosa que implica pues ya una sonrisa, ¿no? un momento especial dentro de ti, algo que te atrae y, bueno, pues hay muchos momentos afortunadamente en nuestra vida que implican belleza.

Ricardo Darín (actor)
Hay una palabra que me parece que reúne bastante o se ajusta a diferentes situaciones y es la palabra verdad. Me parece que con la verdad se puede caminar y respirar mejor. A veces preferimos una mentira piadosa que la verdad. Muchas veces damos vueltas alrededor de las cosas y no nos damos cuenta de que sería mucho más fácil y mucho más sencillo si nos ajustáramos solamente a la verdad.

Mario Vargas Llosa (escritor)
La palabra en español que más me gusta es la palabra libertad. Creo que la palabra libertad resume las mejores aspiraciones de los seres humanos.

Mara Torres (periodista)
Si tengo que quedarme con una, me quedo con amanecer, porque amanecer es el principio del ciclo de la vida, es como si uno volviera a nacer cada día y también es la muestra de que el tiempo no depende de nosotros porque va a seguir pase lo que pase. Así que por muy oscura y muy larga que sea la noche, uno tiene la esperanza de que siempre amanece al día siguiente y que va a traer claridad sobre todas las cosas.

Shakira (cantante)
Esto que voy a decir ojalá no sea nunca tomado en mi contra porque este concepto puede variar en las próximas semanas o meses, pero por el momento creo que mi palabra favorita del idioma castellano es meliflua, porque lleva miel en ella, porque lleva fluir y lleva melodía y música.

Extraído de la página web del Instituto Cervantes.

Pista 29

Los ejercicios de estilo. Stanislawski, el creador del sistema Stanislawski de formación de actores, entrenaba a sus alumnos para que pudieran expresar múltiples emociones, muy distintos mensajes, utilizando la misma frase neutra, algo así como "esta tarde iré a tu casa a las cinco". Sin añadir, ni quitar nada, debería ser dicho por el actor de veinte maneras diferentes: cantando, llorando, irritado, seduciendo, amenazando, etc. El alumno debía saber expresar por el cambio de tono, pausas e inflexiones de su voz, veinte o treinta mensajes diferentes utilizando las mismas palabras. Cuando se escribe, las palabras no llevan timbre, ni tono, ni pausas artificiales, ni volumen, ni ningún otro tipo de inflexión. Todos esos son elementos de la oralidad, no de la escritura. Algunos aprendices de escritores pretenden resaltar o dar relieve a determinadas partes de sus textos, utilizando con profusión los signos de admiración, de interrogación, las mayúsculas, los puntos suspensivos, la letra negrita y hasta los cambios de tipografía y de cuerpo. Esos son recursos falsos, torpes, y que por si fuera poco jamás consiguen el objetivo que se les ha encomendado. Para resaltar o cambiar las intenciones de una frase, se deben utilizar las matizaciones que tiene la propia lengua: adverbios, adjetivos, oraciones compuestas, uso adecuado del vocabulario, cambio del orden en la sucesión de las palabras, metáforas, etc. Como ejemplo, están los noventa y nueve ejercicios de estilo de Raymon Queneau, así se llama el libro, *Ejercicios de estilo.* Ese sería el paralelo más exacto de los ejercicios actorales de Stanislawski. Uno puede contar la misma historia de cien, de mil maneras diferentes. Debemos ejercitarnos en diversos tonos narrativos, porque cada personaje debe tener el suyo, debe tener su idiolecto, su habla particular, su manera de ver el mundo, su ideología y no debe coincidir necesariamente con la del narrador ni con la del verdadero autor del libro, con el escritor. Hay actores que no saben hacer más que un papel, un único personaje que habla y se comporta de manera sospechosamente parecida a la del actor en su vida privada. Son actores sin método, sin flexibilidad, sin ductilidad; y hay escritores que parecen estar escribiendo siempre el mismo libro, con los mismos personajes que se parecen todos entre sí como gotas de agua gemelas, parecidos al narrador y a sí mismo. Escritores de un solo libro, repetido cuantas veces se quiera, monotemáticos y encorsetados, se parecen más a los loros que a los escritores. Un niño de cinco años debe hablar y pensar como un niño de cinco años. Si le haces hablar y reflexionar como si fuera un catedrático de historia medieval, no será creíble. La historia que estés contando empezará a sonar falsa, mentirosa. Cuando un personaje hable, hazle hablar desde el interior de ese mismo personaje, no desde tu boca, no le hagas hablar, déjale que lo haga él, escúchalo y apunta en el cuaderno lo que va diciendo, anota también el gesto que lo acompaña, el tono de voz que utiliza, las inseguridades que muestra, acota lo que dice con lo que ves, eso es el tono.

Extraído de *Ejercicios de estilo -Taller de escritura* de Enrique Páez de YouTube.

UNIDAD 12

Pista 30

Los modernos *smartphones*, aquellos que nos conectan con el mundo con solo un click, se han vuelto imprescindibles en la vida de casi todos: ¿sabe usted que estos sofisticados aparatos generan dependencias y obsesiones más aún si no los tenemos a nuestro alcance? En el siguiente reportaje conozca lo que es la nomofobia, quizás usted no sepa que sufre de este moderno síndrome.

[...]

La idea de estar sin esa pequeña llave de acceso a un mundo de información nos vuelve renuentes a la sola idea de quedarnos sin él aunque sea por unas horas.

[...]

A raíz de la dependencia que hemos ido generando a lo que nuestros *smartphones* ofrecen han ido apareciendo también ciertas adicciones, patologías que muchos ignorábamos. De un momento a otro nos hemos visto envueltos en situaciones tragicómicas, que aunque graciosas, nos causan altos niveles de ansiedad.

[...]

Nos hemos vuelto obsesivos de la vida de los demás hasta quizás llegar al punto de compararnos todo el tiempo y crearnos fuertes depresiones.

La red social se ha vuelto algo tan presente en nuestras vidas que hay gente que se conecta largas horas al Facebook. Entonces están mirando la vida de los demás y comparándote tontamente con los demás. Entonces uno empieza a envidiarlos y empieza a deprimirse al compararse con ellos y sentir que no está en ese nivel.

Y mientras las ventas de estos aparatos se han disparado, hemos aprendido a sumergirnos en un mundo paralelo, desde donde incluso ignoramos a quienes nos rodean. Experiencias que a todos nos pasan y adicciones que todos ignorábamos.

[...]

Hágase una simple pero directa pregunta, ¿podría estar sin su celular un día entero? Si la respuesta ha sido no, seguramente usted como yo, y como muchos, ya sufrimos de nomofobia. Así se denomina esa sensación insensata de vernos sin ese aparato cerca, aun incluso cuando no lo utilizamos. La nomofobia tal como se lee es la fobia que generamos al imaginar vernos sin celular.

[...]

Evidentemente al no estar atentos y con un grado de ansiedad elevado nos divorciamos momentáneamente del mundo, no disfrutamos, no nos concentramos y por ende nuestra mente andará en el bendito aparato que circunstancialmente olvidamos.

[...]

¿Cuántas veces le ha sucedido que escribe por el whatsapp, espera respuesta, la persona se conecta, aparece en línea, lee lo que usted envió, sale el doble *check* al costado de su mensaje y, de pronto, se desconecta, sale la típica frasecita: última vez a tal hora? ¡Qué impotencia! ¿Por qué no contestó, por qué me ignora?

[...]

Ese es el síndrome del doble *check*, directamente relacionado con esta aplicación o con otra que genere el visto de aquel que lo recibe.

–Ahí podemos hablar de la falta de tolerancia a la frustración. ¿Qué es lo que sucede? No me responde, entonces yo empiezo a ponerme tenso, a tener ansiedad.

Los grados de ansiedad que generamos dependerán de cada uno, de cuán sumergidos estemos en este tipo de mensajería, la importancia que le demos a recibir respuesta y cuán dispuestos estamos a tomar con tranquilidad una buena ignorada.

[...]

Otro síndrome encontrado por un estudio realizado por Spet en relación al comportamiento del consumidor es el del *phubbing* o pubin, que significa ignorar a quien esté delante de nosotros por usar un dispositivo móvil.

–Nadie ya se presta atención entre sí. Antes tú ibas con un amigo, una amiga a un café para conversar; ahora tú vas con un amigo, una amiga a un café para que cada uno se sumerja en su mundo.

Todos en cierta medida alguna vez los hemos hecho o nos lo han hecho, que tire el primer celular quien esté libre de esto. ¿Cuántas veces hemos tratado de conversar con alguien que simplemente nos ignora por estar con el celular?

[...]

La depresión por Facebook es un término que lo explica claramente, mucha gente pasa largas horas viendo la vida de amigos con las que llega a comparar, actos virtuales de rivales, de enemigos, tienen más luz, más brillo que la propia vida que uno tiene, así generamos cuadros agudos de depresión.

[...]

"Estás mirando la vida de los demás y comparándote tontamente con los demás, entonces tú ves que las otras personas están viajando, tienen plata, están siempre rodeados de amigos, y uno empieza a envidiarlos y empieza a deprimirse al compararse con ellos y sentir que no está en ese nivel".

[...]

Si usted ha sentido que su celular suena cuando no ha sonado o que vibra cuando no ha sucedido, tiene el síndrome de la llamada imaginaria.

–Lo que sí siento es esta vibración acá, o sea, el celular está aquí y de pronto me vibra la pierna.

–Y ¿lo agarras?

–No sé, serán los fantasmas de los celulares anteriores que se me perdieron.

[...]

Existen otros síndromes como el *sleeping texting*, que implica contestar dormido, obviamente uno no descansa bien. La cibercondría, un hipocondríaco pero con acceso a internet. El efecto Google, olvidamos todo por confiarnos en este.

–Ponte no sé, pues estás en un taxi, no tienes nada que hacer y dices: voy a chequear qué ha pasado en el mundo, voy a entrar en la página del noticiero, ¡maldita sea, se fue la señal!, ¡maldita sea!, ¡maldición, no hay, no hay red!, ¡no hay red!

[...]

El uso de la tecnología para nada está mal, es un camino que avanza rápido, que ayuda a mover mejor el mundo, acerca, conecta, ofrece información infinita, ya no podemos vivir sin ella. Pero como cada cosa en la vida hay que saber medir los límites que le ponemos. Finalmente nosotros debemos dominar la tecnología y no ser dominados por este tentador aparatito

Extraído de Panorama: Obsesión celular: la nomofobia y otros males del siglo xxi de Panamericana Televisión.

Pista 31

Robin Dunbar es el descubridor de lo que se conoce como "número de Dunbar", un parámetro del que hemos hablado anteriormente en Redes y que se refiere a la cantidad de personas con las que nos relacionamos de forma más o menos cercana. En promedio, tenemos vínculos con unas 150 personas aproximadamente. En distintos ámbitos y culturas se repiten las estructuras sociales de este tamaño. 150 es la cantidad de personas a las que deseamos unas felices fiestas a través de las postales navideñas, y los miembros de las unidades básicas de los ejércitos y de los clanes tribales. También son de media 150 los habitantes de la mayoría de poblados desde el Neolítico hasta la Revolución Industrial y los contactos que mantienen los académicos con otros que estudian en su mismo ámbito de investigación. Incluso en las empresas se ha descubierto que, aquellas con este número máximo de trabajadores se organizan de forma espontánea y prima la colaboración entre los individuos. En cambio, cuando la compañía se hace más grande, se han de establecer jerarquías para imponer el orden, disminuye el compañerismo y crece la competitividad y el absentismo laboral.

Aunque vivimos en un mundo lleno de ciudades pobladas por millones de individuos, seguimos manteniendo una red social impuesta por los límites de procesamiento de la mente. De la misma forma que la capacidad de un ordenador está definida por el tamaño de su memoria y su procesador, nuestra habilidad para manipular información sobre la vida social está limitada por el tamaño de la parte más frontal de nuestro cerebro. Sin embargo, no caigamos en la tentación de creer que 150 es un número bajo, al contrario, somos los primates con mayor cantidad de amigos y conocidos con diferencia, y también, con el cerebro más grande.

Los científicos tienen la sospecha de que el amor tiene algo que ver en esto, al fin y al cabo, los cerebros de los animales monógamos son los de tamaño mayor. No debería extrañarnos si tenemos en cuenta que elegir una pareja para pasar el resto de la vida y entenderse con ella requiere de una gran capacidad para observar cómo es, cómo se siente y cuál es la mejor manera de comunicarse para evitar conflictos.

Extraído de *¿Somos supersociales por naturaleza?* del programa *Redes* de RTVE.

Pista 32

Los reyes del tango, los dueños del gol, los patrones de las mejores vacas, también los inventores del dulce de leche, el bolígrafo o birome y hasta el autobús, al menos según repite la tradición popular sin encargarse mucho de comprobarlo. Esto y otras cosas creen los argentinos de sí mismos, pero ¿cómo se ven hoy a 200 años de aquella revolución que marcó un hito en su historia?

–Somos apasionados, quejosos, y bueno y tenemos mucho aguante, por lo que se ve.

–Somos trabajadores, aunque digan que somos vagos, porque dicen que somos vagos los argentinos, pero somos buena gente. Yo me refiero buena gente, soy argentino.

–Somos nostálgicos, somos tristes, eso que dice el tango que uno extraña apenas se va, y bueno, a mí me pasó eso.

–Gente buena, gente que te abre las puertas y te recibe y gente que hace lo contrario, que te pone en guardia en la puerta del *country* y te saca a los tiros.

–Podemos hablar del idioma por ejemplo, nosotros no hablamos castellano, hablamos argentino, ¿cierto?

–Yo creo que la humildad tendría que caracterizarnos un poquito más, ¿no?

[...]

–Lo que ha ido ocurriendo en la Argentina sobre todo en los últimos años es un sentimiento más de integración latinoamericana, creo que los argentinos se sienten más latinoamericanos ahora, más americanos.

–Lo malo, tal vez, las vueltas que le damos a las cosas, y yo mismo ahora, cuando estoy hablando me escucho y digo, para dar una idea puedo tardar 20 minutos o una hora, para dar una idea que era solamente en un segundo.

–Comunes, no somos especiales, somos diferentes al resto así como cada uno de los otros países es diferente al resto. Tal vez a veces creemos que somos especiales, pero de verdad no lo somos, somos gente común.

Extraído de *Cómo son (o dicen que son) los argentinos* de BBC Mundo.

SOLUCIONES

UNIDAD 1

A IDENTIDAD

3a Adjetivos de carácter con connotaciones positivas: humilde, íntegro, honesto, altruista, responsable, afable, sensible, cálida, luminosa, brillante, perspicaz, interesante, profunda, única, independiente, admirable, fuerte, feliz, imperturbable, sensible, comprensiva, abierto, resistente, inteligente, reflexivo, relajada, reflexivo, intuitiva, peculiar, emotivo, encantador, brillante, divertida, espontáneo, entusiasta.

Adjetivos de carácter con connotaciones negativas: blando, intransigente, dominante, débil, cobarde, prepotente, introvertido, hipocondriaco, frívolo, estrafalaria, desplazado, vulnerable.

4a Inmensamente orgulloso (muy orgulloso); irremediablemente introvertido (no puede evitar ser introvertido); tremendamente emotivo (muy emotivo); levemente vulnerable (un poco vulnerable); sumamente sensible (muy sensible); manifiestamente independiente (es evidente que es independiente); suficientemente fuerte (lo bastante fuerte); verdaderamente responsable (muy responsable).

4b 1 Francamente: a, c, d, e, f, g, h; **2** Cruelmente: e. **3** Sumamente: a, c, d, f, g, h; **4** Escandalosamente: d, e, g, h; **5** Enormemente: c, d, e, g, h; **6** Felizmente: b, f; **7** Locamente: d; **8** Patológicamente: d.

5b 1 Sentirse desplazado; **2** Sumirse en una depresión; **3** Tener mucho amor propio; **4** Encogerse el corazón; **5** Tener el corazón de piedra; **6** Tener afán de superación; **7** Mostrar una confianza ciega en alguien; **8** Inspirar confianza; **9** Tener mano izquierda; **10** Ver la vida de color de rosa.

6a 1 Al esfuerzo. **2** Cuenta la anécdota de una foto que había en un restaurante y el comentario que hizo la camarera acerca de un pescador que aparece en la foto. **3** Dedica el premio al lugar donde nació: Borinquen, en Puerto Rico.

B HERENCIA O ENTORNO

2 A–3; B–1; C–2; D–3; E–1; F–2.

4 **a:** aficionarse, invitar, someterse, llegar; **en:** dividirse; **de:** proceder, divor-

ciarse, hablar, **con:** comparar, reencontrarse, casarse.

5a Cuestionario A: 1: a; **2:** con; **3:** de; **4:** en; **5:** con; **6:** a. **Cuestionario B: 1:** a; **2:** en; **3:** a; **4:** en; **5:** con; **6:** en.

C LA GENTE QUE ME GUSTA

5 1–a; **2**–c; **3**–b; **4**–c; **5**–a; **6**–b.

D 7 MIL MILLONES DE OTROS

3 **a**–3; **b**–4; **c**–2; **d**–1.

5b 1 cámbiate a ti mismo; **2** la paz es tu camino; **3** acabará ciego; **4** una victoria completa; **5** tu destino; **6** dispone el mundo; **7** sabe amar; **8** con violencia; **9** todo el mundo crea en él; **10** durar para siempre.

UNIDAD 2

A EL PLACER DE NO HACER NADA

2a Diversión: desahogo, juerga, distracción, esparcimiento. **Aburrimiento:** tedio, hastío, sopor, apatía.

2b 1 Nos permite ser creativos, profundizar en nuestro interior, dejar la mente libre, soñar despiertos y que fluya la imaginación. **2** En la cultura occidental se valora más estar ocupados para no pensar y no conocernos a nosotros mismos. **3** Puede producir un cuadro de apatía, cansancio, anhedonia o trastorno del sueño. **4** Hay que buscar una motivación como leer, soñar despierto o recuperar una afición perdida.

2c 1 mero; **2** de entrada; **3** vorágine; **4** vál-vula de escape; **5** despistarse; **6** sopor; **7** empedernido.

3a Posibles soluciones: **2** Nos anima a soñar despiertos **con la esperanza de que** fluya esa imaginación. **3** Pero en Occidente lo que se hace es estar ocupados **no vaya a ser que** pensemos y nos conozcamos a nosotros mismos. **4** Nuestra sociedad no ha tenido ese culto a saber estar tranquilos, relajados, reposados, **con la intención de** después volver a la actividad. **5 A fin de que** el cerebro funcione bien tiene que darse un equilibrio entre ambos. **6** ¿Y **cuál es el propósito de** abandonarse un poco al no hacer nada?

3b Cuando preguntamos por la utilidad o el propósito de algo usamos el indicativo. Ej.: ¿Para qué se usa este objeto? ¿Con qué intención hiciste aquella pregunta?

5a Diálogo 1: b; **diálogo 2:** a; **diálogo 3:** b; **diálogo 4:** a.

B ATRÁPALO

1 **1** Agencia de viajes y actividades para el tiempo libre; **2** Atrapar significa coger algo que no puedes dejar escapar y eso es lo que ellos proponen a sus clientes, buenas ofertas al mejor precio; **3** Pensando en cómo vender las butacas vacías de los teatros; **4** No les fue nada mal.

3b **a**–6; **b**–1; **c**–2; **d**–4; **e**–1; **f**–5; **g**–3; **h**–3; **i**–4.

3c Títulos originales: **1** Descubre el vuelo en parapente; **2** Circuito termal + masaje opcional de 20 minutos; **3** ¿Ferrari o Lamborghini? ¡Tú eliges!; **4** Aventura en los árboles, paseo en canoa y tiro al arco; **5** Curso de percusión latina + espectáculo afrocubano.

4a 1–c; **2**–f; **3**–b; **4**–e; **5**–g; **6**–a; **7**–d.

C ¡LO NECESITO!

2b 1 encoger (no se usa para zapatos); **2** sentar como un tiro (el resto de combinaciones hablan de que algo queda muy bien, esto es lo contrario) **3** pisar el largo (el resto son arreglos que te pueden hacer); **4** plisado (es un adjetivo, no un material); **5** un peto vaquero (es una prenda de vestir, no un accesorio); **6** un poncho (es una prenda de vestir, no un complemento); **7** una jaula (no es mobiliario de una tienda); **8** negro chillón (no existe pues nunca el negro es un color estridente).

3a 1 F "Yo, de hecho, combino muchas veces prendas *low cost* con prendas…" **2** F, "Los desfiles de alta costura siguen marcando el ritmo de la moda"; **3** F "En los últimos años, tres firmas españolas de alta costura, han entrado en concurso de acreedores"; **4** F Cada uno de estos vestidos (alta costura) es una obra de arte; **5** V "suponen una amenaza para la alta cultura"; **6** F "Se tendrá que preocupar el que consume ese producto".

D ¿EN ESCENARIO, PAPEL O PANTALLA?

1b **1** anticipar; **2** como una ostra; **3** desorbitados; **4** altura; **5** subirse y **6** quitarse horas de sueño.

1c **1**–h; **2**–g-a; **3**–f-a; **4**–i; **5**–a; **6**–b; **7**–c-d; **8**–c-d; **9**–e.

2a Soluciones posibles: **1** A través de la creación, la creatividad, la imaginación, la ficción podemos parapetarnos de las distintas pestes que nos rodean en nuestra vida diaria; **2** Yo creo que hay una capacidad innata del ser humano de fugarse a través de la imaginación. Pero no creo que eso sea la solución definitiva y más que nada, yo creo que es un espacio de libertad. **3** Estoy muy desconcertada y no sé muy bien cómo manejar todo esto. Siento que hay una sobreestimulación de imágenes constante que crea además una adicción clarísima y que eso va en detrimento de otras muchas cosas. Ya no sabemos hasta qué punto refleja la realidad.

3a Víctor Hugo: *Los Miserables*; Dan Brown: *El código Da Vinci*; Isabel Allende: *La casa de los espíritus*; Haruki Murakami: *1Q84*; David Foster Wallace: *La broma infinita*; Khaled Hosseini: *Mil soles espléndidos*; Hemingway: *El viejo y el mar*; Mario Vargas Llosa: *Los cuentos de la peste*; Truman Capote: *A sangre fría*.

3c **1**–e; **2**–c; **3**–d; **4**–f; **5**–a.

UNIDAD 3

A PROFESIONES RARAS

2b Falsas: ¿Quiere ser espía? Si ha visto todas las películas de James Bond y desde pequeño ha soñado con ser un famoso agente secreto con licencia para matar, esta es su oportunidad. **Falso: Para estar en la primera línea de la seguridad nacional hay que ser discreto, leal y subordinarse al equipo.**

Basta con tener nacionalidad española para optar a un puesto de trabajo en el CNI. **Falso: además de ser español es necesario cumplir otros requisitos: tener la titulación adecuada, sin enfermedades incapacitantes y con el informe de seguridad inmaculado.**

La primera entrevista, en la cual los candidatos deben presentar documentación de índole personal, se realiza de forma grupal. **Falso: se piden informes y documentos en la siguiente prueba, que es individual.**

Todo candidato al inicio del proceso de selección debe firmar un documento de confidencialidad sobre él mismo. **Falso: Superada la tercera prueba.**

3a Partículas relativas: más fácil **de lo que** parece / La primera entrevista, **en la cual** / una entrevista personal **en la que** / **quienes** no estén dispuestos.

3b **1** lo que; **2** de lo que; **3** que; **4** con quien; **5** lo cual; **6** el que; **7** que; **8** lo que; **9** lo cual; **10** lo que.

B LAS CLAVES DEL ÉXITO

1a *Bueno, yo no digo que no sean importantes, ahora bien:* se expresa desacuerdo. *¡Venga ya!:* se expresa desacuerdo. *No cabe duda:* se expresa acuerdo.

1b **1**–d; **2**–e; **3**–c; **4**–b; **5**–a.

2b **a** mentores/as; **b** emprendedor/a; **c** constancia; **d** instinto; **e** talento.

C CÓMO LLEVARSE BIEN CON EL JEFE

2a **1** promocionarse; **2** autoestima; **3** afrontan; **4** dimiten; **5** renunciar; **6** patrones; **7** atañe; **8** asertividad; **9** redundará; **10** desafío.

3a **1**–h Promocionarse en un empleo; **2**–e Abrirse camino; **3**–f Afrontar un desafío / reto / problema; **4**–a Renunciar a un cargo; **5**–b Encontrarse consigo mismo; **6**–d Huir de los patrones; **7**–g Manifestar una opinión/lo que piensas; **8**–c Un entorno laboral.

D LA FELICIDAD EN EL TRABAJO

2 Se mencionan todos los temas de manera implícita, pero no se habla de los periodos vacacionales ni de la afinidad con el jefe y el reconocimiento y tampoco de la cercanía del trabajo.

3a **a** en primer lugar; **b** según; **c** En cambio, en tanto que; **d** también, asimismo; **e** De esta forma; **f** Por su parte.

4c **1**–a; **2**–b; **3**–b; **4**–c; **5**–a; **6**–b.

EN ACCIÓN

2 No se mencionan los datos que hacen referencia a las diferencias de sexo, edad y nivel de estudios de los trabajadores.

3 a, b y d.

UNIDAD 4

A TRADICIÓN O INNOVACIÓN

2b **a** Carmen Casas: "¡Parece que ahora estamos obligados a emocionarnos con cada bocado! Está bien una cocina que apele a la inteligencia, pero no hay que pasarse"; **b** Ferran Adrià: "Amamos la cocina tradicional y la practicamos"; **c** Santi Santamaría: "…un menú que ni ellos mismos comerían"; **d** Andoni Luis Aduriz: "En nuestra sociedad cada vez más gente tiene la oportunidad de disfrutar de una experiencia distinta con la comida. Al menos, una vez en su vida, se lo puede permitir"; **e** Ferran Adrià: Adrià ha repetido hasta la saciedad que en sus platos quiere que concurran los cinco sentidos, y uno más: la provocación y el chiste.

3a **1**–c; **2**–a; **3**–g; **4**–f; **5**–d; **6**–b; **7**–h; **8**–e.

4 **a** Los dos tipos de cocina buscan que las personas disfruten de ellas. **b** La cocina moderna busca lo novedoso, quiere sorprender. La cocina tradicional busca que la gente disfrute con los platos de toda la vida. **c** Nuestros gustos, la ocasión, la compañía y las ganas de dejarse sorprender.

5a **1** que; **2** de; **3** como; **4** de; **5** de; **6** que.

B A LA CARTA

4a **1** inolvidable; **2** (muy) merecida; **3** impecable; **4** esmerada; **5** sublime; **6** los mejores.

C URBANO Y SANO

2a **Alumno A: a**- Productos que se utilizan para combatir plagas (= pesticidas); **b**- Verduras que crecen en la huerta (= hortalizas); **c**- Capacidad de soportar algo sin alterarse (= paciencia); **d**- Provecho que se obtiene de una acción (= beneficio).

Alumno B: a- Cada una de las cosas que tomamos para nutrirnos (= alimentos); **b**- Poner en orden de preferencia (= priorizar); **c**- Actividad por la que se siente inclinación (= afición); **d**- Tensión provocada por situaciones agobiantes (= estrés).

5a y **5b Sólidos:** hojas, en láminas, una rodaja de, un pellizco de y un puñado de. **Líquidos:** un trago de, un chorrito de, unas gotitas de, un sorbo de. **Ambos:** un toque de, una cucharada, una cucharadita, y una pizca de.

D COCINA CON ÉXITO

1b **1** *Vamos a la mesa,* **2** *Con las manos en la masa,* **3** *La cocina de Arguiñano,* **4** *Esta cocina es un infierno,* **5** *Pesadilla en la cocina,* **6** *MasterChef.*

2a **1**–b; **2**–c; **3**–a; **4**–b; **5**–a.

UNIDAD 5

A CURIOSIDADES DE LA NATURALEZA

1 **1** ratón; **2** mosca; **3** águila; **4** pelícano; **5** tiburón; **6** guepardo; **7** salamandra; **8** lagartija; **9** hiena.

2 **1**–b; **2**–a; **3**–a; **4**–b; **5**–a; **6**–b; **7**–a; **8**–b; **9**–a.

3a y **3b Sonidos y acciones:** aullar, rugir, galopar, trepar, reptar, embestir. **Tipo de agrupamiento:** manada, rebaño (de ovejas), banco (de peces), bandada (de aves). **Partes del cuerpo:** hocico, aleta, rabo, cola, pata, pezuña, trompa, antena, cuerno, cresta. **Nombre de animales:** cebra, cóndor, pelícano, rata, elefante, jirafa, lagartija, salamandra, cigüeña, gaviota, águila, lechuza, buitre, oca, ganso, tiburón, guepardo, hiena, lince. **Lugar donde habitan:** cuadra, corral, establo, gallinero. **Utensilios:** bozal, collar, correa.

4 **1** ardillas; **2** delfines y loro; **3** murciélagos; **4** gorilas; **5** chimpancés.

B GUERREROS DEL MEDIO AMBIENTE

1c **1**–G; **2**–A; **3**–H; **4**–D; **5**–C; **6**–F.

2a emisiones de carbono; ensayos nucleares; cambio climático; plataforma petrolífera; calentamiento global; ciclos hidrológicos; deforestar la selva; combustibles fósiles; extraer / explotar petróleo.

2b **1** Emisiones de carbono; **2** Ensayos nucleares; **3** Cambio climático.

2c temblor de tierra, movimiento sísmico, erupción volcánica, panel solar, propagar / provocar un incendio, filtrar / tratar los residuos, repoblar / reforestar los bosques, reservas submarinas, desarrollo sostenible, uso de aerosoles / pesticidas, desastres naturales, especies autóctonas, especies en peligro de extinción, medidas preventivas.

3 **1**–e; **2**–d; **3**–a; **4**–c; **5**–b. En el texto se mencionan la 1, 3, 4 y 5.

C VIDAS ALTERNATIVAS

2 **1**–f; **2**–f; **3**–v; **4**–f; **5**–v; **6**–v; **7**–f; **8**–v.

3a **ALEGRÍA:** me emociona, me llena de orgullo; **ENFADO:** no sentís impotencia, nos indigna; **TRISTEZA**: me llena de pena, me entristece; **MIEDO:** nos aterroriza, me inquieta.

D CAMBIAR EL MUNDO

1a **1**–c; **2**–b; **3**–c; **4**–c; **5**–b.

2 **1** a; **2** convenio; **3** a; **4** acopio; **5** libera; **6** malformaciones; **7** lo cual; **8** rescindan; **9** asuman.

3 **1** Firmar un convenio, **2** llevar a cabo una campaña, **3** malformaciones congénitas, **4** vías respiratorias, **5** rescindir un contrato, **6** asumir un compromiso.

4a En el apartado 1 se explica el suceso que lleva a realizar la petición. En el 2, las causas. En el 3, se da una explicación científica u objetiva del mal generado. En el 4, se ofrecen alternativas. Y en el 5, se hace la petición formal a los organismos competentes.

4b **1**–b; **2**–e; **3**–d; **4**–g; **5**–f; **6**–a; **7**–c.

UNIDAD 6

A EQUIPAJE DE MANO

2b 1, 4, 11, 14- vista; 5, 10, 13- oído; 8, 9, 16- gusto; 6, 7, 12- olfato; 2, 3,15- tacto.

3a **1** gozo intelectual; **2** confesión forzada; **3** esperar turno; **4** señalar caminos; **5** clase magistral; **6** nuble la vista; **7** equipaje de mano.

Gramática **1** indicativo; **2** subjuntivo.

B LA EDUCACIÓN PROHIBIDA

1 Solución posible: **1** Compara la escuela con una caverna; **2** Por el engaño a que son sometidos.

2c Libre elección: 1 y 4; Fomento de la autonomía...: 1 y 4; Participación activa, en asambleas: 3; Implicación de los padres, de la comunidad: 2; Aprendizaje vivencial: 1; Desarrollo humano, de la creatividad: 2; Diferencias individuales: 3; Toma de decisiones: 4; Vínculos humanos / afectivos: 3 y 4; Realización de proyectos: 4; Educación activa: 3; Ausencia de calificaciones: 1; Solución de conflictos: 4; Autoconocimiento: 1.

3a **1** Porque ha sido el único español preseleccionado para el premio Global Teacher Prize, considerado el nobel de la enseñanza; **2** Un millón de euros; **3** Porque un amigo suyo insistió en que lo hiciera; **4** Una película de cine mudo, un cortometraje con los abuelos y los niños, creación de una protectora virtual de animales; **5** La participación de los alumnos, la capacidad de expresarse oralmente.

C LOS ENIGMAS DEL CEREBRO

2b **1**–D; **2**–B; **3**–A; **4**–E; **5**–F; **6**–C.

2c **Predisponer:** posponer; **Remodelar**: destruir; **Distorsión:** emisión; **Fabular**: charlar; **Presunción:** predisposición.

3a **1** puede reconocer caras, reacciona a la aspiración de secreciones cuando lo limpian. **2** un crecimiento masivo de neuronas. **3** la información visual y el movimiento. **4** el lenguaje y la orientación espacial. **5** tomar decisiones, planificar e inhibir los impulsos.

D SUPERHÉROES DE CARNE Y HUESO

1b **1**–B; **2**–C; **3**–E; **4**–A; **5**–D.

2 **1**–b; **2**–b; **3**–b; **4**–b.

EN ACCIÓN

1a Posible solución: Una vez un niño pequeño fue a la escuela. Era bastante pequeño y era una escuela bastante grande. Pero cuando el niño pequeño descubrió que podía entrar a su salón desde la puerta que daba al exterior, estuvo feliz y la escuela ya no parecía tan grande.

Una mañana, luego de haber estado un tiempo en la escuela, la maestra dijo: "Hoy vamos a hacer un dibujo". "¡Qué bueno!", pensó el pequeño. Le gustaba hacer dibujos. Podía hacerlos de todas clases: leones y tiburones, pollos y vacas, trenes y barcos; y sacó su caja de crayones y empezó a dibujar.

Pero la maestra dijo: "¡Esperen!, aún no es tiempo de empezar", y esperó a que todos estuvieran listos. "Ahora –dijo la maestra–, vamos a dibujar flores". "¡Qué bien!", pensó el pequeño, le gustaba hacer flores y empezó a hacer unas flores muy bellas con sus crayones rosados, naranjas y azules.

Pero la maestra dijo: "¡Esperen!, yo les enseñaré cómo". Y dibujó una que era roja, con el tallo verde. "Ahora –dijo la maestra–, ya pueden empezar".

UNIDAD 7

A EDIFICIOS DEL FUTURO

1b **1** Posibilitar un gran ahorro de espacio en las urbes densas que se han extendido previamente hacia afuera en lugar de hacia arriba, como es el caso de Londres; **2** Porque funciona como un organismo con sus elementos interconectados al igual que la propia sociedad y la naturaleza; **3** Les permitirá realizar muchas de sus actividades cotidianas y cubrirá sus necesidades sin tener que salir de él, ya que cuenta con una serie de zonas destinadas a las compras, el trabajo, la educación, la salud, la tecnología, las finanzas, las leyes, las comunicaciones, el diseño y el entretenimiento; **4** La propia forma del rascacielos ha sido diseñada para reducir el consumo de energía, siendo su estructura más contraída en la parte inferior para mantener la distancia con los edificios cercanos, y más dilatada en la parte superior, para dejar entrar la luz natural; **5** Consta de rampas entrelazadas además de una serie de puentes y pasarelas que ayudarán a aumentar los intercambios, las comunicaciones y las interacciones.

1c dar hospedaje – albergar; estructura desigual – forma asimétrica; emprender algo – poner en marcha; mejorar – optimizar; pared principal exterior – fachada; ciudad – urbe; inicio de algo – punto de partida.

2b **(1)** Antes de volver al pueblo, prefiero que las ciudades crezcan verticalmente. **(2)** En cuanto estuviera allí una semana, me daría claustrofobia. **(3)** Mientras la población de las zonas rurales siga emigrando a las grandes ciudades, no habrá solución para el problema de la superpoblación. **(4)** A medida que vayan proliferando este tipo de construcciones, nos iremos familiarizando con la idea de vivir en ciudades verticales. **(5)** ¡Hasta que no lo vea, no me lo creo!

3 Casa Danzante, Praga (República Checa) diseñada por Frank Gehry y Vlado Milunic; la torre Agbar, Barcelona (España). Diseñada por Jean Nouvel; Edificio de la calle Caminito en Buenos Aires (Argentina).

B INTERVENCIONES URBANAS

1a **A favor:** *"El altruismo…"* y *"Parece que solo llamamos…"*. **En contra:** *"Respetar el…"* y *"No es arte sino…"*.

1b **1** Falso: "dejó otro coche en un barrio rico[…] hasta que Zimbardo rompió una de las ventanillas y entonces el proceso fue similar; **2** Verdadero: "cuando se ve que un espacio degenera, esa sensación se contagia […] Queremos que aquí ocurra al revés"; **3** Verdadero: "El paisaje urbano es una de las realidades […]que más afectan al devenir cotidiano de los vecinos"; **4** Falso:"apuesta así por el arte urbano permitido […] y multa el no permitido".

2a **1** devenir cotidiano; **2** muros deteriorados; **3** varios artistas; **4** degradado Bronx; **5** coche abandonado; **6** barrio rico; **7** proyecto piloto; **8** fachada ruinosa; **9** grandes intervenciones.

2b grandes intervenciones (fantásticas)/ intervenciones grandes (de gran tamaño); varios artistas (bastantes)/artistas varios (de diferentes disciplinas artísticas).

3a 1–a; **2**–c; **3**–b; **4**–c.

C PROBLEMAS EN LA VIVIENDA

1b 1–a; **2**–c; **3**–b; **4**–c; **5**–b; **6**–a; **7**–b.

3b **Resignación:** Rubén Zamora; **Alivio:** Sara Bellido; **Esperanza:** José Martínez.

6a **Electricista:** 1, 4, 9; **Fontanero:** 3, 5; **Albañil:** 2, 6, 7, 8.

D DISEÑO DE INTERIORES

2a 1–d; **2**–k; **3**–g; **4**–j; **5**–l; **6**–i; **7**–b.

4a **foto 1:** d, e, g, h, j, l; **foto 2:** a, b, c, d, f, i, k

UNIDAD 8

A GEOGRAFÍAS

2a 1–c; **2**–a; **3**–a, **4**–c; **5**–a; **6** a; **7**–c; **8**–b.

3a **1** idílico, desolador, árido; **2** montañosa; **3** un río; **4** caudaloso; **5** una montaña; **6** torrencial; **7** huracanados; **8** extrema; **9** vegetación; **10** austral, septentrional.

B GRANDES ESCAPADAS

1c **a** remanso de paz; **b** retazos de historia; **c** centro neurálgico; **d** atrapar su esencia; **e** abarrotados; **f** no escatimar en lujos.

2a **1** México; **2** Vietnam; **3** República Dominicana; **4** Malasia.

2b **1** Pierre; **2** Héctor; **3** Flavia; **4** Mary.

C GENTE QUE VIAJA

2a **Homogeneización:** transformación para que las cosas tengan características comunes y uniformes.
Sobreocupación: momento en el que un lugar recibe más gente de lo permitido por su aforo.
Población flotante: población que utiliza un territorio pero cuyo lugar de residencia habitual es otro.
Insostenibilidad: falta de equilibrio en los recursos medioambientales.
Capacidad adquisitiva: poder económico con el que cuentan las personas para gastar.
Patrimonio: conjunto de bienes que posee una persona.

2b **Soluciones: 1** falso, no hace más de un lustro de ello; **2** falso, "hay tantos destinos, ofertas y experiencias turísticas como potenciales segmentos de consumidores"; **3** verdadero; **4** falso, se busca que el viaje "remita a una experiencia o a explicar una historia"; **5** falso, en realidad se habla de "simplificación y banalización de la cultura local"; **6** verdadero.

D LA VUELTA AL MUNDO EN 80 LIBROS

2a **1** falso (los estudiosos dudan si darle ese rango); **2** falso (fue en el xx: en la pasada centuria); **3** falso (tomaron caminos menos transitados… fusión, híbrido…); **4** verdadero.

3a **1**–B; **2**–D; **3**–A; **4**–C; **5**–C; **6**–A.

UNIDAD 9

A DEPORTES ALTERNATIVOS

1c **1** sepak takraw; **2** korfbal y sepak takraw; **3** ultimate; **4** korfbal; **5** sepak takraw; **6** korfbal; **8** jugadores por equipo; **7** sepak takraw por las acrobacias.

3b **1** Frase de Lucía; **2** Frase de Vicky; **3** Frase de Héctor.

3c **1** y **2** indicativo; **3** subjuntivo.

3d **1**–a; **2**–c; **3**–d; **4**–b. **1** Mira lo que me ha traído el gracioso de mi cuñado de regalo, aun cuando sabe que a mí no me gusta el fútbol. **2** Yo tengo que intentarlo pase lo que pase; **3** Aunque tuviera alas, nunca podría saltar tan alto como tú; **4** Será muy bueno, pero conmigo no cuentes.

3e **1** ofrezcan / ofrecieran; **2** llevo; **3** rogué; **4** estuviera; **5** sea / sea.

B LA LUCHA ANTIENVEJECIMIENTO

1d **1**–f; **2**– j; **3**–h; **4**–d; **5**–e; **6**–i; **7**–l.

2a **Diálogo 1:** Dani tuvo un accidente que le afectó a las piernas, ahora anda con muletas y va a rehabilitación. **Diálogo 2:** La madre de Mónica ha sido operada y sufre depresión, por lo que va con frecuencia al médico. **Diálogo 3:** Jorge se lesionó la espalda jugando al padel.

2b **Saludar:** ¿Cómo andamos?; ¿Qué hay?; ¿Qué pasa? **Responder a un saludo:** Seguimos tirando; Qué quieres que te diga; Pues aquí estoy… **Ofrecer ayuda:** Si necesitas ayuda no tienes más que pedírmela; Cualquier cosa, ya sabes dónde estoy; No dudes en llamarme si necesitas algo; Cuenta conmigo para lo que necesites. **Animar y consolar:** Venga mujer, tómatelo con paciencia; Bueno, bueno…; Tómatelo con calma. **Despedirse:** Bueno me voy que tengo prisa, cualquier cosa, ya sabes dónde estoy; Venga pues nos hablamos; Venga, pues te llamo.

C LA SOCIEDAD DEL CANSANCIO

1b **1**–F; **2**–V; **3**–V; **4**–V; **5**–F; **6**–V; **7**–F, **8**–V.

2a **Ainhoa**-no; **Hugo**-no; **Sandra**- sí; **Bruno**- no; **Adrián**- sí; **Julia**- sí.

2b **(1)** No creo que me vaya a aportar nada; **(2)** No creo que me atreviese a hacerlo delante de otras personas; **(3)** No me imaginaba que me fuera a aportar tanto; **(4)** Yo no creía que iba a ser capaz de dominar la técnica; **(5)** Nunca hubiera creído que me fuera a cambiar tanto la vida.

2c Posibles soluciones: **2** fuera / fuese / iba a ser / sería tan fácil; **3** me alegraría, me iba a alegrar de hacerlo; **4** le vaya a solucionar / le solucione / le solucionaría el problema; **5** el dolor mejoraría / iba a mejorar pero no lo hizo; **6** fuera / fuese/iba a decepcionarme tanto / me decepcionaría tanto.

D TENDENCIAS ESTÉTICAS

2a **1**–D; **2**–C; **3**–E; **4**–B; **5**–A; **6**–F.

2b **1** Según Nacy Etcoff es innata y universal; **2** "No solamente, aunque es muy importante lo visual, también hay otros aspectos que hacen bella a una persona: el olor, la manera de andar, el estilo, la personalidad…"; **3** Cree que quizá la belleza comporte un beneficio en lo que respecta a la felicidad; **4** Sí, determinan el estado de salud y de fertilidad de las personas.

3b Posibles soluciones: **2** Con lo simpática que es y casi no tiene amigos; **3** Con lo inteligente que es y lo mucho que le gusta aprobar los exámenes; **4** Con lo cómodo que es su trabajo y se queja constantemente; **5** Con la de regalos que le han hecho y todavía no está contento; **6** Con la de peso que ha perdido y aún no se siente a gusto con su cuerpo; **7** Con la de ropa que tiene en el armario y todavía dice que no tiene nada que ponerse; **8** Con el gripazo que tiene y todavía quiere correr el maratón; **9** Con lo recatada que parecía y no para de ligar; **10** Con lo que se quejaba y ahora no dice ni mu.

EN ACCIÓN

1b **1** no lo sepas; **2** he inventado; **3** escribo; **4** no lo sepas; **5** cama; **6** te marchas; **7** estabas; **8** no lo sepas; **9** barcos; **10** labios.

UNIDAD 10

A LA RELIGIÓN DEL CAPITAL

1b **A** nómina porque no tiene un significado negativo; **B** opulencia, se refiere a la abundancia, el resto a lo contrario; **C** cobrar, el único que se refiere a recibir dinero y sin connotación negativa; **D** consumidores, el resto se refiere a las cosas materiales o inmateriales que tiene una persona.

1d **1** Estas son algunas de las palabras que nos quitan el sueño por las noches y dificultan comenzar el día con una sonrisa; **2** Es evidente que el dinero no da la felicidad; **3** A muchos incomoda hablar sobre este tema; **4** Muchos siguen creyendo que la identidad se define en función de la calidad y la cantidad de las posesiones; **5** superada una cierta cantidad, el deseo se vuelve más feroz.

2b En el diálogo anterior podemos comprobar que se utiliza el subjuntivo para resaltar la importancia de la oración en indicativo. El hablante no pone en duda que lo que dice sea verdad, pues es sabido por todos que los futbolistas cobran mucho dinero. Lo utiliza con la intención de resaltar y poner de manifiesto su queja (en subjuntivo) ante las evidencias que ha leído en prensa ante un hecho real (en indicativo).

B EL CEREBRO EN MODO NEGOCIOS

1b Todas las afirmaciones son falsas. **1** dominaban las áreas involucradas en el pensamiento social y emotivo. Y los mejores pensadores estratégicos mostraron niveles mucho más altos de actividad en esas zonas; **2** mientras más estresante sea una fecha límite, menos abiertos estamos a otras formas de abordar el problema; **3** reacciones y decisiones que tomaron en base al temor y la ansiedad podrían resultar ser exactamente las equivocadas; **4** los mejores líderes motivan a sus subordinados al ofrecer estímulo, elogios y recompensas.

3 **1**–b, al fin y al cabo; **2**–a, en cierto modo; **3**–a, en realidad.

C NEGOCIOS VERSUS SOLIDARIDAD

1b MSF: Médicos sin Fronteras; UNICEF: United Nations International Children's

Emergency Fund. Las dos son organizaciones sin ánimo de lucro y de ayuda humanitaria.

FMI: Fondo monetario internacional y PIB: producto interior bruto.

PYMES: pequeñas y medianas empresas.

RSE o RSC: responsabilidad social empresarial / corporativa.

2a 1 La RSE básicamente son todas aquellas acciones voluntarias que hacen las empresas y entidades con sus áreas de interés y que básicamente buscan contribuir con la sostenibilidad social y ambiental de nuestro planeta.

2 La responsabilidad social tiene múltiples beneficios. La fidelización, mejora el clima laboral, hay una mayor valoración de marca; se generan mejores mercados.

3 Hacemos un diagnóstico, es decir, en qué zona se encuentra, cuál es su público de interés, cuál es su producto. Entonces, hay que rescatar lo que la empresa viene haciendo, potencializarlo e identificar otras acciones, quizás en esos grupos de interés, que la organización no ha emprendido.

4 Comunican a sus públicos de interés lo que se está haciendo en responsabilidad social. A nuestro modo de ver, es una manera bien interesante de hacer esa divulgación. También buscamos educar e informar a los públicos de interés sobre esas prácticas de responsabilidad social.

3b Posibles soluciones, aunque puede haber otras opciones correctas.

1 Los RUFT cuyo aporte calórico permite recuperar a un niño con desnutrición aguda cuestan muy poco.

2 Las pantallas atrapanieblas cuya alta durabilidad y bajo mantenimiento las hace idóneas para convertir la humedad en agua potable son, además, fáciles de montar.

D SEDUCIR AL CONSUMIDOR

2a Posible solución: ¿Decide tu inconsciente por ti? que es el título original

2b a sepamos; **b** reacios; **c** indefinible; **d** meridiano; **e** región.

3a 1–b; **2**–d; **3**–a; **4**–c.

4a 1–f; **2**–d; **3**–e; **4**–b; **5**–i; **6**–g; **7**–h; **8**–c; **9**–a.

4b 1 sabes lo de que / sabes lo de; **2** ¿me sigues?; **3** cogen / van; **4** sin ir más lejos; **5** total.

EN ACCIÓN

1a 1–e; **2**–d; **3**–c; **4**–a; **5**–b.

UNIDAD 11

A LENGUAS EN CONTACTO

2b friki: 1–a. estrafalario; **2**–d. extravagante; **3**–c. chiflado; **4**–b. raro. **ignorar: 1**–c. desentenderse; **2**–b. despreciar; **3**–d. soslayar; **4**–a. menospreciar.

2c 1 pulsar, enlace; **2** derechos de autor; **3** pinchadiscos, éxitos; **4** bitácora; **5** apariencia o aspecto; **6** encargado, gerente; por internet.

3a 1 lusismos; **2** galicismos; **3** arabismos; **4** latinismos; **5** americanismos; **6** germanismos.

3b 1 Imperio romano; **2** Pueblos germanos; **3** Árabes; **4** Portugueses; **5** Franceses; **6** Pueblos amerindios.

3c 1 "Se vivía en pequeñas ciudades". No hay sujeto en la oración. El verbo tiene una forma impersonal, no se indica quién realiza la acción del verbo. "Gracias a ellos, se realizaron muchas obras públicas". El sujeto es *muchas obras públicas*, es un sujeto que recibe la acción, pero no la realiza. No dice quién realiza la acción.

2 "Se dice que fueron los principales responsables de la caída del Imperio romano" La oración no tiene sujeto. El verbo tiene una forma impersonal, no se indica quién realiza la acción.

3 "Durante el reinado de los Reyes Católicos, se expulsó a todos aquellas personas que no profesaran la doctrina católica". La acción del verbo no tiene sujeto. El verbo tiene una forma impersonal, no se indica quién realiza la acción del verbo.

5 "Debido al camino de Santiago se incorporaron términos como *hereje, coraje o batalla* procedentes de su lengua". El sujeto es *términos como hereje…*, es un sujeto que recibe la acción, pero no la realiza. No dice quién realiza la acción.

3d 1 se vivía: construcción impersonal. El verbo aparece en tercera persona del singular y no tiene sujeto. **Se realizaron:** construcción pasiva refleja. La oración tiene un sujeto que no realiza la acción, sino que la recibe, y es "muchas obras públicas". **2 se dice:** construcción impersonal. El verbo aparece en tercera persona del singular y no tiene sujeto. **3 se expulsó:** construcción impersonal. El verbo aparece en tercera persona del singular y no tiene sujeto. En este caso el verbo tiene un complemento de persona: "se expulsó a todas aquellas personas que no profesaran la doctrina católica". **5 se constituyó:** construcción pasiva refleja. La oración tiene un sujeto que no realiza la acción, sino que la recibe, y es "términos como hereje…".

B PALABRAS QUE DUELEN

2a 1–b; **2**–a; **3**–c; **4**–a; **5**–a; **6**–c.

2b 1 abordar; **2** improperios; **3** agravio; **4** mentar, **5** taco; **6** de golpe y porrazo.

3a 1 leño: trozo de madera después de cortado y limpio las ramas / leña: conjunto de trozos de madera que usamos para quemar. **2** mar: puede tener género masculino y femenino sin cambiar su significado. **3** huerto: terreno pequeño en el que se plantan las verduras. / huerta: terreno con más extensión que el huerto donde se plantan las verduras. **4** el coma: estado que se caracteriza por la pérdida de conciencia, sensibilidad y movilidad. / la coma: signo ortográfico. **5** el frente: zona de contacto de dos masas de aire con distinta temperatura que crea cambios meteorológicos / primera línea de un ejército. / la frente: parte superior de la cara. **6** azúcar: puede tener género masculino y femenino.

4 Nos complace comunicarles que ya pueden presentarse los proyectos para el X Concurso de Historia Universal. El tema de este año será *El ser humano* y la sociedad actual *Las personas interesadas* deberán dirigir su solicitud a la *secretaría* de Dirección y presentar sus trabajos antes del día 27 del presente mes. La elección de *los trabajos ganadores* correrá a cargo del *profesorado* que imparte la materia. Por último, informarles de que serán *descalificados todos aquellos trabajos* que no se ajusten a las bases de la convocatoria.

C ESPAÑOL SIN FRONTERAS

2a **1** Julieta Venegas, **2** Leonardo Sbaraglia, **3** Chucho Valdés, **4** Julieta Venegas, **5** Leonardo Sbaraglia, **6** Chucho Valdés.

2c Seseo: los tres; Žeísmo: Leonardo; Pérdida de **s**: Chucho; Confusión de **r** y **l**: Chucho; Aspiración del sonido de la **j**: los tres.

3b 1–b; **2**–e; **3**–a; **4**–d; **5**–c.

3c Posibles soluciones: **1** conducir/móvil, **2** fontanero, **3** fiesta, **4** portero, **5** autobús.

4a **1** robaron; **2** humo; **3** muere; **4** desconocido; **5** vale la pena; **6** bandera; **7** su madre; **8** camina.

4b Denuncia la explotación a la que se ha visto sometida Latinoamérica.

D LA VIDA SECRETA DE LAS PALABRAS

3a **1** No hablaba porque no sentía la necesidad de hacerlo y vivía en un mundo invadido por los espíritus y la fantasía. **2** Se emocionaron porque Clara había vuelto a hablar. Estaban tan contentos por oír hablar a Clara que no prestaron atención al mensaje. **3** Sí, dos meses más tarde Esteban Trueba fue a pedir la mano de Clara.

3b Clara vive en un mundo habitado por espíritus en el que el tiempo no existía y la realidad y el sueño se confundían. También el silencio guardado hasta su 19 cumpleaños.

3d **a**–2; **b**–1; **c**–3; **d**–2; **e**–3; **f**–1.

3e **a** "…lo seguí diciendo aun después de que a mis manos les costó trabajo zafarse de sus manos muertas". **b** "…se dejó llevar por la tersura, por la leve crispación de ese día apenas empezado". **c** "Sobrevivió a una carga de estricnina en el café que habría bastado para matar a un caballo". **d** "Y de este modo se me fue formando un mundo alrededor de la esperanza que era aquel señor llamado Pedro Páramo, el marido de mi madre". **e** "El sol se filtraba entre los altos edificios del centro…". **f** "Llegó a ser comandante general de las fuerzas revolucionarias, con jurisdicción y mando de una frontera a la otra…".

EN ACCIÓN

1 **1** relato; **2** punto de vista subjetivo; **3** versos libres; **4** ignorancia.

UNIDAD 12

A SONAMBULISMO TECNOLÓGICO

1b Solución posible: **1** La sobreexposición a redes sociales nos está provocando una "intoxicación" por la necesidad que sentimos de estar permanentemente conectados a ellas; **2** El síndrome de Diógenes digital consiste en la acumulación de cantidades ingentes de material informático innecesario que no tendremos tiempo de consultar; **3** La procrastinación o el arte de postergar las tareas necesarias es causada por la necesidad que sentimos de dar salida a la acumulación de todo ese material informático.

2a **1** Es la fobia que generamos al imaginar vernos sin celular. **2** La inquietud creada cuando una persona se conecta, aparece en línea, lee lo que usted envió, sale el doble *check* al costado de su mensaje y, de pronto, se desconecta, **3** Ignorar a quien esté delante de nosotros por usar un dispositivo móvil.; **4** Cuando uno empieza a envidiar lo que ve en Facebook mirando la vida de los demás y empieza a deprimirse al compararse tontamente con ellos; **5** Cuando sientes que tu celular suena cuando no ha sonado o que vibra cuando no ha sucedido; **6** Implica contestar dormido; **7** Hipocondríaco pero con acceso a internet; **8** Olvidamos todo por confiarnos en este.

3 **2**–**4**–**5**: sobre seguridad; **1**–**3**–**6**: sobre conducta.

3b **1** y **6**–a; **3**, **4** y **5**–b; **2**–c.

3c **2** ¡No lo habré perdido!; **3** Si la habrás escrito mil veces; **4** Habrá comido conmigo; pero no me ha hecho ni caso; **5** Habrás estado unas cuantas horas en el ordenador.

B PLASTICIDAD HUMANA

1a **1** 150; **2** En las pequeñas; **3** Sí, nuestra habilidad para manipular información sobre la vida social está limitada por el tamaño de la parte más frontal de nuestro cerebro; **4** El ser humano; **5** Mayor.

2a Solución posible: **1** Color de piel; **2** Estatura; **3** Cabeza grande; **4** Pelo; **5** Manos mayores, memoria menor; **6** Sociedad sin género.

2d **Indicativo:** para mí que, lo mismo, sospecho / intuyo; **Subjuntivo:** pudiera ser que, cabe la posibilidad de que, no tengo tan claro que.

C LA AMENAZA ROBOT

1c **A**–6; **B**–8; **C**–2.

2 Noticia **1** bautizar, embargar la duda y vulnerabilidad; noticia **2** autoestopista, transeúnte, descuartizamiento y emprender a palos; noticia **3** retoños, reconstruidos y eficiente.

3a **1**–b; **2**–a; **3**–a; **4**–b; **5**–b; **6**–a; **7**–a; **8**–b; **9**–b; **10**–a.

3b **1** una / el; **2** Ø / un; **3** la / el; **4** una / el.

D EL HOMBRE EN SU BURBUJA

1b **1** darse un apretón de manos; **2** besos en las mejillas; **3** escupir; **4** chupar; **5** agasajar; **6** miga.

2c Son apasionados, quejosos y con mucho aguante. Son trabajadores y buena gente. Son tristes y nostálgicos. Son hospitalarios. Orgullosos de hablar argentino. Les falta humildad. Tienen un sentimiento más americano que latinoamericano. Son personas comunes sin nada especial con respecto a los demás. Dan muchas vueltas a las ideas, son muy pensativos.

3b **1** burbuja; **2** retroceder; **3** proxémico; **4** cómoda; **5** apropiada; **6** desplazamiento.

SOLUCIONES DE GRAMÁTICA

UNIDAD 1

1 **1**–d; **2**–f; **3**–a; **4**–c; **5**–h; **6**–e; **7**–g; **8**–i; **9**–b.

2 **1** óptimos; **2** humilde; **3** caradura; **4** escrupuloso/a; **5** frívolo/a; **6** provechosa.

3 **1** verdaderamente; **2** sumamente; **3** manifiestamente; **4** ligeramente; **5** irremediablemente; **6** tremendamente; **7** levemente; **8** inmensamente.

4 **1** en; **2** de; **3** a; **4** de; **5** en / sobre; **6** con; **7** de; **8** a; **9** de.

5 **1** ella dice que Juan siempre se quejaba ~~en~~ de todas las cosas que ella hacía; **2** ¿Y no han pensado en asistir ~~en~~ a una terapia de parejas?; **3** seguro que se negaría ~~de~~ a ir.

6 **1** Le espantan; **2** Le ponen de un humor; **3** Le saca de quicio; **4** Disfruta a lo grande aprendiendo español; **5** Es un hacha en los deportes; **6** No cambiaría por nada del mundo; **7** Me siento atraído por.

7 **1** Ser un fenómeno con las matemáticas / en clase / en física; **2** Ser un as del deporte; **3** Tener buena mano para la cocina, las plantas / con los niños; **4** No hay quien me gane al pimpón / a las cartas.

UNIDAD 2

1 Soluciones posibles: **1** Se apuntó a clases de francés con la esperanza de vivir en París; **2** La empresa compró un nuevo local con el propósito de ampliar el negocio; **3** Ve al médico para que te recete algo; **4** Voy a comprar las entradas del concierto, no sea que nos lo perdamos; **5** Llevo toda la semana entrenando para no quedar en mal lugar el día de la competición; **6** Explícale lo que ha sucedido para que tu jefe sepa que se trata de un simple malentendido.

2 Soluciones posibles: **1** Para que me trates así, me marcho; **2** Para ser tan mayor tiene mucha agilidad; **3** Esta semana me he ocupado yo de limpiar toda la casa, para que luego digas; **4** Se despidió del trabajo para empezar una nueva vida; **5** No estoy de buen humor para discutir este tema contigo.

3 Soluciones posibles: **1** Está muy alto para su edad; **2** Lo he conseguido, ¡para que digáis!; **3** Para esto, no trabajo; **4** Lo he conseguido por mí mismo, para que luego digas.

4 1–h; **2**–b; **3**–a; **4**–c; **5**–g; **6**–e; **7**–f; **8**–d.

5 Respuesta libre.

6 Soluciones posibles: **1** apuntas / vienes; **2** planes; **3** parece; **4** animar; **5** vienes / apuntas; **6** sería / es.

UNIDAD 3

1 **1** que rellenen el formulario serán tenidos en cuenta; **2** de lo que me imaginaba; **3** que me sudaban mucho las manos; **4** del que me siento muy orgulloso; **5** el que me hizo la entrevista; **6** en la que me preguntaron si quería tener hijos; **7** con el que trabajo.

2 **1** correcto; **2** (lo que); **3** (el que / quien); **4** correcto; **5** correcto; **6** correcto; **7** (que); **8** (con la que); **9** (lo que); **10** (que).

3 Soluciones posibles: **1** En mi opinión; **2** De esta forma; **3** Por el contrario; **4** en otras palabras; **5** dado que; **6** asimismo.

4 Soluciones posibles:**1** Por lo que respecta al, en lo que se refiere a; **2** Sin embargo, no obstante; **3** Por consiguiente, así pues; **4** en primer lugar; **5** a continuación; **6** en este momento; **7** Dado el, Debido al; **8** Finalmente.

UNIDAD 4

1 **1** de; **2** de / que; **3** que; **4** de; **5** que; **6** de / que; **7** de; **8** como.

2 **1** más; **2** de / que; **3** de; **4** mucho / bastante; **5** como; **6** de; **7** que; **8** de.

3 Soluciones posibles: **1** Tus amigos fueron más amables de lo que esperaba; **2** La operación duró más de cuatro horas; **3** Los candidatos de hoy estaban mejor preparados que los de ayer; **4** Miguel estaba tan enfadado con Fernando como Fernando con él; **5** Estaba pensando en lo mismo que tú; **6** Pensaba que era más trabajador.

4 **1** cuba; **2** mula; **3** listo; **4** carretero; **5** claro; **6** cabra; **7** mano; **8** Matusalén.

UNIDAD 5

1 Soluciones posibles: **1** Se arruinó la cosecha a causa de las inundaciones sufridas en la zona; **2** Debido a la manifestación en contra de los ensayos nucleares, llegamos tarde; **3** No consumo estos productos, ya que están tratados con pesticidas; **4** A causa de los fuertes vientos, el incendio se ha propagado rápidamente; **5** No compro pescados pequeños no porque estén malos, sino porque son pescados de forma ilegal; **6** Gracias a las nuevas leyes medioam-

bientales, conseguiremos disminuir las emisiones de carbono; **7** No instalan paneles solares porque sea más barato, es que son más ecológicos; **8** Por culpa de los temblores de tierra hubo que evacuar la zona; **9** No está permitido el acceso al turismo porque sea peligroso, sino por preservar la zona; **10** Dado que se recibieron reiteradas denuncias de grupos ecologistas, hubo que paralizar las obras…

2 Soluciones posibles: **2** Me alegra escuchar que dentro de cuarenta años el 90% de la energía procederá del sol y del viento; **3** Me llena de rabia que se sigan destruyendo los bosques amazónicos; **4** Siento impotencia al ver que la emisión de gases invernadero sigue aumentando; **5** Se me rompe el corazón cuando escucho que existen tantas regiones sin agua potable; **6** Se me ponen los pelos de punta con lo del calentamiento global; **7** Me llena de alegría que la gente apueste por los coches eléctricos; **8** Me horroriza pensar que estas especies puedan desaparecer; **9** Sufro viendo como mueren tantas personas a causa de la contaminación; **10** Me emociona el aumento de población de ciertas especies en peligro de extinción.

3 Respuesta libre.

UNIDAD 6

1 Solución posible: **1** de ahí; **2** por consiguiente; **3** luego; **4** tal; **5** Así pues.

2 **1** conque; **2** por consiguiente; **3** de ahí que; **4** luego; **5** o sea que; **6** tantas.

3 **1** vacas; **2** policía; **3** suspenso; **4** yogures.

4 1–a; **2**–c; **3**–a, b, c.

5 1–c; **2**–a; **3**–b; **4**–e; **5**–f; **6**–d; **7**–h; **8**–i; **9**–g.

UNIDAD 7

1 **1** Antes de que; **2** Hasta que; **3** Conforme; **4** Cuando; **5** Solo cuando; **6** Antes que; **7** en cuanto; **8** mientras; **9** Al; **10** Hasta que no.

2 **1** Conforme / a medida que vayas aprendiendo, te sentirás más seguro; **2** Avísame en cuanto / apenas / en el momento en el que salgan las notas;

3 Solo cuando me suban el sueldo, pediré un crédito; **4** La primera vez que fui a ponerme una vacuna, nada más ver la jeringuilla me desmayé / en cuanto vi la jeringuilla me desmayé; **5** Después de la explosión quedó un gran silencio; **6** Antes nos veíamos con frecuencia, cuando pasaba por mi barrio me llamaba; **7** Cuando el terremoto, yo estaba en la cama.

3 Soluciones posibles: **1** viva; **2** deje; **3** se fuera / se fue; **4** vayas; **5** rompa; **6** saber; **7** veas; **8** hacía; **9** alquilar; **10** consiga.

4 Respuesta libre.

5 **1** Anterior; **2** Excepcional, sin igual; **3** Posterior; **4** Extraño; **5** Bastantes; **6** no ficticios; **7** Estupendo; **8** Firme; **9** Solitario; **10** Perteneciente al rey o a la realeza.

6 1–b; **2**–a; **3**–b; **4**–a; **5**–a; **6**–a.

7 Respuesta libre.

8 1–b; **2**–d; **3**–a; **4**–c; **5**–f; **6**–e.

9 Respuesta libre.

UNIDAD 8

1 **1** equivoco; **2** Así es; **3** diría; **4** contando; **5** se halla; **6** cierto; **7** de hecho; **8** desemboca; **9** tanto; **10** caudaloso.

2 **1** ¿Que Bélgica no tiene salida al mar?; **2** ¿me equivoco?; **3** se sitúa / se encuentra; **4** ¿estoy en lo cierto?; **5** Efectivamente; **6** ¡Qué me estás contando!; **7** ¿Verdad que sí?; **8** Así es; **9** ¡Qué va!; **10** ¡Venga ya! ¡Lo que hay que oír!

3 1–b; **2**–a; **3**–b; **4**–a; **5**–b.

4 **1**acababa de; **2** acabó por; **3** estuve a punto de; **4** fui/iba; **5** me puse a; **6** debía de.

UNIDAD 9

1 1–b; **2**–c; **3**–a.

2 **1** tuviera; **2** hubiera llamado; **3** tener; **4** estuve; **5** esforzarse / haberse esforzado; **6** fuera.

3 **1** Piensen lo que piensen; **2** aunque; **3** Pese a; **4** aun cuando / aunque; **5** se ponga como se ponga; **6** Si bien es cierto que / aunque / aun cuando.

4 1–a; **2**–a, c; **3**–a; **4**–a, b; **5**–b; **6**–b, c; **7**–a, c; **8**–a, b, c.

5 Soluciones posibles: **1** tuvieras; **2** viajaban; **3** sea; **4** tenga; **5** era; **6** se me está pasando / se me ha pasado; **7** solucionarías; **8** hiciera; **9** será; **10** fuera.

UNIDAD 10

1 Soluciones posibles: **1** Mira, por muy guapa que estuviera, no me lo voy a cortar; **2** No seas pesado. Por mucho que insistas, no iremos hasta que no termine el trabajo; **3** Ya, pero no puedo permitírmelo por muy moderno que sea. ¿Me puede enseñar otros modelos más económicos?

2 **1** cuyas; **2** que / lo cual; **3** Quienes / Los que; **4** que / las cuales; **5** que; **6** la que / la cual.

UNIDAD 11

1 **2** A primera hora de la mañana, se divulgó la noticia por los medios de comunicación; **3** Se vendieron los dos últimos pisos de ese bloque; **4** Se abrazaron al oír la noticia; **5** Se cree que el próximo año habrá una reducción de plantilla; **6** Fue a la peluquería a cortarse el pelo como ese famoso futbolista; **7** Ten cuidado con esa caja, no se vaya a romper todo al final; **8** Como no le gustaba lo que oía, nos dejó con la palabra en la boca y se fue a ver a Luis.

2 **a** alquilan; **b** informó; **c** necesita **d** consideran; **e** comenta; **f** aclaró.

3 **1 Acordar:** llegar a un acuerdo, un trato. / **Acordarse:** recordar; **2 Encontrar:** hallar lo que se busca. / **Encontrarse:** ver algo o a alguien po casualidad; **3 Ocupar:** tomar posesión, llenar un sitio. / **Ocuparse:** encargarse de algo; **4 Jugar:** divertirse haciendo algo. / **Jugarse:** apostar. **5 Aprovechar:** emplear útilmente algo / **Aprovecharse:** sacar provecho o beneficio de algo o alguien.

4 **1** el; **2** esa; **3** el; **4** una; **5** ningún; **6** un **7** la; **8** varias; **9** la.

UNIDAD 12

1 Soluciones posibles: **1** ¿No te lo habrás dejado en clase, verdad?; **2** Se lo habrá llevado él; **3** ¡Si le habré dicho mil veces que tenga cuidado!; **4** Habrá llamado un montón de veces, pero yo no lo he oído; **5** Habrá estado todo el día en el ordenador.

2 1–e; **2**–c; **3**–d; **4**–a; **5**–f; **6**–b; **7**–g.

3 Respuesta libre.

4 **1** C; **2** I (haya); **3** I (será); **4** C; **5** I (vayamos).

5 1–d; **2**–h; **3**–b; **4**–k; **5**–m; **6**–j; **7**–o; **8**–g; **9**–f; **10**–l; **11**–i; **12**–a; **13**–n; **14**–e; **15**–c.

6 **1** la / los / el; **2** una / x; **3** las / las / la / el / x.

7 **1** I (los drones); **2** I (es una necesidad); **3** I (el científico); **4** C; **5** C (también admite el artículo "los"); **6** I (vehículos); **7** I (los humanoides / las personas).

8 **1**quieras; **2** veas; **3** fuimos; **4** compra; **5** encuentres, puedas.

9 Soluciones posibles: **1** De donde; **2** desde donde; **3** adónde; **4** de donde; **5** por donde.

AGRADECIMIENTOS

AGRADECIMIENTOS DE LOS AUTORES

Muchas gracias a nuestros estudiantes y compañeros de International House con los que llevamos años aprendiendo y compartiendo esta apasionante aventura de la enseñanza de ELE. Mención especial a Neil Ainsworth, Angharad Gwilym, Catriona Morris, Lucy Postlethwaite y Sophie Pourrat por permitirnos pilotarlo.

A Andrea Incera, por el regalo de sus preciosas viñetas.

A José Luis Santalla, por sus magníficas fotos.

AGRADECIMIENTOS DE LA EDITORIAL

A FONDATION GOODPLANET y a Jacqueline GOFFART, por autorizarnos a reproducir la imagen de 7 mil millones de otros (pág. 14).

A El Celler de Can Roca, por permitirnos utilizar las fotografías de las págs. 40, 41, 42 (ej. 5b y restaurante ej. 1), 43 (comida sofisticada) y 44.

Al restaurante Matín Berasategui, por proporcionarnos una foto para la pág. 44.

Al restaurante DiverXo, por la foto que ilustra su restaurante en la pág. 44.

Al restaurante ABaC, por permitirnos descargar fotos de su página web para las págs. 44 y 47.

A SURE Architecture Ltd, por permitirnos utilizar la imagen de la "ciudad sin límites" (pág. 70).

A la Asociación Spiribol, por la cesión de la foto de la página 91.

Primera edición, 2016

Produce: SGEL – Educación
Avda. Valdelaparra, 29
28108 Alcobendas (Madrid)

© Berta Sarralde, Eva Casarejos, Mónica López, Daniel Martínez
© Sociedad General Español de Librería, S. A., 2016
Avda. Valdelaparra, 29, 28108 Alcobendas (Madrid)

Director editorial: Javier Lahuerta
Coordinación editorial: Jaime Corpas
Edición: Mise García
Corrección: Ana Sánchez
Diseño de cubierta e interior: Verónica Sosa
Fotografías de cubierta y portadillas: José Luis Santalla
Maquetación: Verónica Sosa

Ilustraciones: Pablo Torrecilla (págs. 92, 99, 172). Andrea Incera (pág. 23).
Fotografías: Unidad 1: Shutterstock.com: págs. 8, 9, 11. CORDON PRESS: pág. 10. Corbis: págs. 13 y 15. Unidad 2: Shutterstock.com: págs. 18, 20 (excepto foto 3) 22, 24, 25, 27, 28, de ellas, solo para uso de contenido editorial: pág. 24, HM: Vucicevic Milos/ Shutterstock.com y pág. 28 (1) Eldad Carin/Shutterstock.com. CORDON PRESS: pág. 26. Corbis: pág. 20 (foto 3). INGIMAGE: pág. 19. Unidad 3: Shutterstock.com: págs.: 33, 34, 37, de ellas, solo para uso de contenido editorial: pág. 37, generación Y Dmitri Malyshev/ Shutterstock.com. Corbis: págs. 30, 31 Unidad 4: Shutterstock.com: págs. 42, 43, 45, 46, 48. CORDON PRESS: págs. 40 y 41. Unidad 5: Shutterstock.com: págs. 50, 51, 54, 55, 56, 57, 58; Corbis: págs. 52 y 53. Unidad 6: Shutterstock.com: págs. 60 (foto 3), 63, 64, 65, 66. Corbis: pág. 60 (fotos 1, 2 y 4). CORDON PRESS: pág. 62. Unidad 7: Shutterstock.com: págs. 72, 74, 76, 77, de las cuales, solo para uso de contenido editorial: pág. 72: Intervenciones urbanas, foto 1: EQRoy/ Shutterstock.com, foto 2: Neale Cousland/Shutterstock.com; pág. 74, foto de Banksy (foto 1: BMCL/ Shutterstock.com, foto 2: Radoslaw Lecyk/Shutterstock.com). CORDON PRESS: pág.72 (Praga). INGIMAGE: pág. 72: Barcelona y Buenos Aires. Matadero de Madrid: foto pág. 78. Unidad 8: Shutterstock.com: págs. 80, 82 (1), 85, 86, 88, de las cuales, solo para uso de contenido editorial: pág. 85 (foto 1: funkyfrogstock/ Shutterstock.com, foto 2: Chris Parypa Photography/ Shutterstock.com). Corbis: pág. 82 (foto 2), pág. 83 (fotos 4 y 5). INGIMAGE: pág. 85 (foto 3). Unidad 9: Shutterstock.com: págs. 90, 91, 93, 94, 95, 96, 97, 98, de las cuales, solo para uso de contenido editorial: pág. 90: Ultimate (Drimi/Shutterstock.com), Sepak Takraw (Pal2iyawit/ Shutterstock.com) Korfbal (Snap2Art/Shutterstock.com), pág. 97, foto 1 (Stefano Ember/ Shutterstock.com). Corbis: pág. 97 (foto 2). FUNDACIÓN SPIRIBOL: foto pág. 91. Unidad 10: Shutterstock.com: págs. 102, 103, 104, 105 (foto 2), 106, 108, 109, de las cuales, solo para uso de contenido editorial, pág. 107 (Coca-Cola pepsi: www.BillionPhotos.com/ Shutterstock.com, iPhone: Zeynep Demir/Shutterstock.com, y Samsung: Zeynep Demir/ Shutterstock.com). Corbis: pág.105: fotos 1 y 3. Unidad 11: Shutterstock.com: págs. 115, 118, 119, de las cuales, solo para uso de contenido editorial, pág. 118, foto d:Maxisport/Shutterstock.com, pág. 119, foto 1: s_bukley/Shutterstock.com, foto 2: Denis Makarenko/Shutterstock.com, foto 5: s_bukley/Shutterstock.com. CORDON PRESS: pág. 119, fotos 3 y 4; pág. 120 y 121 (Julio Cortázar). Corbis: pág. 121, fotos de Isabel Allende y de García Márquez. Unidad 12: Shutterstock.com: págs. 124, 125, 126, 128, 130, 131, 132, 133 y 134, de las cuales, solo para uso de contenido editorial, pág. 131 (vendedor de mates: De Visu/Shutterstock.com, bailarines de tango: Pukhov Konstantin/ Shutterstock.com). José Luis Santalla: pág. 124 (foto 1).Para cumplir con la función educativa del libro, se han utilizado algunas imágenes procedentes de internet: cubiertas de libros: págs. 13, 87, 106, 121 y fotos de los restaurantes Arzak y El Club Allard (pág. 44).

Audio: Álvaro López–SOUNDERS CREACIÓN SONORA.

ISBN: 978-84-9778-904-2

Depósito legal: M-1.311-2016
Printed en Spain – Impreso en España

Impresión: Grupo Gráfico Gómez Aparicio